Les ouvrages de **Maya Banks** figurent régulièrement sur les listes des best-sellers du *New York Times* et de *USA Today*, aussi bien en romance érotique, contemporaine et suspense qu'en romance historique. Maya vit au Texas avec son mari et ses trois enfants, des chats et un chien. C'est une lectrice de romance passionnée, qui adore partager ses coups de cœur avec ses fans sur les réseaux sociaux.

Maya Banks

S'ABANDONNER

À CORPS PERDUS — 2

Traduit de l'anglais (États-Unis) par Ana Urbic

MILADY ROMANTICA

Milady est un label des éditions Bragelonne

Titre original : *Giving In*
Copyright © 2014 by Maya Banks
Tous droits réservés.
Originellement publié par Berkley Publishing Group Penguin Group (USA) Inc.

© Bragelonne 2015, pour la présente traduction

ISBN : 978-2-8112-1356-5

Bragelonne – Milady
60-62, rue d'Hauteville – 75010 Paris
E-mail : info@milady.fr
Site Internet : www.milady.fr

Pour Sandra, la mère de mon cœur

Chapitre premier

— Vous avez une mine épouvantable, lança Jensen Tucker depuis le seuil de la porte de son bureau.

Kylie Breckenridge leva la tête et lui lança un regard glacial. Un regard qui aurait fait fuir n'importe qui, sauf lui. Il en fallait davantage pour impressionner Jensen.

Cet homme avait vraiment le don de l'exaspérer au plus haut point. Il faisait comme si de rien n'était, comme s'il ignorait qu'elle ne pouvait pas le supporter, alors qu'en fait, il en était pleinement conscient. Jensen Tucker était un être odieux, borné et dominateur ; précisément le genre d'homme que Kylie cherchait à éviter à tout prix. Hélas, Jensen était aussi son patron.

Elle esquissa une grimace à cette pensée. L'époque où Carson était encore là lui semblait tellement loin. Elle n'aurait pas pu choisir de meilleurs patrons que Dash et lui. Cela faisait déjà trois ans que son frère était mort, trois ans que Dash et elle travaillaient en binôme, jusqu'à l'arrivée de Jensen. Depuis son arrivée, ce dernier n'avait pas engagé la moindre démarche pour recruter une assistante. Au contraire, il semblait prendre un malin plaisir à la noyer sous une charge de travail infernale et à la faire tourner en bourrique.

—Merci, repartit-elle froidement, votre compliment me va droit au cœur.

Comme à son habitude, Jensen entra dans son bureau sans attendre sa permission, et Kylie réprima un soupir d'agacement. Il savait qu'elle faisait tout pour limiter les contacts avec lui, mais il avait vraisemblablement décidé de l'ignorer ouvertement.

Jensen s'assit sur l'une des chaises placées devant son bureau, et Kylie se fit la remarque qu'elle devait absolument se débarrasser de ces satanés sièges. C'était sans doute une réaction puérile de sa part même s'il fallait dire qu'ils ne lui servaient strictement à rien. Elle ne recevait aucun client dans son bureau, c'était Jensen et Dash qui s'en chargeaient. Elle se contentait de faire son travail au mieux, tranquillement, dans son coin. Pour une raison qui lui échappait, Jensen trouvait amusant de venir la taquiner et de constamment envahir son espace personnel. Cela faisait quelques semaines à peine qu'il avait rejoint le cabinet de conseil en tant qu'associé de Dash et déjà, elle ne pouvait plus le souffrir.

—Vous ne dormez pas assez, dit-il d'un ton condescendant.

Son regard était si perçant qu'elle eut l'impression qu'il pouvait lire en elle comme dans un livre ouvert, qu'il pouvait percevoir les ombres du passé qui hantaient son regard et dont elle n'était toujours pas parvenue à se débarrasser. Elle était consciente que ses cernes trahissaient sa fatigue. Elle n'avait pas besoin que cet abruti le lui rappelle.

—À moins que mon apparence ou le fait que je ne dorme pas assez interfèrent dans mon travail, cela ne vous regarde pas.

Sa réplique n'eut aucun effet sur Jensen, qui continua à l'observer en silence. Son visage ne trahissait aucune émotion. En y réfléchissant mieux, jamais, depuis son arrivée, elle ne l'avait vu contrarié ou en colère, encore moins jovial et souriant. Il arborait toujours la même expression impénétrable et la regardait de cette façon qui la mettait mal à l'aise et réduisait à néant toutes ses défenses. Elle avait l'impression d'être un insecte qu'il examinait au microscope. Il semblait tout savoir sur elle et anticipait même ses réactions.

Rien, absolument rien n'échappait à l'œil aiguisé de Jensen. Tel un prédateur, il observait son entourage en silence. Certes, cette qualité était essentielle dans son métier, mais elle n'était pas l'un de ses clients. Il n'avait qu'à garder ses talents pour ceux qui en avaient vraiment besoin. Pour sa part, elle pouvait amplement se passer de ses conseils.

—Vous faites du très bon boulot, Kylie, et je ne crois pas vous avoir donné la moindre raison d'en douter. Si c'est le cas, je m'en excuse. En tout cas, sachez que Dash et moi serions certainement perdus sans vous.

Kylie battit des cils devant ce compliment inattendu et se sentit rougir jusqu'à la racine des cheveux. Une douce chaleur se diffusa en elle, mais elle décida de ne pas y prêter attention.

—Quand avez-vous dormi pour la dernière fois? s'enquit-il en fronçant les sourcils, le regard toujours rivé sur elle.

—La nuit dernière, et puis celle d'avant et celle d'avant encore, répondit-elle en lui adressant un sourire ironique.

—Vous mentez.

Kylie écarquilla les yeux en percevant une pointe d'agacement dans sa voix.

—Je suis prêt à parier que vous ne fermez pratiquement pas l'œil de la nuit. Pourquoi ne pas vous accorder quelques jours de vacances? Prenez un peu de temps pour vous, pour vous reposer. Dash m'a dit que vous n'aviez pas pris de congé depuis la mort de Carson.

Elle tressaillit, sentant une vague de chagrin la submerger.

—Regardez la réalité en face, poursuivit Jensen d'un ton un peu plus brusque, il est mort. Carson est mort. Joss a réussi à tourner la page, pourquoi n'en faites-vous pas autant?

Piquée au vif, Kylie posa brusquement les mains sur la table et se leva pour planter son regard dans celui de Jensen.

—C'était mon frère, gronda-t-elle, la seule famille qui me restait. Il était la seule personne qui m'aimait vraiment et qui était toujours là pour moi. Comment pouvez-vous me demander de tourner la page et de faire comme si de rien n'était? Allez au diable!

—Ah, enfin, des émotions ! Cela me rassure, votre colère me prouve que vous ne marchez pas au radar. Cessez donc de vous apitoyer sur le passé. La vie n'est pas toujours facile et vous êtes loin d'être la seule à avoir des problèmes, ou encore, à avoir perdu un proche. Vous savez, vous n'êtes pas différente des autres.

Un frisson de rage parcourut Kylie et elle crispa ses doigts sur le bureau, sentant ses nerfs lâcher.

—Comment osez-vous ? s'exclama-t-elle. Qui êtes-vous pour me juger ? Vous ne savez rien de ma vie. Sortez ! Sortez de mon bureau et n'y remettez plus les pieds. Dorénavant, si vous avez besoin de quelque chose, appelez-moi, envoyez-moi un mail, un SMS, peu m'importe, mais n'entrez plus dans mon bureau.

Sa crise de colère laissa Jensen de marbre et elle crut qu'elle allait exploser lorsqu'il afficha un sourire en coin.

—J'en sais bien plus sur vous que vous ne le pensez. Mais, je ne sais pas tout, je vous l'accorde. Cela dit, je compte y remédier et je compte commencer tout de suite, d'ailleurs. Dash et Joss étant partis en voyage de noces, vous et moi allons être amenés à travailler ensemble pendant les deux prochaines semaines. Vous savez que nous essayons actuellement de décrocher un contrat avec la compagnie pétrolière Simpson & Gerrick, qui veut procéder à une restructuration de ses effectifs. Ils veulent supprimer les emplois improductifs et réorganiser les services. Ils ont lancé un appel d'offres et c'est vous et moi qui allons y répondre, ensemble.

—Mais, je n'ai aucune expérience dans ce domaine. C'est vous et Dash qui vous chargez de rapporter les affaires. Moi, je gère le bureau, Jensen, mes fonctions s'arrêtent là, rétorqua Kylie en le dévisageant d'un air perplexe.

—Dois-je comprendre que vous ne vous sentez pas à la hauteur du défi, Kylie?

Elle rougit de nouveau. Il était hors de question qu'elle lui dévoile ses failles et ses faiblesses.

—Vous affichez une façade froide et vous vous montrez agressive envers tous, même envers ceux qui vous aiment. Pourquoi? Avez-vous peur de vous ouvrir à quelqu'un et de le perdre comme vous avez perdu votre frère? Je vois clair dans votre jeu, je sais que derrière cette femme distante et assurée se cache une personne chaleureuse au grand cœur. C'est cette femme qui m'intéresse, et je suis bien décidé à mieux la connaître, que cela vous plaise ou non, ma chère.

—Sortez de mon bureau! marmonna-t-elle entre ses dents. J'ai mieux à faire que d'écouter vos bêtises.

Il haussa les épaules.

—Ce ne sont pas des bêtises, mais la vérité. Inutile de lutter contre l'inévitable, Kylie. Vous et moi, c'est une évidence et je vais vous le prouver. En plus, sachez que je finis toujours par obtenir ce que je veux.

Elle étouffa un rire amer et sentit sa tension augmenter encore d'un cran. Les paroles de Jensen lui donnaient la chair de poule, mais en même temps, elles la mettaient dans un état d'émoi étrange.

Oui, Jensen Tucker était imbu de sa personne, arrogant et dominateur, tout le contraire de ce qu'elle recherchait chez un homme. Non pas qu'elle recherche un homme, bien au contraire. Plus jamais elle ne se mettrait dans une position de vulnérabilité. Et puis, même une femme beaucoup plus entreprenante et expérimentée n'aurait aucune chance face à Jensen. Il n'en ferait qu'une bouchée avant de passer à sa prochaine proie.

—Je ne nourrirais pas trop d'espoirs si j'étais vous, rétorqua-t-elle. Vous et moi, ça n'arrivera jamais. Jamais. Ja-mais. Et si vous vous obstinez dans votre délire, je n'hésiterai pas à engager des poursuites pour harcèlement sexuel contre vous.

À ces mots, un large sourire se dessina sur les lèvres de Jensen. C'était bien la dernière réaction à laquelle elle s'attendait. Puis, d'un regard appuyé, il la scruta des pieds à la tête, d'une façon qui la mit mal à l'aise.

—Tant mieux, j'adore les défis, ma belle. Plus on me résiste, plus je persiste.

—Ne m'appelez pas comme ça. Gardez ce sobriquet pour celle qui sera intéressée par vous parce que, pour ma part, ce n'est absolument pas le cas.

Le sourire de Jensen s'élargit encore, et Kylie se rendit compte que pour la première fois, il laissait paraître une émotion sur son visage. D'habitude, il était difficile à cerner, ne montrant que très peu de lui-même. C'était justement cette attitude qui la rendait folle. À présent, en le voyant ainsi et en réfléchissant à tout ce qu'il venait de lui dire, elle se demanda si ce n'était pas plutôt elle qui était au centre de ses pensées et réprima une bordée de jurons à cette idée.

—Vous ne semblez pas m'avoir comprise, je vais donc essayer d'être plus claire. Trouvez-vous un autre défi à relever parce que vous n'avez aucune chance avec moi. Et puis d'ailleurs, pourquoi vous accrochez-vous autant à moi ? Je suis bien loin d'incarner la femme idéale selon vous. À vous entendre, je suis timide, aigrie et j'ai une mine affreuse, en plus.

Jensen se leva, ne tenant délibérément pas compte de ses paroles, ce qui agaça Kylie encore plus. Il se pencha au-dessus du bureau, les mains à plat sur la surface en verre, si bien que son visage se retrouva à quelques centimètres du sien. Il leva ensuite une main vers elle et effleura doucement ses cernes de son pouce.

—Vous ne pouvez pas continuer comme ça, murmura-t-il. Allez voir un médecin pour qu'il vous file un truc pour dormir. Ou peut-être serait-il bien que vous alliez consulter un psy. Vous ne tiendrez pas longtemps à ce rythme et vous finirez par vous rendre malade. Kylie, si vous ne voulez pas le faire pour vous, faites-le au moins pour ceux qui vous aiment et qui s'inquiètent de vous voir ainsi.

Avant que Kylie n'ait eu le temps de répondre quoi que ce soit à ses conseils déplacés, Jensen se redressa et quitta le bureau sans se retourner.

À l'instant même où il eut refermé la porte derrière lui, Kylie se laissa tomber sur sa chaise. Sentant soudain toutes ses forces la lâcher, elle se prit la tête entre les mains. Il avait raison ; Jensen avait raison, maudit soit-il ! Elle était à deux doigts de la crise de nerfs. Ses cauchemars la tourmentaient tellement qu'elle avait fini par renoncer au sommeil. Elle ne parvenait pas à chasser les démons de son passé, elle n'arrivait toujours pas à aller de l'avant.

Mais de là à aller consulter un médecin ou un psy… Non, il en était hors de question. Elle ne révélerait ses faiblesses à personne. Ce serait admettre qu'elle avait besoin d'aide alors que pas du tout. Elle avait survécu à bien pire. Oui, le pire était derrière elle désormais. Du moins, c'était ce qu'elle voulait croire.

Avait-elle vraiment laissé derrière elle ses traumatismes d'enfance ? Il était évident que non. Rien ne pouvait effacer les abus répétés qu'elle avait subis de la part de son père. Elle ne trouvait pas le moyen d'oublier, de tirer un trait définitif sur le passé.

Elle ferma les yeux et lorsqu'elle voulut les rouvrir, ses paupières lui parurent si lourdes qu'elle y renonça. Elle était exténuée. Elle donnerait cher pour une nuit de sommeil ininterrompue. Peut-être s'arrêterait-elle dans une pharmacie en rentrant chez elle pour acheter des somnifères vendus sans ordonnance. Comme ça, elle n'aurait pas besoin de passer par un docteur ou de se retrouver sur le divan d'un psy à lui raconter les détails sordides de son enfance. Plutôt mourir que de confier ses tourments à qui que ce soit.

Absorbé par ses pensées, Jensen referma la porte de son bureau derrière lui. Que lui arrivait-il ? Contre tout bon sens, il se sentait attiré par cette satanée femme. Secouant légèrement la tête, il regarda la montagne de documents qui l'attendait sur son bureau. Dash étant parti en lune de miel, c'était donc à lui de faire tourner la boîte pendant les deux prochaines semaines.

Dash et Joss avaient vraiment l'air heureux, limite à en donner la nausée. Cela dit, Jensen était content pour eux. Il leur avait fallu pas mal de temps pour en arriver là, surtout à Dash. Son ami avait de la chance d'avoir trouvé le bonheur aux côtés de Joss. C'était une femme merveilleuse avec un cœur en or. Oui, Dash était un sacré veinard. Il avait épousé une femme jolie et soumise, qui s'était livrée corps et âme à lui et qui, en plus de ça, ne semblait avoir d'yeux que pour lui.

Si seulement il pouvait dire la même chose de la femme qui occupait toutes ses pensées dernièrement. Il fit une grimace.

Kylie Breckenridge était irritable à souhait et pourtant, chaque fois qu'elle lui adressait un regard plein de mépris, son sexe se dressait dans son pantalon. Il avait envie d'elle comme jamais il n'avait eu envie d'une autre femme et cela le rendait malade.

Il savait très bien que Kylie n'était pas pour lui, elle n'était pas du tout le genre de femme avec qui il avait l'habitude de coucher et encore moins de fréquenter. Et puis, son besoin de dominer était tel qu'il ne laissait place à aucun sentiment dans ses relations avec le sexe opposé.

Non pas qu'il se comporte comme un salaud envers les femmes, il veillait toujours à ce qu'elles soient comblées au lit, mais ça s'arrêtait là.

Alors, pourquoi diable faisait-il une fixette sur Kylie ?

Merde.

Elle devait certainement se méfier de lui comme de la peste. Il se doutait qu'elle se méfiait certainement de *tous* les hommes, sans exception. Malheureusement, cela ne le surprenait guère. Dash lui avait parlé de l'enfance difficile qu'elle et son frère avaient vécue. Rien qu'à y penser, il serra les poings et une rage froide l'envahit aussitôt. Comment son père avait-il pu faire une chose pareille ? À sa propre fille ! Les parents étaient censés protéger leurs enfants et non pas abuser impunément d'eux.

Kylie s'appliquait à conserver un sang-froid à toute épreuve, mais Jensen savait que sous sa carapace se cachait une jeune femme fragile et vulnérable. Son cœur se serra. Il lui était insupportable de la savoir aussi démunie. Il avait envie de la prendre dans ses bras et de lui faire oublier ses souffrances, de lui faire comprendre qu'elle aussi avait droit au bonheur et qu'elle pouvait être heureuse aux côtés d'un homme qui saurait l'aimer.

Et, cet homme, était-ce lui peut-être ? Non, la vraie question était plutôt de savoir si lui, Jensen Tucker, voulait être cet homme. Certes, il tenait beaucoup à elle, mais… Se pouvait-il qu'elle ait eu raison en disant qu'elle n'était rien de plus qu'un défi pour lui, une de ses nombreuses conquêtes ?

Il était vrai qu'il avait le goût du défi et une ambition démesurée. C'était grâce à ça qu'il avait réussi dans sa vie professionnelle aussi jeune.

Mais, que représentait alors Kylie Breckenridge à ses yeux ? Avait-il vraiment des sentiments pour elle ou était-ce plutôt un engouement passager ? Il était sûr d'une chose : il ne voulait pas la blesser. Elle avait déjà assez souffert comme ça et il ne voulait pas être le salaud de service qui en rajouterait encore une couche.

Il savait très bien, au fond de lui, qu'il ne pouvait rien faire pour l'aider à aller de l'avant. Elle seule pouvait le faire, mais, apparemment, elle n'en avait nullement envie. C'était sans doute pour ça qu'il se sentait aussi attiré par elle, qu'il éprouvait ce besoin d'intervenir et de l'aider à franchir ce cap difficile. Son côté dominateur prenait le dessus, c'était plus fort que lui.

Jamais Kylie ne se laisserait dominer par quiconque, pas après ce qui lui était arrivé. Elle n'était pas le genre de femme à s'en remettre entièrement à un homme. Du moins pas physiquement, parce que la domination et la soumission allaient bien au-delà du lien charnel qui s'établissait dans ce genre de relation. Il y avait également l'aspect émotionnel, cette confiance aveugle, qui était bien plus intense, plus satisfaisante. Et c'était exactement ça qu'il voulait de Kylie, qu'elle s'abandonne émotionnellement à lui.

Elle avait besoin d'un homme qui prendrait soin d'elle, qui la protégerait et auprès duquel elle pourrait se réfugier.

Elle avait besoin d'un homme à qui elle pourrait accorder une confiance sans limites et qui serait toujours là pour elle, qui l'aiderait à panser ses blessures physiques et morales ; un homme grâce auquel elle retrouverait un équilibre dans sa vie.

Depuis qu'il était arrivé dans la boîte, il avait pris le temps de l'observer. Kylie était si fragile, si vulnérable. Lorsqu'elle pensait que personne ne la regardait, elle laissait tomber son masque de femme forte et inaccessible, révélant ainsi un tout autre côté, plus sensible, de sa personnalité. Cette femme était une énigme, un casse-tête chinois qu'il voulait résoudre à tout prix. Mais comment allait-il s'y prendre ?

Les méthodes qu'il avait pour habitude d'employer pour séduire une femme ne marcheraient sûrement pas avec Kylie. Elle lui avait bien fait comprendre qu'elle était déterminée à ne pas se laisser approcher par quiconque. Non, les belles paroles et les promesses n'étaient pas de mise avec elle. Comme il avait pu le constater, l'aplomb de ses déclarations avait eu sur elle un effet contraire à celui recherché. Elle serait capable de lui couper les couilles avec un couteau rouillé s'il se montrait de nouveau aussi insistant et, honnêtement, il ne pourrait pas lui en vouloir.

Après tout, elle n'avait aucune raison de lui faire confiance, mais l'envie de percer ses barrières et de l'amener à se confier à lui le torturait. Elle baissait sa garde uniquement en présence de ses quelques amis et il se surprit à vouloir en faire partie à tout prix, à découvrir la vraie Kylie. Il voulait passer du temps avec cette femme douce, intelligente et loyale envers ceux qui comptaient pour elle. Il voulait lui prouver que tous les hommes n'étaient pas aussi mauvais qu'elle pouvait le croire, qu'il était possible de se complaire dans le jeu de la domination et la soumission et que celui-ci n'était pas synonyme d'humiliation. Il ne voulait pas s'arrêter à son corps, il voulait déchaîner ses sentiments profonds, les exposer au grand jour, combattre ses démons avec elle. Mais une telle approche risquerait de la rendre encore plus méfiante qu'elle ne l'était déjà et elle finirait par se réfugier définitivement dans sa coquille.

Il devrait y aller en douceur, trouver un autre moyen de se rapprocher d'elle. Oui, Kylie Breckenridge était un défi qu'il tenait à relever. Il ne savait pas encore comment il allait s'y prendre, mais il n'allait pas renoncer. Il était on ne peut plus sérieux lorsqu'il lui avait dit qu'il finissait toujours par obtenir ce qu'il voulait. Toujours. Et il était plus décidé que jamais à le lui prouver.

Il y a une première fois à tout, lui souffla une petite voix dans sa tête. Sûrement, mais il n'allait pas essuyer son premier échec avec Kylie, il en était persuadé.

Chapitre 2

Jensen décida de mettre son plan à exécution sans tarder. Il appuya sur le bouton de l'interphone.

— Kylie, pouvez-vous venir dans mon bureau s'il vous plaît ?

Elle n'allait certainement pas apprécier, mais il ne faisait que respecter son souhait de ne plus être dérangée dans son bureau, son espace vital. Et puis, il n'y avait rien de mal à ce qu'il lui demande de venir ; il était son patron.

— Tout de suite, monsieur, répondit-elle d'un ton crispé qui le fit sourire.

Elle était déterminée à garder leur relation –quoique, « relation » fût un bien grand mot dans leur cas– purement professionnelle en limitant les contacts au minimum requis. Elle devait certainement maudire Dash pour avoir pris quelques semaines de vacances parce qu'il avait pour habitude de jouer le rôle de médiateur entre Kylie et lui, de faire tampon. Dash se sentait très protecteur vis-à-vis d'elle et il était évident que Kylie préférait avoir affaire directement à lui.

Mais il était grand temps que tout ça change. Kylie et lui seraient souvent amenés à travailler ensemble et elle allait donc devoir apprendre à faire avec. Titulaire d'un MBA, elle était une jeune femme extrêmement intelligente, et le poste qu'elle occupait actuellement ne correspondait en rien à sa formation. Elle gâchait ses talents, mais avait tout de même trouvé un semblant d'équilibre grâce à son travail et refusait donc de s'aventurer hors de sa zone de confort. Tout comme lui, elle aimait la routine. Il sourit à cette pensée, persuadé qu'elle aurait du mal à admettre qu'ils pouvaient avoir ne serait-ce qu'un seul point en commun.

Pourtant, ils avaient bien plus en commun qu'elle ne pouvait l'imaginer. Tous deux étaient disciplinés et aimaient garder le contrôle de toutes les situations dans lesquelles ils se trouvaient. Ils allaient sûrement se livrer une guerre des nerfs, une guerre qu'il comptait gagner coûte que coûte. Il espérait juste que sa petite combine n'aurait pas de répercussions sur leur travail ou pire encore, qu'elle ne finirait pas par craquer et quitter la boîte.

Jensen en était là dans ses réflexions quand Kylie apparut sur le seuil de son bureau, affichant une expression neutre.

— Vous vouliez me voir, monsieur ?

— Déjà, arrêtez de m'appeler « monsieur », dit-il plus sèchement qu'il ne l'aurait voulu. Vous ne vous adressez pas à Dash en l'appelant « monsieur » que je sache, non ? Donc, soit vous m'appelez par mon prénom, soit vous ne m'appelez pas du tout.

Elle plissa les lèvres et il laissa échapper un soupir.

—Kylie, combien de temps encore va durer cette guéguerre ? J'essayais juste de vous faire comprendre qu'autant de formalisme n'était pas de mise entre nous. Vous pouvez m'appeler par mon prénom, ce n'est pas trop vous demander quand même, si ?

—Vous vouliez me voir… Jensen ?

On aurait dit que ça lui avait brûlé les lèvres de prononcer son prénom, mais tant pis. C'était mieux que rien. Il lui fit signe de prendre place sur l'une des chaises en face de son bureau. Visiblement réticente, Kylie s'avança puis s'assit sur le rebord du siège, le dos droit, et croisa les mains sur ses genoux. Elle l'observait telle une proie qui se savait coincée à la merci de son prédateur et Jensen se demanda si elle était consciente à quel point sa peur était perceptible. Elle avait le regard d'une biche craintive, ses narines étaient dilatées et il pouvait même voir son pouls battre follement à son cou.

—Détendez-vous Kylie, je ne vais pas vous sauter dessus, murmura-t-il.

—Je l'espère parce que je n'hésiterai pas à user de la force si vous tentez quoi que ce soit, repartit-elle, les sourcils froncés.

Jensen renversa la tête en arrière et éclata de rire. Il reprit néanmoins rapidement son sérieux et croisa son regard. Elle l'observait bouche bée, vraisemblablement choquée.

— Quoi ? Qu'y a-t-il ? s'enquit-il.

Elle baissa les yeux et ne répondit pas.

— Kylie ?

Elle poussa un soupir et releva la tête, lui adressant un regard intense.

— Rien, c'est juste que je ne vous avais jamais vu rire avant. D'ailleurs, je crois même que je ne vous ai jamais vu sourire avant aujourd'hui non plus. Vous n'êtes pas du genre à exprimer vos émotions, on a du mal à cerner votre personnalité.

Il haussa un sourcil. Voyez-vous ça, elle aussi était en train de l'étudier. Contrairement à ce qu'elle voulait faire croire, elle avait pris le temps de l'observer, de s'intéresser à lui. S'appuyant contre le dossier de sa chaise, il lui adressa un sourire et les yeux de Kylie s'arrondirent de surprise.

— Je pensais pourtant que ma réputation d'homme coincé et sans cœur était gravée dans la roche, commenta-t-il avec amusement. Mais, peut-être est-ce vous qui faites ressortir le meilleur de moi-même, une facette inconnue de ma personnalité.

Elle le gratifia d'un regard noir.

— Vous vouliez me voir pour une raison particulière ? demanda-t-elle, apparemment pressée de changer de sujet et d'en finir avec lui.

Eh bien, il n'avait aucune intention de lui faciliter les choses. Son bureau était peut-être son refuge, mais elle ne pouvait pas s'y terrer éternellement. Il savait qu'elle rentrait directement chez elle après le travail et que sa vie sociale se limitait à des repas avec Chessy et Joss, ses deux meilleures, et uniques, amies. Sans elles, Kylie se serait certainement coupée du monde.

Elle menait une existence de recluse et ça lui était insupportable. Son passé l'empêchait d'aller de l'avant ; à cause de son enfance gâchée, il lui était impossible de s'épanouir dans sa vie de femme.

Réprimant un soupir, il prit une pile de dossiers et la posa devant elle.

— Je voudrais que vous étudiiez ces documents. Comme je vous l'ai dit tout à l'heure dans votre bureau, S&G Oil prévoit de restructurer une de ses raffineries. Les dirigeants veulent réduire les dépenses d'exploitation dans le but d'économiser cent millions de dollars. Ils cherchent donc un moyen de fusionner leurs équipes et, dans un premier temps, ils voudraient supprimer au moins trente postes et diminuer les dépenses superflues. En d'autres termes, ils veulent des solutions efficaces et c'est à nous de leur en apporter.

Kylie afficha une mine déconfite.

— Mais, Jensen, je n'y connais absolument rien en restructuration d'entreprises ! Ce n'est pas mon métier.

Il sourit de nouveau et elle marqua un temps d'hésitation, une expression exaspérée sur son visage. Son attitude la trahissait ; il ne la laissait pas insensible et cela ne faisait qu'augmenter son agacement, sans doute.

—C'est donc le moment ou jamais d'apprendre, fit-il remarquer. À l'époque où Carson était encore en vie, les affaires marchaient tellement bien que Dash et lui avaient envisagé la possibilité de prendre un troisième associé. Puis, votre frère est mort et Dash a dû maintenir la société à flot tout seul jusqu'à ce qu'il se décide à s'associer avec moi. À présent que tout est plus ou moins rentré dans l'ordre, nous pouvons nous permettre de recruter. Et je pense que vous, Kylie, avez toutes les compétences requises pour ce poste; il vous manque juste de l'expérience.

Les yeux grands ouverts, elle ouvrit la bouche pour répondre puis la referma, comme si elle se livrait à un débat intérieur. Jensen se félicita de l'avoir, pour une fois, laissée sans voix.

—Vous… Vous suggérez que je devienne votre associée? balbutia-t-elle après un instant de réflexion.

—Je ne vous promets rien, je vous donne déjà une occasion de faire vos preuves. Bien sûr, ça ne se fera pas dans l'immédiat, mais je ne vois pas pourquoi s'embêter à chercher un nouvel associé alors que nous avons déjà une personne tout à fait capable d'endosser ce rôle. Vous savez mieux que personne tout ce qui se passe ici, Kylie. Vous connaissez tous nos clients et vous êtes familiarisée avec notre façon de fonctionner. Cette société n'a aucun secret pour vous et je pense que vous avez toutes vos chances.

Kylie contempla longuement la pile de dossiers devant elle. C'était elle qui avait rassemblé les informations nécessaires, elle devait donc être déjà au courant de pas mal de choses concernant le contrat en question. Lorsqu'elle leva le regard vers lui, Jensen aurait pu jurer qu'une lueur d'excitation avait traversé ses beaux yeux avant de disparaître aussitôt.

—Que voulez-vous que je fasse? demanda-t-elle d'une petite voix.

—J'ai rendez-vous avec le directeur financier de S&G Oil dans trois jours et je veux que vous m'y accompagniez. Cela vous laisse trois jours pour étudier leur dossier en détail, les dépenses de la société, les postes, salaires et qualifications de chaque employé, tout. Après-demain, la veille de notre rendez-vous, vous me ferez part de vos idées sur la question et nous en discuterons ensemble.

Elle le dévisagea d'un air incrédule.

—C'est un très gros contrat, êtes-vous sûr de vouloir me le confier?

—Attention, je n'ai pas dit que je vous confiais l'affaire, lui fit-il prudemment remarquer. Je veux juste connaître votre avis sur le dossier, voir si nous partageons les mêmes idées pour préparer une proposition adaptée à leurs besoins et la présenter, ensemble, le jour J.

—Je… je ne m'attendais pas à ça, murmura-t-elle en reportant son regard sur les dossiers.

Elle était terrifiée, mais il était persuadé que son désir de se surpasser allait très vite prendre le dessus. C'était un défi bien trop grand pour passer à côté et elle aimait les challenges. Voilà un deuxième point qu'ils avaient en commun. Et puis, il ne doutait pas une seule seconde qu'elle le relèverait avec brio. Elle se cachait derrière son poste alors qu'elle était plus que capable d'endosser davantage de responsabilités. Elle avait besoin de ça, elle avait besoin d'une bonne montée d'adrénaline pour se sentir revivre et combler le vide qui l'habitait.

— J'ai confiance en vous Kylie, reste à savoir si vous aussi, vous croyez en vous.

Elle releva le menton et Jensen décela dans ses yeux une détermination et une rage de vaincre qu'il n'avait jamais vues jusque-là. Comme lui, elle avait un goût immodéré pour le challenge, et il savait qu'elle s'en sortirait comme une pro. Dash était trop indulgent avec elle et, à en croire ses dires, Carson aussi l'avait été pendant qu'il était encore de ce monde. En la traitant comme si elle était en sucre, tous deux l'avaient surprotégée et elle avait fini par se réfugier dans un travail qui ne lui correspondait pas. Ni l'un ni l'autre n'avaient remarqué que derrière sa fragilité se cachaient une force et une intelligence insoupçonnées. Et c'était cet aspect de la personnalité de Kylie qu'il voulait faire ressortir.

Dash ne serait certainement pas d'accord avec ce qu'il était en train de faire, mais comme il n'était pas là, c'était à lui seul que revenaient les décisions. Et il comptait bien profiter de l'absence de son associé pour faire sortir Kylie de sa coquille.

— Je peux le faire, affirma la jeune femme d'un ton résolu. Quand voulez-vous que nous nous retrouvions pour passer en revue mes idées ?

—Mercredi soir, autour d'un dîner au *Capitol Grill*. Je sais que le *Lux Café* est votre lieu de prédilection, mais je préfère discuter de cette affaire confidentielle dans un endroit plus calme. Je réserverai une table dans un coin tranquille de la salle, de façon à ne pas être importunés.

Elle fronça les sourcils en signe de réflexion intense.

—N'est-il pas préférable de discuter de tout ça ici, au bureau ? s'enquit-elle. Rien ne nous oblige à aller dîner au restaurant.

—En effet, rien ne nous y oblige, hormis ma volonté.

Le visage de Kylie se fit grave. Elle n'était manifestement pas du tout enchantée par sa proposition.

—Je vais réserver une table pour 19 heures, poursuivit-il, nullement embarrassé par sa gêne. J'étudierai vos idées avant et nous pourrons en discuter au cours du dîner. Après quoi, je préparerai la proposition finale pour notre rendez-vous. Je passerai vous prendre à 8 heures jeudi matin, afin que nous nous rendions ensemble chez S&G.

Il pouvait voir qu'elle était en proie à un sentiment de frustration intense. Elle ne voulait clairement pas dîner avec lui ni faire le trajet ensemble pour aller au rendez-vous, mais elle n'avait pas non plus envie de laisser passer l'opportunité d'évoluer professionnellement.

La voyant se mordiller la lèvre inférieure, comme si elle pesait le pour et le contre, Jensen fut saisi d'une irrépressible envie de se lever, de la prendre dans ses bras et de l'embrasser à en perdre haleine. Son geste n'avait rien de sexuel, il était même totalement innocent, mais il sentit son sexe se durcir malgré tout. Heureusement que son entrejambe était caché par le bureau qui les séparait et qu'elle ne pouvait donc pas voir l'effet qu'elle lui faisait. Il parierait sa tête que Kylie sortirait en courant et ne remettrait jamais plus les pieds dans la boîte.

Il eut un léger soupir, essayant en vain de maîtriser la réaction inappropriée de son corps. Décidément, cette femme le rendait complètement dingue. Un défi, elle était un défi qui serait plus difficile à relever qu'il ne le pensait. Mais qu'importe, il ne lâcherait pas l'affaire pour autant. Il tenta de se convaincre que l'attraction inexpliquée qu'il ressentait pour Kylie n'était due qu'à son goût pour le défi.

Oui, bien sûr, Jensen, bien sûr…

En l'espace de quelques jours, elle lui avait fait modifier son ordre des priorités et avait éveillé en lui un instinct protecteur. Il avait envie de la protéger, l'aider à surmonter ses traumatismes, lui assurer que, à présent qu'il était là, plus rien ni personne ne lui ferait du mal. Comment lui prouver que les hommes n'étaient pas tous des salauds, qu'il n'était pas ce mâle primitif et dominateur qu'elle voyait en lui ? Comment lui faire comprendre qu'il n'avait pas juste envie de posséder son corps, mais de dominer ses émotions pour établir une connexion bien plus profonde entre eux ? Jamais il ne lui ferait le moindre mal, jamais il n'utiliserait de fouets, menottes ou autres accessoires de bondage sur elle. Il ne voulait pas la fragiliser davantage et risquer de lui faire revivre, de près ou de loin, les abus qu'elle avait subis par le passé. Plutôt mourir que de l'exposer à une telle souffrance. Lui aussi avait ses propres démons à combattre et était bien placé pour savoir ce que ça faisait d'être vulnérable et en position de faiblesse.

Non, il ne voulait rien de tout ça, il avait simplement envie d'elle.

—Très bien, dit-elle d'une voix au timbre voilé, le tirant ainsi de ses pensées.

Le sexe de Jensen se tendit encore plus de désir lorsqu'il lut de la résignation dans ses yeux. Face à cette soumission silencieuse, son sang devint de la lave en fusion. Il était peut-être loin d'avoir gagné la guerre, mais il avait néanmoins remporté la première bataille.

—Je vous retrouverai donc au restaurant à 19 heures, poursuivit-elle en soutenant son regard, comme si elle le mettait au défi de la contredire.

Il réprima un sourire, décidant de lui accorder cette petite victoire. Après tout, c'était lui le grand gagnant de la journée. Ils allaient dîner en tête-à-tête dans un restaurant. Ils parleraient boulot, certes, mais il comptait également percer la carapace dont elle s'entourait, l'amener à baisser sa garde. Le lendemain, il poursuivrait son offensive de séduction, dans la voiture, lorsqu'ils se rendraient —ensemble— au rendez-vous. Le jeudi, Kylie serait entièrement dépendante de lui. Il aimait beaucoup cette idée et allait tout faire pour se montrer à la hauteur de la situation. Elle ne lui faisait toujours pas confiance, mais ça viendrait.

Chaque chose en son temps, pensa-t-il.

— Parfait, dit-il.

Encore une fois, il pouvait deviner qu'elle ne s'était pas attendue à ce qu'il accepte sa condition sans tiquer. Le langage de son corps était très éloquent, pour ne pas dire excitant, et il ne faisait aucun doute qu'elle avait déjà une réponse toute prête.

Il avait un penchant pour les femmes soumises, surtout quand elles avaient de la personnalité. Il aimait lorsqu'une femme avait du répondant et affirmait ses propres choix. Les soumises qu'il avait fréquentées jusque-là s'étaient laissées dominer de leur plein gré. Elles avaient choisi de s'offrir entièrement à lui, l'investissant ainsi d'un pouvoir presque enivrant.

Sa femme idéale était celle qui n'avait pas forcément besoin de lui et de tout ce qu'il pouvait lui offrir, mais qui avait *envie* de lui. Une femme indépendante qui ne se laisserait pas marcher sur les pieds, qui n'hésiterait pas à lui tenir tête si nécessaire. Et une telle femme méritait toute son affection et son amour. Il serait prêt à lui décrocher la lune si elle le lui demandait.

Pour lui, cette femme idéale c'était Kylie. Oui, la première fois qu'il avait posé son regard sur elle, lors du dîner que Joss et Dash avaient organisé, elle lui avait inspiré un mélange de désir et de tendresse. Il avait immédiatement remarqué ses traits tirés et les cernes sous ses yeux, deviné les tourments qui l'agitaient.

Gagner sa confiance ne serait pas chose aisée, d'autant plus que la patience n'était pas vraiment son fort. Mais, pour Kylie, il était prêt à attendre le temps qu'il faudrait.

Elle avait déjà commencé à survoler les documents et il pouvait pratiquement voir de la fumée sortir de ses oreilles. Elle était douée pour les affaires, il en était persuadé, il fallait juste qu'elle s'en rende compte par elle-même. Et même si ça ne marchait pas entre eux, il ne démordrait pas de sa certitude qu'elle ferait une excellente associée. Si, ébranlée par son insistance, elle ne décidait pas de prendre les jambes à son cou avant.

— Bon, dit-elle sans lever les yeux d'un document qu'elle était en train de lire, si vous n'avez plus besoin de moi, je vais retourner dans mon bureau et commencer à étudier le dossier. Vous aurez mes propositions par écrit mercredi, dans la journée.

Il sourit voyant que les traits de son adorable visage commençaient à se détendre. Le voile sombre qui habitait son regard avait laissé place à une lueur brûlante. On pouvait facilement deviner son excitation et sa détermination. Elle voulait prouver qu'elle était digne de la confiance qu'il avait placée en elle et il avait hâte de voir son travail.

Jensen savait qu'il n'allait pas être déçu. Même s'ils ne l'avaient pas fait exprès, Carson et Dash l'avaient grandement sous-estimée. Malgré les compétences évidentes de Kylie, l'affection qu'ils lui portaient avait fini par altérer leur jugement. Il ne pouvait pas leur en tenir rigueur, ils pensaient bien faire. Mais il était grand temps qu'elle sorte de sa zone de confort et montre de quoi elle était capable. Il fallait qu'elle change d'air, qu'elle voie autre chose. Elle ne comptait tout de même pas passer toute sa vie à répondre au téléphone, rédiger des mails et s'occuper de la paperasserie et des plannings. Tout le monde pouvait faire ça, alors que très peu de gens étaient capables d'endosser les responsabilités qu'il lui proposait.

Il lui offrait là une occasion unique, il la traitait d'égal à égal. Toute sa vie, elle se considérait comme une victime. Et elle avait toutes les raisons du monde de le faire après ce qu'elle avait traversé. Mais, désormais, le moment était venu qu'elle cesse de se voir ainsi ; Kylie était une survivante, une battante qui avait encore plein de choses à prouver.

Et, quel que soit le dénouement de cette histoire, qu'ils finissent ensemble ou pas, il était déjà très fier d'elle, car sa combativité naturelle semblait, peu à peu, reprendre le dessus.

Chapitre 3

ELLE AVAIT PERDU L'ESPRIT, IL N'Y AVAIT PAS D'AUTRES explications possibles.

Kylie s'arrêta devant l'entrée du *Capitol Grill* et un voiturier s'empressa d'ouvrir sa portière et de l'aider à descendre de sa voiture. L'homme lui remit un ticket avant de s'installer au volant et elle se dirigea vers l'entrée du restaurant.

Elle pénétra à l'intérieur et se retrouva soudain projetée dans une ambiance feutrée. L'éclairage tamisé et le mobilier aux lignes épurées donnaient à l'endroit une allure sophistiquée et masculine. Le restaurant était manifestement le lieu de prédilection de vieux bourges pleins aux as, comme pouvaient en témoigner les portraits de riches hommes d'affaires accrochés aux murs.

Kylie lissa sa robe avec nervosité, se demandant si elle portait une tenue appropriée pour ce genre d'endroit. Puis, promenant le regard autour d'elle, elle remarqua que la plupart des autres femmes étaient sur leur trente et un, élégamment vêtues et coiffées, parées de bijoux coûteux. Elle, par contre, avait laissé ses cheveux dénoués sur ses épaules. C'était soit ça, soit une vulgaire queue-de-cheval et, en voyant l'endroit, elle était contente d'avoir choisi la première option. Elle portait une petite robe noire toute simple, sans fioritures. D'une coupe cintrée, le vêtement lui arrivait jusqu'aux genoux et lui permettait tout de même de marcher, et surtout de respirer normalement. Ses ballerines en revanche —elle ne portait jamais de talons hauts par peur de se couvrir de ridicule en marchant— étaient pailletées. Elle avait un faible pour les chaussures pailletées ou flashy. Dans son dressing, elle avait toute une étagère dédiée aux sandales, ballerines et tongs de toutes les couleurs possibles et imaginables.

Porter tous les jours des chaussures différentes au travail était son petit plaisir personnel et, grâce à l'insistance de Joss, elle avait commencé à se mettre du vernis sur les orteils. Pour elle qui détestait sortir des sentiers battus, c'était là sans aucun doute la décision la plus audacieuse qu'elle ait prise depuis longtemps. Elle mettait même un point d'honneur à changer de couleur chaque semaine, même si sa préférée restait le rose fuchsia. Étrangement, elle se sentait plus sûre d'elle lorsqu'elle portait ce vernis. Mais, hormis ce petit écart, sa garde-robe et ses accessoires étaient méticuleusement choisis afin de ne pas susciter le moindre intérêt, surtout de la part de la gent masculine.

Soudain, Jensen surgit de nulle part à côté d'elle et Kylie sentit une boule d'angoisse se former dans sa gorge. La bouche sèche, elle le détailla du regard quelques instants. Elle était habituée à le voir en tenue décontractée au bureau, pantalon et chemise simples, mais ce soir-là, il portait un costume noir qui lui donnait une tout autre prestance. Il avait l'air plus sérieux, dangereux même, et cela la conforta dans l'idée qu'elle s'était faite à son sujet. Jensen était un homme intimidant qu'il valait mieux ne pas contrarier, un homme qui ne ferait d'elle qu'une bouchée.

Il lui adressa un sourire chaleureux qui éclaira son visage et il lui sembla soudain plus humain, plus accessible. Le voyant ainsi, elle se surprit à se demander si elle ne l'avait pas trop vite catalogué comme un prédateur, mais chassa aussitôt cette idée de son esprit. Elle ne pouvait se permettre de baisser sa garde aussi facilement. Bien sûr qu'elle ne s'était pas trompée à son sujet, Jensen était et resterait un mâle dominateur, capable de la faire souffrir sans le moindre effort.

—Ravi de vous voir, Kylie, dit-il en la prenant par le coude avant de la guider vers la grande salle.

Ils traversèrent la vaste pièce baignée d'une faible lumière et Kylie en profita pour jeter un rapide coup d'œil autour d'elle. Tous les autres clients affichaient des signes extérieurs de richesse évidents et son mal-être s'intensifia. Certains dînaient en tête-à-tête et d'autres semblaient être là pour un repas d'affaires tandis que les serveurs se pressaient autour d'eux. Les mets avaient l'air très élaborés et de bonnes bouteilles trônaient sur presque toutes les tables.

Elle n'avait rien à faire là : tout ce luxe opulent, ce n'était pas son monde, ça ne l'avait jamais été d'ailleurs. Carson s'y sentait très à l'aise, mais pas elle. Son frère avait travaillé dur pour surmonter le calvaire qu'avait été le leur et avait fini par y arriver. Il se plaisait dans la vie qu'il s'était construit. Et elle, pendant ce temps, qu'avait-elle fait ? Rien. Elle s'était installée dans la routine et passait à côté de sa vie.

À quoi bon se mentir ? Elle était toujours prisonnière de son passé et était incapable de se concentrer sur le présent. Les jours, les mois et les années passaient et rien ne changeait, ses cauchemars la tourmentaient encore, l'empêchant d'aller de l'avant.

Et Jensen l'avait remarqué. Il l'avait parfaitement cernée lorsqu'il était venu dans son bureau, deux jours auparavant. Elle s'était sentie mise à nue sous son regard perçant.

Lorsqu'ils arrivèrent à leur table, il lui tira la chaise et attendit qu'elle s'installe avant de prendre place en face d'elle. Elle fut soulagée de voir qu'il ne s'était pas assis à côté d'elle, même si cela signifiait qu'elle serait contrainte d'affronter son regard pénétrant pendant tout le repas.

Elle constata que les tables autour d'eux étaient vides et que, vus de l'extérieur, ils passaient sans doute pour un couple dînant en amoureux. Jensen n'avait pas menti lorsqu'il lui avait dit qu'ils ne seraient pas dérangés pendant la soirée. Avait-il fait en sorte que les tables autour d'eux soient inoccupées ou était-ce juste une coïncidence ?

Jensen n'était pas le genre de personne à laisser quoi que ce soit au hasard. Il avait dû exiger qu'on leur laisse autant d'intimité que possible, et un frisson parcourut le dos de Kylie à cette idée. Elle était vraiment frappée, pour ne pas dire troublée par l'assurance qui émanait de lui. C'était censé être un dîner d'affaires, et c'était uniquement pour cette raison qu'elle avait accepté son invitation. Mais à présent qu'elle était assise là, en face de lui, elle se demanda pour quelle obscure raison ils n'avaient pas étudié ses propositions au bureau.

Un serveur vint prendre leur commande avant de s'éclipser aussitôt.

Pourquoi était-elle aussi nerveuse en présence de Jensen ? Elle était incapable de contrôler ses émotions et c'était là une faiblesse qu'elle ne pouvait pas s'autoriser. Elle ne voulait montrer sa vulnérabilité à personne, quitte à passer pour une garce. Elle n'en était pas fière, mais elle n'avait pas le choix, son instinct de préservation était plus fort que tout.

—Détendez-vous, Kylie, lui dit Jensen, interrompant ainsi le fil de ses pensées.

Son regard était doux et cela lui donna à réfléchir. Au fond d'elle, elle savait bien que Jensen n'était pas un salopard et que c'était juste l'image qu'il donnait de lui. Il affichait toujours une expression indéfinissable et avait l'art de ne rien laisser transparaître de ses émotions, si, toutefois, il en ressentait.

Mais, à présent, elle pouvait lire de la tendresse dans ses yeux et, en plus de la déstabiliser, cette vision lui fit froncer les sourcils. La dernière chose qu'elle voulait était de lui inspirer de la pitié.

— Est-ce une impression ou bien êtes-vous en train de me fusiller du regard ? s'enquit-il avec un sourire en coin.

— Pardon ? Oui… Euh, non. Peut-être, je…

— Détendez-vous. Je ne vais pas vous sauter dessus.

Haussant un sourcil moqueur, il se pencha vers elle.

— Sauf si vous me le demandez gentiment, ajouta-t-il, tout sourires.

Elle était sur le point de lui lancer une réplique cinglante lorsqu'elle comprit qu'il était en train de la provoquer. Depuis qu'il était arrivé dans la boîte, il n'avait pas cessé de lui chercher querelle.

— Attention, c'est peut-être moi qui vais vous sauter dessus si vous continuez comme ça, repartit-elle sèchement.

À peine eut-elle prononcé ces mots qu'elle voulut les reprendre, consciente qu'ils pouvaient prêter à confusion. Le sens ambigu de sa phrase était évident, même si ce n'était pas du tout ce à quoi elle avait pensé en premier lieu.

Cela dit, tout portait à croire que Jensen avait relevé la connotation sexuelle dans ses propos car une flamme s'alluma aussitôt dans son regard et un nouveau frisson la traversa. Oui, cet homme était dangereux, trop dangereux pour elle, et elle n'aimait pas la tournure que prenaient les événements. La meilleure chose à faire serait de passer outre ses remarques inappropriées et de continuer sur un registre strictement professionnel. Après tout, n'était-ce pas pour cette raison qu'ils étaient là ?

Dieu soit loué, Jensen ne répondit rien, mais son regard en disait long sur ce qui devait lui passer par la tête. Était-il en train de l'imaginer lui sauter dessus ? Elle cligna des yeux pour se ressaisir et chasser cette image incongrue de son esprit.

—Alors, dit-elle en se redressant sur sa chaise, avez-vous lu mon analyse du dossier ? Qu'en avez-vous pensé ?

Il l'observa un moment en silence, comme s'il soupesait ses options, avant de pousser un léger soupir résigné. Il était évident que c'était quelqu'un qui voulait toujours tout contrôler. Qu'avaient donc tous ces hommes qui voulaient absolument avoir le contrôle sur tout ? Tate, le mari de Chessy, aimait avoir l'ascendant sur tout ce qui l'entourait, ce qui n'était pas pour déplaire à son amie, bien au contraire. Et Dash, lui aussi, était comme ça, même si elle ne s'en était aperçue que récemment. Kylie secoua la tête. Comment ne s'était-elle pas rendu compte plus tôt de la nature dominatrice de Dash ? D'ailleurs, elle avait encore beaucoup de mal à assimiler le fait que ce trait de caractère semblait ravir Joss.

Elle s'était tellement isolée dans sa bulle qu'il y avait beaucoup de choses autour d'elle dont elle n'avait pas pris conscience. Et cela lui convenait parfaitement. Du moins, c'était ce qu'elle avait cru jusqu'à peu. Elle avait du mal à s'acclimater à tous les changements qu'il y avait eu dans son entourage. Dash et Joss étaient mariés et nageaient dans le bonheur. Jensen avait rejoint la société, remplaçant ainsi son frère. Et elle, elle était restée la même, une personne renfermée et prévisible.

Elle eut une grimace de dégoût qui n'échappa pas à Jensen.

— Vous vous braquez déjà alors que je n'ai encore rien dit, déclara-t-il d'un air étonné.

— Pardon, dit-elle en secouant la tête, je pensais à autre chose.

— Souhaitez-vous en parler ? À en croire votre tête, ça ne devait pas être très plaisant.

— J'étais en train de me dire que la politique de l'autruche qu'est la mienne ne me mènera nulle part.

Kylie écarquilla les yeux. Qu'est-ce qui lui avait pris de dire ça ? Venait-elle vraiment d'avouer quelque chose d'aussi personnel à quelqu'un qu'elle connaissait à peine ? Non pas que Jensen soit un étranger à ses yeux, mais il était sans doute la dernière personne à qui elle irait se confier. Pourquoi lui avait-elle révélé ses pensées ? Elle ne pouvait même pas le mettre sur le compte de l'alcool, ils n'avaient encore rien bu ! Alors, pourquoi ?

— Vous êtes trop dure avec vous-même, Kylie.

Elle secoua la tête et fit un geste de la main.

— S'il vous plaît, oubliez ce que je viens de dire. Je ne sais même pas pourquoi j'ai dit ça. Revenons-en à l'affaire. Qu'avez-vous pensé de mes propositions ?

Il la scruta longuement en plissant les yeux, comme s'il espérait pouvoir lire ses craintes dans son regard, et elle se sentit de nouveau exposée et fragile. Elle ne voulait pas qu'on la voie ainsi. Carson et son père avaient été les seuls à percevoir ce côté de sa personnalité.

Elle réprima un frisson rien qu'en pensant à son père, ce monstre, et fit un effort surhumain pour garder son calme et dissimuler son émoi devant Jensen.

—Vous avez fait du très bon boulot, vraiment, finit-il par dire en hochant la tête. Vous pensiez ne pas avoir les reins assez solides pour un travail aussi sensible, mais il semblerait que vous vous soyez trompée.

Kylie sentit ses joues s'enflammer à ces paroles et croisa ses mains sur ses genoux, en dessous de la table, espérant qu'il n'avait pas vu qu'elles s'étaient soudain mises à trembler. Et puis, pourquoi réagissait-elle ainsi? Ce n'était pas comme si elle cherchait ou qu'elle avait besoin de son approbation. Elle haussa les épaules, essayant de paraître indifférente à son compliment.

—J'ai essayé de trouver des solutions pour réduire les dépenses, sans pour autant réduire les bénéfices et j'ai remarqué qu'ils avaient beaucoup de dépenses superflues, à commencer par les primes et certains avantages accordés à leurs salariés.

—Oui, je me suis fait la même réflexion, déclara-t-il. Ils ont, en effet, pas mal de dépenses inconsidérées, et je crois que si nous arrivons à le leur démontrer, il ne sera peut-être pas nécessaire de supprimer le nombre de postes initialement prévu.

Kylie le jaugea du regard un instant.

—Vous n'aimez pas supprimer des emplois, n'est-ce pas ? Je veux dire, vous évitez de le faire lorsque cela s'avère possible car, après tout, vous devez être conscient qu'il s'agit de gens comme vous et moi, qui travaillent pour gagner leur vie.

Elle ne savait pas pourquoi elle venait de lui poser cette question, c'était comme si quelque chose dans son regard l'avait poussée à le faire. Laissait-il son côté humain et compatissant prendre le dessus parfois ?

—Bien sûr que je n'aime pas faire ça. Je ne suis pas un salaud, Kylie. Comme vous venez de le faire remarquer, tous ces gens travaillent pour nourrir leur famille, payer les factures, l'éducation de leurs enfants. Et, même si leurs emplois deviennent parfois préjudiciables au bon fonctionnement d'une société, cela ne change rien au fait qu'ils en ont quand même besoin pour vivre.

Elle plissa les lèvres, en proie à un sentiment de culpabilité. Elle venait d'émettre un doute sur ses qualités professionnelles, c'était totalement déplacé de sa part. Il la rendait aussi nerveuse qu'hostile et elle pensait enfin avoir compris pourquoi. Il lui faisait peur, mais pas physiquement parlant. C'était son instinct féminin qui l'incitait à se méfier de lui. Ce n'était pas l'homme d'affaires qui l'intimidait, sinon l'homme lui-même. Et elle trouvait cette sensation très déplaisante, d'autant plus qu'elle s'était juré qu'aucun homme ne lui ferait jamais plus ressentir ce genre d'émotion, cette vulnérabilité, ce sentiment d'insécurité.

— Je vous demande pardon, je ne voulais pas insinuer que vous étiez un salaud, murmura-t-elle en espérant qu'il verrait qu'elle le pensait vraiment.

Elle leva les mains et à peine les eut-elle posées sur la table que Jensen recouvrit l'une d'elles de la sienne, avant même qu'elle n'ait eu le temps de réagir, comme s'il avait anticipé son geste.

— Je le sais, ne vous inquiétez pas.

Kylie se raidit sur la chaise en sentant sa main chaude se refermer sur la sienne. Il ne la bougeait pas, n'avait pas noué ses doigts autour des siens, mais ce contact peau contre peau la troubla au plus haut point. Fort heureusement, elle n'avait pas la paume vers le haut et il ne pouvait donc pas sentir son pouls battre la chamade sous ses doigts.

S'éclaircissant la gorge, elle trouva le courage de retirer sa main et saisit son verre d'eau avant d'en avaler quelques gorgées. L'amusement qu'elle perçut dans les yeux de Jensen lui fit comprendre qu'il avait, bien évidemment, compris son petit stratagème. N'y avait-il donc rien qui échappait à l'œil avisé de cet homme ?

Comme s'il avait lu dans ses pensées, ce qui n'avait pas dû être très difficile à faire, Jensen se laissa aller contre le dossier de sa chaise, affichant une expression neutre. Kylie se sentit immédiatement plus à l'aise dans cette dynamique plus saine. Ils étaient retombés dans leurs rôles respectifs. Il était son patron et elle, son employée, rien de plus. On aurait pu croire qu'il s'agissait d'un rencard, alors qu'il s'agissait en fait d'un dîner d'affaires. Oui, un dîner d'affaires.

—Étant donné que vos observations sont en accord avec les miennes, j'ai inclus pas mal de vos idées dans la proposition finale. Je vous la ferai lire demain dans la voiture, avant notre rendez-vous.

Kylie avait déjà oublié qu'ils avaient passé leur commande quand un serveur apparut. Il déposa les assiettes devant eux puis ouvrit une bouteille de vin. Il remplit leurs verres et laissa la bouteille sur la table avant de disparaître. Un silence s'abattit alors entre eux et elle porta toute son attention sur son assiette. Le filet mignon et homard en terre et mer qu'elle avait commandés avaient l'air très appétissants. Elle aurait sans doute déjà plongé sa fourchette dans son assiette si elle ne s'était pas sentie aussi perturbée par Jensen. Elle avait déjà eu affaire à des hommes, ce n'était pas comme si elle se refusait à tout contact avec eux, mais Jensen… Jensen était différent. Cela faisait longtemps qu'elle ne s'était pas sentie aussi démunie face à un homme et que ce même homme avait le pouvoir de la briser sans le moindre effort.

Arrête de dramatiser, Kylie! Tu es vraiment stupide de croire qu'un homme comme Jensen puisse s'intéresser à une fille comme toi. Il aime juste te faire tourner en bourrique parce que tu es facile à embêter. Mange ton plat et arrête de te comporter comme si c'était un rendez-vous galant car ça n'en est pas un! C'est un dîner d'affaires, ne l'oublie pas.

Forte de cette résolution, elle avala une bouchée.

—Alors, c'est bon ? s'enquit Jensen.

Elle leva le regard vers lui et constata qu'il avait les yeux rivés sur sa bouche. Elle mâcha sa bouchée puis l'avala péniblement avant de prendre une gorgée de vin.

—C'est délicieux, dit-elle d'une voix un peu rauque qui la surprit.

Que lui arrivait-il ?

Ressaisis-toi Kylie, ce n'est pas un rencard, mais un dîner d'affaires, bon sang !

—Je suis ravi que ça vous plaise. C'est un de mes restaurants préférés.

—Ça ne m'étonne pas du tout, murmura-t-elle en levant les yeux au ciel.

—Pourquoi dites-vous ça ? s'enquit-il en levant un sourcil interrogateur.

Elle haussa les épaules.

—Je ne sais pas, cet endroit vous ressemble et, en plus de ça, il n'est fréquenté que par des gens comme vous.

Il la considéra d'un air dubitatif.

—Des gens comme moi, c'est-à-dire…

—Des gens riches et puissants, finit-elle par répondre après un instant d'hésitation. Ma première réflexion en entrant ici a été de me dire que cet endroit est sûrement le lieu de prédilection de vieux bourges pleins aux as.

Il éclata d'un rire franc et communicatif qui la fit frémir. Jamais elle ne l'aurait imaginé capable d'un tel rire. Déjà qu'elle peinait à l'imaginer rire tout court. Elle-même ne riait pas souvent et le fait de l'entendre la laissa stupéfaite. Elle se surprit à vouloir l'entendre de nouveau.

— Donc, vous me voyez comme un vieux bourge plein aux as ?

Kylie ne put réprimer un sourire, espérant qu'elle n'avait pas un morceau de homard coincé entre les dents.

— Non… Du moins, pas vieux, répondit-elle.

— Je vois. Donc, je suis un bourge plein aux as. Vous m'en voyez ravi, dit-il avec dédain.

— Vous devez quand même admettre que cet endroit symbolise le pouvoir et la richesse.

Elle regarda autour d'elle puis leva la main en direction d'un des murs avant de reprendre :

— Vous en connaissez beaucoup des restaurants qui tapissent leurs murs de portraits d'hommes qui doivent être des juges, des politiques, des banquiers ou encore des P.-D.G. bien friqués ?

Sans la quitter du regard, il porta son verre de vin à sa bouche et but une gorgée avant de passer délicatement la langue sur ses lèvres. Ce geste, pourtant anodin en apparence, faillit lui couper le souffle et elle reporta aussitôt son regard sur son assiette.

— Je me fous de la décoration et de qui pourraient bien être ces hommes. Tout ce que je sais, c'est qu'ils font de loin le meilleur steak de la ville et que leur service est irréprochable. Cela suffit à mon bonheur.

—Vous tenez quand même à votre confort matériel, lui fit-elle remarquer. Vous aimez faire bonne chère et que l'on se plie en quatre pour vous.

Elle espérait que Jensen n'interpréterait pas ce qu'elle venait de dire comme une critique. Elle lui avait simplement fait part de son opinion. Quoique, en y repensant, elle aurait peut-être mieux fait de se taire. Elle ne voulait pas l'encourager dans l'idée que leur relation pourrait aller au-delà du professionnel. Et puis, elle n'éprouvait pas le besoin de se faire d'autres amis, ceux qu'elle avait déjà lui suffisaient amplement. Cela dit, elle ne doutait pas qu'elle serait certainement amenée à voir Jensen plus souvent. Dash et Joss, et même Chessy et Tate, semblaient l'apprécier.

—Trouvez-moi quelqu'un qui n'aime pas ça, s'esclaffa-t-il. La vie est bien trop courte, il faut en profiter, s'accorder des petits plaisirs de temps en temps.

Kylie poussa un long soupir, son cœur se contractant dans sa poitrine. Il avait raison. Pourquoi ne pouvait-elle pas se résoudre à faire comme lui, profiter de la vie ? Elle savait mieux que personne qu'il était grand temps de laisser le passé derrière elle et de se concentrer sur le présent et l'avenir, surtout. Elle essaya de penser à tous les aspects positifs de sa vie. Qu'est-ce qui l'empêchait d'être heureuse ? Pourquoi ne pouvait-elle pas surmonter son passé et avancer dans la vie ? Finirait-elle un jour par arrêter de laisser sa peur lui dicter sa conduite ?

Elle en avait assez de devoir toujours se montrer forte alors qu'elle ne l'était pas, pas du tout. Certes, elle était parvenue à se préserver, mais à quel prix ? Elle était devenue une garce, une garce aigrie, et elle n'en était pas fière. Néanmoins, elle pouvait compter sur le soutien de ses amis qui savaient qu'elle n'était pas comme ça en réalité. Que ferait-elle sans eux ? Elle ne voulait même pas y penser.

Dire qu'elle avait failli détruire son amitié avec Joss ! Elle avait dit des choses ignobles à sa belle-sœur, des choses qui l'avaient blessée et qu'elle ne pensait même pas. Heureusement que Joss n'était pas rancunière. C'était même la personne la plus douce et gentille qu'elle connaissait. Kylie avait vraiment beaucoup de chance de l'avoir dans sa vie. Si seulement elle pouvait être un peu plus comme elle, détendue et plaisante.

— Oui, c'est une bonne philosophie à avoir, dit-elle enfin.

Elle espérait sincèrement qu'un jour, bientôt, elle arriverait à l'appliquer sur elle-même et sa vie. D'ailleurs, elle était pratiquement sûre que Jensen allait le lui…

— Vous devriez essayer de l'adopter, affirma-t-il en hochant la tête.

Bien sûr, le contraire l'aurait étonnée.

— Nous étions en train de parler de vous, pas de moi, répliqua-t-elle, désireuse d'orienter la conversation loin d'elle.

Leur discussion prenait un tour bien trop personnel à son goût. Jensen semblait savoir déjà bien assez de choses la concernant et elle n'avait nullement envie de discuter de sa vie privée avec lui ni avec personne d'autre, d'ailleurs.

— Voulez-vous un dessert ? s'enquit-il.

Kylie marqua un temps d'arrêt, surprise qu'il ne s'étende pas sur le sujet. Qui l'eût cru ? Cet homme la surprenait de plus en plus.

—Non, merci, répondit-elle en regardant son assiette à moitié vide. Je n'ai même pas encore fini mon plat et je doute qu'il me reste de la place pour autre chose. Et puis, une dure journée nous attend demain, nous ne devrions pas trop tarder.

En disant cela, elle essaya d'adopter une attitude détendue parce qu'elle ne voulait pas qu'il voie son malaise. Mais quand elle croisa son regard, elle sut tout de suite qu'il avait deviné le fond de sa pensée. Cet homme avait des pouvoirs surnaturels, elle ne voyait pas d'autre explication.

—Très bien, mais prenez votre temps, d'autant plus que demain, vous n'aurez pas à vous lever plus tôt que d'habitude, parce que oui… je sais à quelle heure vous arrivez au bureau.

Bien sûr qu'il savait à quelle heure elle avait pour habitude d'arriver au bureau, malgré le fait qu'elle ne pointait pas. Dash lui laissait la liberté de gérer son emploi du temps comme bon lui semblait, mais il ne lui serait jamais venu à l'idée d'en profiter. Le travail l'avait aidée à surmonter la mort de Carson. C'était devenu, en quelque sorte, son havre de paix. En plus, personne ne l'attendait à la maison et cette solitude commençait à lui peser. Oui, elle passait beaucoup de temps au bureau. Elle était souvent la première à arriver le matin, entre 6 h 30 et 7 heures. Du moins, elle était la première avant que Jensen ne rejoigne l'entreprise parce que, souvent, il était déjà à son bureau quand elle arrivait.

Décidant de ne pas prêter attention à son sarcasme, elle avala une autre bouchée. Tournant machinalement son regard vers la salle, elle aperçut un homme naviguer entre les tables et elle l'observa, la fourchette à mi-chemin de sa bouche. L'homme en question passa non loin d'eux et Kylie se raidit sur sa chaise. Une nausée l'envahit, faisant monter la bile dans sa bouche, et elle laissa tomber sa fourchette qui émit un son métallique, déchirant le silence ouaté autour d'eux.

Les lèvres entrouvertes et le souffle coupé, elle se sentit blêmir. Son corps tout entier était engourdi par l'anxiété et une boule s'était formée dans sa gorge. La sueur perlait à son front. Elle fut saisie d'une envie de s'enfuir, courir le plus vite et le plus loin possible, mais ses jambes refusaient de lui obéir. Elle n'arrivait plus à respirer. Elle était paralysée par la terreur.

Soudain, elle sentit quelqu'un lui saisir le menton avant de lui faire tourner sa tête sur le côté. Agenouillé devant elle, Jensen la dévisageait d'un air inquiet. Quant à l'homme qui l'avait mise dans tous ses états, elle vit du coin de l'œil qu'il s'était installé à une table non loin de la leur.

— Qu'y a-t-il? demanda Jensen brusquement. Respirez Kylie, respirez! Vous allez finir par vous étouffer!

Elle hocha la tête en silence, luttant pour reprendre sa respiration, mais en vain. En plus du choc qu'elle venait d'éprouver, elle était mortifiée à l'idée que Jensen la voie dans un état pareil. Elle avait beau essayer, elle n'arrivait pas à faire entrer de l'air dans ses poumons oppressés.

Un serveur apparut à leur table, demandant s'il y avait un souci, et Jensen le regarda, une expression sévère sur le visage.

—Laissez-nous, dit-il sèchement. Tout va bien.

Non, tout n'allait pas bien. Rien n'allait bien et jamais elle n'irait bien, jamais. Une vague de désespoir l'envahit et elle eut la désagréable sensation que la pièce tournait autour d'elle. Elle était proche de l'hystérie, elle allait tomber dans les pommes si ça continuait.

—Je dois sortir, parvint-elle à dire. S'il vous plaît, je dois sortir d'ici, je dois sortir d'ici sur-le-champ.

Sa voix était tremblante et sa respiration laborieuse. Sa honte devenait de plus en plus difficile à supporter. Jensen se redressa et parcourut la salle du regard, cherchant certainement l'origine de son malaise.

—Qui est-ce? s'enquit-il d'un ton tranchant sans quitter du regard l'homme qui était assis à sa table. Qu'est-ce qu'il vous a fait?

La colère qui vibrait dans sa voix la fit frissonner. Des taches noires se mirent à danser devant ses yeux et elle essaya, sans succès, d'inspirer profondément.

—Rien, rien. Ce n'est personne, bredouilla-t-elle. J'ai cru que…

Elle ne put finir sa phrase et, à son grand désarroi, des larmes se mirent à couler sur ses joues.

—Il… Il m'a juste fait penser à quelqu'un, s'efforça-t-elle de dire. S'il vous plaît, pouvons-nous y aller ?

—Il est hors de question que vous preniez le volant dans cet état.

Avant qu'elle n'ait eu le temps de comprendre ce qui se passait, Jensen la saisit par les épaules, l'obligeant à se relever. Il jeta quelques billets sur la table avant de l'entraîner vers la sortie. Il ne s'arrêta que lorsqu'ils furent dehors et elle put enfin respirer un peu d'air frais. Elle reprit quelque peu ses esprits, mais la honte l'accablait toujours.

—Respirez, Kylie, respirez, lui conseilla Jensen avant de donner son ticket au voiturier.

Elle inspira profondément plusieurs fois de suite, dans l'espoir de recouvrer un semblant de calme. Son vertige commença à se dissiper et sa respiration redevint régulière. Elle se redressa et voulut s'éloigner de Jensen, mais celui-ci, qui la tenait fermement par le bras, l'attira aussitôt vers lui. Marmonnant quelques jurons, il passa son bras sous le sien et Kylie se crispa, troublée par la chaleur qui émanait de son corps et l'enveloppait doucement.

—Ma… ma voiture, balbutia-t-elle, je ne peux pas laisser ma voiture ici.

—Oubliez votre voiture, rétorqua-t-il sèchement. Vous n'êtes pas en état de conduire. Je vous ramène chez vous et nous reviendrons chercher votre voiture demain, après notre rendez-vous avec S&G Oil.

Chapitre 4

LE TRAJET VERS LA MAISON DE KYLIE SE FIT DANS UN silence oppressant. De temps en temps, Jensen jetait un coup d'œil à Kylie qui, assise sur le siège passager, avait les mains crispées sur ses genoux. Elle semblait presque en transe, les yeux grands ouverts, regardant la route devant. Il ne savait même pas si elle était consciente de sa présence.

Jensen jura silencieusement encore une fois. Kylie lui avait fait une belle frayeur au restaurant. Et puis, lorsqu'il avait compris ce qui l'avait mise dans cet état, sa peur s'était rapidement muée en colère. Si Kylie ne lui avait pas dit que l'homme assis quelques tables plus loin lui rappelait quelqu'un, il serait certainement allé lui casser la gueule. L'homme en question était plus âgé qu'eux et Jensen avait vite compris de qui il était question.

Merde.

Son instinct lui avait alors immédiatement suggéré de ramener Kylie chez lui pour la protéger de son sombre passé et de tout ce qui pourrait lui faire du mal, mais, après avoir réfléchi un instant, il s'était ravisé. Elle aurait certainement fait une nouvelle attaque de panique et il voulait à tout prix lui épargner cette souffrance.

Il avait donc dû se résigner à la ramener chez elle. Cette fois, il comptait bien lui imposer sa présence. Elle serait sans doute prête à tout pour se débarrasser de lui, mais ce serait peine perdue. Ce soir-là, elle ne resterait pas seule, ce n'était pas négociable.

Elle ne pouvait pas éternellement combattre ses démons toute seule. Elle avait besoin de quelqu'un qui l'aide à surmonter cette épreuve, quelqu'un sur qui elle pourrait compter à tout moment. Mais jamais Kylie n'accepterait une chose pareille. Pour elle, demander de l'aide serait comme avouer ses faiblesses, ce qui était inconcevable pour elle.

Jensen serra son volant. Pourquoi refusait-elle de voir la vérité en face ? À un moment ou un autre, tout le monde avait besoin de quelqu'un à ses côtés, ce n'était pas une honte. Et lui voulait être là pour Kylie. Il voulait être cette personne sur qui elle pourrait compter même s'il savait, au fond de lui, qu'il n'était pas fait pour elle.

Non seulement ils n'étaient pas faits pour être ensemble, mais en plus elle n'avait pas du tout envie de lui. Il savait cependant avec certitude qu'elle avait besoin de lui. D'une manière ou d'une autre, il lui fallait percer les barrières derrière lesquelles elle se protégeait. Cela n'allait pas être facile, bien au contraire, mais ça valait la peine d'essayer, elle en valait la peine. Pour elle, il était prêt à aller très loin, il était prêt à faire quelque chose qu'il n'avait encore jamais fait pour aucune femme : lui céder le contrôle – un semblant de contrôle, du moins – de la situation.

Lui qui était habitué à tout contrôler et tout dominer, cette idée ne le réjouissait guère. Cela dit, Kylie avait besoin de se sentir en sécurité. Avant de lui accorder sa confiance, elle avait besoin de se sentir à l'aise en sa présence. Et comme il était peu probable qu'elle fasse le moindre effort pour ça, il le ferait pour elle. Kylie était sur le point de craquer, ce qui ne le surprenait pas du tout.

Elle avait beau soutenir le contraire, Jensen était convaincu qu'elle ne dormait presque plus. Son passé hantait ses cauchemars la nuit, encore plus que ses pensées le jour. Elle était pâle et ses yeux étaient toujours cernés par le manque de sommeil.

Mais tout cela changerait à partir de ce soir-là. Oui, cette nuit-là, Kylie s'endormirait sereine, en se sachant en sécurité et ce, à côté de lui. Sous aucun prétexte il ne la laisserait seule. Elle allait certainement tout faire pour le mettre à la porte, et il n'avait pas l'intention de se laisser démonter. Il était peu fier de son initiative, mais il n'hésiterait pas à s'imposer chez elle, d'autant plus qu'elle ne semblait même pas pouvoir se détendre dans le confort de sa propre maison ; son passé la rattrapait où qu'elle soit.

Pas cette nuit, pensa Jensen en secouant la tête.

Cette nuit-là, son passé resterait à la porte de sa chambre à coucher.

Il se gara dans l'allée devant la maison de Kylie, sortit de la voiture, la contourna et alla ouvrir sa portière. Il se pencha vers elle et saisit doucement sa main toujours glacée, puis l'aida à descendre de la voiture. Comme elle tremblait encore, il l'attira contre lui comme il l'avait fait pendant qu'ils avaient attendu la voiture devant le restaurant et la guida vers sa maison.

Jensen se prépara mentalement à la confrontation qui allait suivre. Elle avait hâte de se débarrasser de lui, c'était évident. Une fois qu'ils auraient atteint la porte, elle lui souhaiterait poliment bonne nuit et le remercierait peut-être même pour son aide, avant de rentrer dans la maison et fermer la porte à double tour derrière elle.

Eh bien, elle risquait d'être vraiment déçue.

Il lui prit le trousseau de clés de sa main et ouvrit la porte. Il s'effaça pour la laisser entrer avant de faire de même et refermer la porte derrière lui.

—Jensen, l'entendit-il dire tandis qu'il tournait la clé dans la serrure. Je vais bien. Je vous remercie de m'avoir ramenée chez moi, mais je vais bien maintenant.

Elle esquissa un geste vers la porte.

—Je préfère rester seule, je vous dis donc à demain.

—À demain rien du tout, repartit-il en plaçant une main dans le bas de son dos avant de la diriger vers ce qu'il pensait être sa chambre à coucher.

Rapidement, il promena un regard autour de lui. Il ne s'était pas trompé, la maison de Kylie ressemblait à un havre de paix. Propre et bien rangé, l'endroit inspirait la tranquillité et l'harmonie.

Lorsqu'ils atteignirent la chambre, elle s'arrêta net sur le pas de la porte et se retourna vers lui.

—Jensen, je vais bien, vous pouvez y aller à présent.

Il l'observa quelques instants. Toute trace de désarroi avait disparu de ses yeux, mais ses traits étaient toujours tirés et sa bouche crispée en un rictus forcé. Non, elle n'allait pas bien et il ne comptait pas s'en aller.

—Allez vous préparer pour aller au lit pendant que je nous sers un verre. Votre bar est-il bien fourni ? Un petit remontant ne nous fera pas de mal.

Elle devint encore plus pâle et secoua la tête.

—Je n'ai que du vin. Je ne bois que très rarement, seulement lorsque je suis avec Chessy et Joss.

—Du vin fera l'affaire. Ça vous aidera à vous calmer les nerfs. Bon, vous avez cinq minutes pour vous changer. Cinq minutes, pas une de plus.

Sur ces mots, il tourna les talons et ferma la porte de la chambre par souci d'intimité. Il se rendit dans la cuisine et chercha la bouteille de vin ainsi que deux verres. Il comptait laisser passer plus de cinq minutes parce qu'il savait qu'avant toute chose, Kylie allait probablement se livrer à un débat intérieur et chercher les mots justes pour lui dire de déguerpir de chez elle.

Il soupira. C'était à prévoir, mais il était conscient que derrière sa façade dure, se cachait en réalité un cœur tendre.

Même s'il n'avait aucune envie de boire, il remplit les deux verres. Il était trop préoccupé par Kylie et le drame auquel il avait assisté au restaurant. Il avait l'intention de lui tirer les vers du nez pour connaître le fin mot de cette histoire. Il avait déjà une idée sur la chose, mais il voulait l'entendre de sa bouche. Il voulait lui faire comprendre qu'elle pouvait se fier à lui, qu'elle pouvait lui confier ses tourments les plus intimes. Certes, c'était bien plus facile à dire qu'à faire.

Il prit les deux verres et retourna vers la chambre. Il ouvrit doucement la porte et trouva Kylie, le regard dans le vague, assise sur le bord du lit. Elle portait un pyjama ample à manches longues qui cachait sa silhouette parfaite. Elle ne l'avait pas entendu arriver et il resta un instant immobile à la détailler du regard. Quand elle ne se savait pas observée, comme à présent, elle avait l'air si vulnérable, si… seule. Une profonde tristesse l'habitait toujours et le cœur de Jensen se serra à cette pensée.

Soudain, elle releva la tête et rencontra son regard. Elle se redressa et son expression changea du tout au tout. Les barrières qui l'isolaient du monde s'étaient de nouveau érigées autour d'elle, mais trop tard, il avait déjà vu ce qui se cachait derrière.

—Ce n'est vraiment pas nécessaire, protesta-t-elle en prenant le verre qu'il lui tendit. Je vais bien. Je vous suis très reconnaissante de m'avoir raccompagnée et je ne peux m'empêcher de me sentir honteuse de mon comportement de ce soir. Je ne sais pas ce qui m'a pris.

Passant outre ses états d'âme, Jensen s'assit à côté d'elle, si bien que leurs cuisses se touchaient presque.

—À qui vous a fait penser cet homme, Kylie? s'enquit-il d'une voix douce.

Son visage se fit grave et elle détourna le regard. Elle porta le verre de vin à ses lèvres et but quelques gorgées, comme pour se donner du courage.

—Mon père, lâcha-t-elle avant de fermer les yeux.

Elle secoua la tête, se demandant sans doute pourquoi elle venait de lui faire une telle confidence.

—Est-il encore en vie?

Elle acquiesça.

—Vit-il ici? L'avez-vous déjà vu?

—Je ne sais pas, chuchota-t-elle. Et, non, je ne l'ai pas vu et je ne veux plus jamais le revoir. J'aimerais mieux le savoir mort. C'est lui qui devrait être mort, pas Carson. C'est tellement injuste, tellement injuste…

Sa voix était tremblante et ses traits déformés par la douleur. Des larmes roulèrent sur ses joues et elle paraissait gênée par ce flot d'émotions qu'elle ne pouvait plus retenir. Et, même s'il lui était difficile de résister à l'envie de la serrer contre lui, Jensen resta immobile. Il ne voulait surtout pas la brusquer de quelque manière que ce soit; elle risquerait de se refermer aussitôt comme un coquillage. Il fallait qu'elle continue à lui parler. Il devait comprendre la véritable nature de sa douleur pour savoir comment l'aider du mieux qu'il pouvait.

— Pourquoi Carson est-il mort ? Pourquoi ? sanglota-t-elle. C'était quelqu'un de bien. Il n'a jamais fait de mal à personne. Il aimait Joss et il était toujours là pour moi. C'était le seul à pouvoir me protéger. Et maintenant il n'est plus là, alors que mon père, lui, coule des jours paisibles quelque part. Ce n'est pas juste.

Jensen prit doucement sa main dans la sienne et la caressa de son pouce.

— La vie est injuste parfois. Et vous avez raison ; ce n'est pas juste que Carson soit mort et que ce fils de pute qu'est votre père soit encore en vie. Mais, malheureusement, c'est comme ça et on n'y peut rien. Il faut se faire à cette idée.

— Je n'y arrive pas. Je n'arrive pas à aller de l'avant et je me déteste pour ça. Je suis faible et ça me répugne. Je me répugne, Jensen, est-ce que vous comprenez ça ?

Il lui serra la main un peu plus fort. Il voulait tant pouvoir faire plus, la prendre dans ses bras et la tenir contre lui. Juste ça, rien de plus.

— Vous n'êtes pas faible. J'ignore toutes les épreuves que vous avez dû traverser, mais je sais une chose : vous êtes une survivante, Kylie. Vous ne vous êtes pas laissée abattre par la situation. Vous devriez faire preuve de plus d'indulgence envers vous-même.

Elle se laissa aller contre lui et Jensen ne sut dire si c'était voulu ou pas. Quoi qu'il en soit, il en profita pour lui lâcher la main et passer son bras autour d'elle, l'attirant ainsi un peu plus vers lui. Elle nicha la tête contre son épaule et il put pratiquement sentir le poids de sa fatigue et de son chagrin. Quand avait-elle dormi pour la dernière fois ? Avait-elle déjà passé une nuit entière sans cauchemars ?

—Je suis loin d'être une survivante, dit-elle dans un murmure à peine audible. Parfois, je me demande même si ce n'est pas lui qui a gagné. J'ai beau me répéter que je suis plus forte que lui, je sais que ce n'est pas vrai du tout. C'est lui qui a gagné parce que non seulement il a gâché mon passé, mais, en plus, je ne peux m'empêcher de penser à lui et à tout ce qu'il m'a fait.

Sans réfléchir, Jensen lui embrassa tendrement les cheveux. Il la sentit se raidir aussitôt dans son étreinte et jura intérieurement. Elle venait à peine de commencer à s'ouvrir à lui et son geste l'avait certainement ramenée à la réalité. Gardant la tête baissée, elle se libéra de son bras. Il ne pouvait pas voir ses yeux, mais il devinait qu'il devait y avoir de la confusion et de l'embarras et il réprima un soupir. Il ne voulait pas qu'elle se sente gênée devant lui, mais qu'elle lui accorde sa confiance.

—Vous devriez y aller, marmonna-t-elle. Il se fait déjà tard et je crois avoir déjà assez abusé de votre temps.

—Je ne vais nulle part, annonça-t-il posément.

Elle tourna la tête vers lui et rencontra son regard. Elle avait l'air choquée, terrifiée même, par ce qu'il venait de dire. Il la sentait au bord d'une nouvelle crise de panique et c'était bien la dernière chose au monde qu'il voulait.

—V… vous ne… ne pouvez pas rester ici, bégaya-t-elle.

—Si, je peux.

Le visage blême, elle secoua violemment la tête. Il posa une main sur son épaule et la sentit trembler.

—Je ne vais pas vous laisser toute seule dans cet état. Je sais que vous avez peur, mais vous n'avez absolument rien à craindre de moi.

—Je n'ai pas besoin que vous restiez, protesta-t-elle.

—Vous ne voulez pas que je reste, nuance. Mais vous en avez besoin, dit-il en posant un doigt sur ses lèvres.

—Vous ne comprenez pas ! s'exclama-t-elle, une note de désespoir dans sa voix.

—Chhh, je comprends bien plus de choses que vous ne le croyez. Vous pensez que je ne vois pas que vous avez peur de moi ? Avez-vous idée à quel point cela m'affecte ? Je veux vous prouver que je suis digne de votre confiance et que vous ne risquez rien lorsque vous êtes avec moi. Jamais je ne vous ferai le moindre mal. Jamais, Kylie, jamais.

De nouvelles larmes emplirent ses yeux.

—Je ne veux pas avoir peur de vous, mais c'est plus fort que moi.

La gorge de Jensen se serra à cet aveu. La peur, ce sentiment ô combien difficile à contrôler, était profondément ancrée en elle. Et, elle n'avait pas peur de lui en particulier, elle avait peur de tous les hommes susceptibles de l'approcher de trop près. La simple idée de devoir partager son lit avec un homme lui faisait horreur. Il comprenait tout à fait ce qu'elle pouvait ressentir et était plus que jamais décidé à lui prouver sa bonne foi.

— Je vais dormir ici cette nuit, Kylie. Dans ce lit, avec vous, lui annonça-t-il comme s'il s'agissait d'une évidence.

Une expression de terreur se peignit sur le visage de Kylie et sa respiration se fit haletante. Elle luttait pour garder son calme, mais il avait la certitude qu'elle allait céder à la panique d'un moment à l'autre.

— Écoutez-moi, Kylie. Je vous connais bien mieux que vous ne le pensez. Vous êtes exténuée et vous ne dormez plus parce que vous faites toujours des cauchemars. Je sais qu'à cause de votre passé, vous vous sentez vulnérable et que vous avez du mal à faire confiance à qui que ce soit. En restant ici ce soir, je veux non seulement gagner votre confiance, mais aussi vous donner le moyen de reprendre le contrôle de votre vie. Pour cela, il faut déjà commencer par vous reposer, ou du moins essayer de le faire. Et, pour vous prouver que vous n'avez vraiment rien à craindre de moi et que mes intentions sont honnêtes, vous allez m'attacher les mains à la tête de lit.

Chapitre 5

Kylie dévisagea Jensen, incrédule.

— Mais c'est de la folie !

Cet homme était fou, un aliéné mental. L'attacher au lit ? Elle ne se voyait pas attacher quiconque à son lit, c'était absurde ! Mais, surtout, elle peinait à croire qu'il lui propose de se mettre délibérément en position de faiblesse, lui qui semblait toujours vouloir garder le contrôle de la situation, surtout devant une femme.

— Est-ce que cela vous aiderait à vous sentir plus en sécurité ? lui demanda-t-il d'un ton détaché, comme s'ils étaient en train de parler de la pluie et du beau temps. Prenez le temps de réfléchir, Kylie. Vous auriez le contrôle absolu de la situation tandis que moi, je serais totalement impuissant. Une chose est sûre, je ne compte pas vous laisser seule cette nuit. Vous avez deux choix : soit vous me faites assez confiance pour partager votre lit sans m'attacher, soit vous ne me faites pas encore assez confiance et donc, vous m'attachez les mains à la tête de lit. À vous de voir.

Kylie resta sidérée par cette proposition. Le seul fait d'y réfléchir lui donnait le tournis. Jamais elle n'aurait cru que Jensen serait capable de faire preuve d'un tel altruisme. Brusquement, celui-ci se leva et elle le regarda quitter la chambre. Peut-être qu'il s'était rendu compte de l'énormité de son idée avant de prendre ses jambes à son cou. Restait à savoir si elle était rassurée ou plutôt déçue par sa réaction. Elle fronça les sourcils. La proposition de Jensen lui semblait toujours aussi absurde et son instinct lui soufflait qu'il était dangereux pour elle, mais, d'un autre côté, elle ne supportait pas l'idée de se retrouver seule, pas ce soir-là. Mais bon, Jensen devait déjà être loin. Il…

Soudain, un bruit de pas s'éleva du couloir et, l'instant d'après, Jensen réapparut dans la chambre, une paire de menottes à la main.

Bouche bée, Kylie contempla l'objet avec des yeux ronds.

— Vous vous promenez souvent avec des menottes dans votre poche ? demanda-t-elle, choquée.

— On ne sait jamais quand on peut en avoir besoin, répondit-il avec un sourire malicieux.

Elle plissa les yeux.

— Vous aussi vous êtes dans le délire dominant-dominée, comme Tate et Dash ?

Sa question ne sembla pas le déranger.

— Je ne suis pas comme Tate et Dash. Je suis moi, Jensen. Personnellement, je n'ai pas besoin d'un fantasme pour concrétiser mes désirs. Ce que font Tate et Dash ne me regarde pas, c'est une histoire entre eux et leurs femmes respectives. Tout comme ce que moi je fais ou désire, ça reste personnel.

— Vous voulez que j'utilise ces menottes sur… sur vous, dit-elle en un chuchotement.

Il s'assit à côté d'elle et lui caressa le bras du bout des doigts. Même à travers son pyjama, Kylie pouvait sentir la chaleur qui se dégageait de lui et se propageait dans son corps.

— Ce que je veux, c'est que vous vous sentiez en sécurité. Et si ces menottes peuvent vous aider à vous sentir en sécurité, alors, oui, je veux que vous les utilisiez pour m'attacher à la tête de lit.

Était-elle en train de perdre la tête? Cette idée ne lui semblait plus aussi loufoque que ça… En tout cas, elle ne voulait plus qu'il parte, elle ne voulait pas rester toute seule. Elle en avait assez d'être tout le temps seule. Elle avait envie de lui faire confiance, d'essayer de se reposer un peu, d'aspirer à une nuit, juste une seule, sans cauchemars. Elle avait besoin de réconfort et c'était justement ce qu'il lui offrait, sans contrepartie. Était-elle prête à l'accepter?

— D'accord, mais juste une main alors, murmura-t-elle. Je ne veux pas non plus que vous passiez une nuit inconfortable à cause de moi.

Une lueur de triomphe traversa le regard de Jensen, mais il demeura immobile, comme s'il attendait qu'elle change d'avis.

Ce n'était pas l'envie qui lui manquait, cependant, elle était décidée à aller au bout des choses. Elle n'était pas une lâche et le moment était venu de prouver qu'elle n'était pas faible non plus. Ce n'était qu'une nuit, après tout. Une seule nuit. Et Jensen serait menotté à la tête de lit. Et puis, même sans ça, elle savait que jamais il ne lui ferait de mal. Son cœur en était convaincu, mais sa raison en doutait. Quand il s'agissait de cet homme, elle était souvent tiraillée entre des sentiments contradictoires, ce qui ne lui ressemblait pas, étant donné qu'elle ne faisait confiance à personne. Ne jamais faire ami-ami avec qui que ce soit. Tel était son mantra. Mais, cette fois-ci, elle décida de ne pas écouter la petite voix qui lui criait de se débarrasser de lui. Elle était fatiguée de devoir lutter sans cesse.

—Vous n'avez pas de quoi vous changer, lui fit-elle remarquer, mal à l'aise.

—Je peux dormir comme ça.

—Mais, et le rendez-vous de demain ? Je veux dire, il est très important, je ne veux pas que nous perdions le contrat à cause de moi.

—Je me lèverai un peu plus tôt et je passerai chez moi pour prendre une douche et me changer avant de revenir vous chercher.

—Euh… d'accord, répliqua-t-elle avant de fermer les yeux quelques instants en se demandant si elle n'avait pas vraiment perdu la tête.

Jensen se débarrassa de ses chaussures, défit le premier bouton de sa chemise et retira la ceinture de son pantalon.

Il lui fit ensuite signe de s'allonger puis contourna le lit tandis qu'elle rabattait les couvertures sur elle. Il s'allongea à son tour, prenant soin de maintenir une certaine distance entre eux. Alors qu'il levait la main gauche, il lui tendit les menottes de la main droite.

Kylie eut un moment d'hésitation. Voilà à quoi elle en était réduite. Elle était incapable de partager son lit avec un homme sans que celui-ci ne soit pas menotté avant. Elle voulait lui dire que les menottes n'étaient pas nécessaires. La partie rationnelle de son cerveau l'encourageait à le faire. Vu tout ce qu'il était prêt à faire pour elle, c'était la moindre des choses, mais sa peur panique la submergea et elle renonça aussitôt à cette idée.

Elle prit les menottes puis passa un bracelet autour du poignet de Jensen avant de refermer l'autre autour de l'une des barres de la tête de lit. Elle se redressa et l'observa en se mordant la lèvre inférieure.

— Vous êtes loin d'être confortablement installé comme ça, dit-elle avec une moue de dépit.

— Je survirai, ne vous en faites pas. J'ai vu pire.

— Je suis désolée, chuchota-t-elle en détournant son regard.

— De quoi êtes-vous désolée ? s'enquit-il en lui relevant le menton de sa main libre.

— De vous imposer ça, dit-elle avec un signe de tête en direction des menottes. Vous avez été d'une patience d'ange, et moi je n'ai même pas le courage de vous enlever les menottes et de vous faire confiance. C'est si égoïste de ma part… j'ai du mal à l'assumer. Je suis désolée de ne pas être plus forte.

Le regard de Jensen s'adoucit et il lui caressa la joue de son pouce.

—Kylie, vous me laissez dormir dans votre lit. Que ce soit avec ou sans menottes, je trouve que c'est un grand pas en avant. Ça prendra le temps qu'il faudra, mais nous y arriverons.

Elle sentit ses joues s'enflammer sous son regard lourd de sous-entendus. Il ne comptait donc pas en rester là. Il voulait revenir. Il voulait revenir, mais elle ne lui en laisserait pas l'occasion. Ça ne se reproduirait plus. C'était la première et la dernière fois. Tout ceci était de la folie, une folie à laquelle elle avait consenti dans un moment de faiblesse, parce qu'elle ne voulait pas rester seule cette nuit-là.

—C'est bon, je peux éteindre la lumière ? demanda-t-elle.

Il hocha la tête, l'enveloppant de son regard pénétrant. Elle se retourna et éteignit la lampe sur sa table de chevet avant de s'allonger en remontant les draps jusqu'à son menton. Elle avait encore du mal à croire que Jensen était là, dans son lit. Elle pouvait entendre sa respiration, sentir la chaleur qui semblait irradier de son corps.

—Vous n'éteignez pas la lumière du dressing ? l'entendit-elle soudain demander.

Heureusement que la chambre était plongée dans la pénombre ; il ne pouvait pas la voir rougir d'embarras.

—Non. Je la laisse toujours allumée parce que je n'aime pas dormir dans le noir. Cela vous gêne ?

—Pas le moins du monde. Ce qui compte, c'est que vous soyez à l'aise.

Décidément, cet homme était un mystère à lui tout seul. Il n'avait pas cessé de l'énerver et de lui chercher des poux pendant des semaines, et, à présent, il la traitait d'une extrême gentillesse, comme si elle lui était précieuse. Il lui avait dit qu'il faisait tout ça pour l'aider à reprendre le contrôle sur sa vie et pourtant, elle ne s'était jamais sentie aussi déboussolée avant ce soir-là. Le chaos régnait dans son esprit et elle sentit de nouveau la nausée monter dans sa gorge.

Jensen était, certes, menotté à la tête du lit, mais il n'en était pas moins en position de force. Il avait toujours le contrôle de la situation. À aucun moment il ne l'avait perdu, d'ailleurs. Cette conclusion aurait dû la terrifier, la faire bondir hors du lit en hurlant. Et pourtant, elle resta calme. Il y avait eu quelque chose dans le regard de Jensen qui l'avait rassurée, comme la promesse que tout finirait par s'arranger. Et elle voulait y croire, elle voulait croire qu'elle parviendrait à tirer un trait sur son passé.

Jensen se réveilla en sursaut et lâcha quelques jurons en voyant Kylie recroquevillée sur elle-même à l'autre bout du lit. Elle poussa un autre gémissement et sa respiration menaça de se transformer en sanglot.

Il avait l'impression que ce n'était pas la jeune femme à qui il avait affaire d'habitude, mais l'enfant apeurée qu'elle avait été autrefois. Et c'était sans doute le cas. Elle revivait les abus qu'elle avait subis de la part de son père à travers ses cauchemars. Voilà pourquoi il avait tant insisté pour rester avec elle cette nuit-là. Il était certain que cela arriverait après la crise d'angoisse qu'elle avait faite au restaurant.

Le lit était grand et il ne pouvait pas l'atteindre. Il ne pouvait rien faire, mis à part assister, impuissant, au combat qu'elle menait contre ses démons. Et tout ça à cause de ces putains de menottes! Elles l'avaient rassurée, certes, mais, en même temps, elles l'empêchaient de lui venir en aide, de la prendre dans ses bras et la tirer de son cauchemar.

—Réveille-toi, Kylie, réveille-toi. Tu es en train de faire un cauchemar. Je suis là, réveille-toi.

Marmonnant des paroles inintelligibles, elle se tourna et se retourna plusieurs fois avant de se réveiller brusquement. Le visage pâle et tendu, elle se redressa, ramena les genoux sous son menton et noua ses bras autour. Elle commença à se bercer d'avant en arrière en gémissant avant de mettre sa tête entre ses genoux et d'éclater en sanglots.

Ses épaules s'agitaient au rythme de ses pleurs et l'estomac de Jensen se noua, une sensation d'abattement le submergeant. Il ne pouvait absolument rien faire pour elle et il lui était insupportable de la voir ainsi. Cette jeune femme, qui avait tout pour elle, était restée prisonnière de son passé.

—Viens ici, Kylie, murmura-t-il en tendant sa main libre vers elle.

Il était persuadé qu'elle allait faire mine de ne pas l'entendre, mais quelle ne fut pas sa surprise lorsqu'elle se retourna et vint se blottir contre lui. Il resserra son bras autour de ses épaules, et elle se dégagea légèrement de son étreinte tout en cherchant de sa main quelque chose sur la table de chevet. Elle saisit la clé des menottes et le libéra, tirant désespérément sur le bracelet autour de son poignet.

Il l'attira aussitôt dans ses bras et elle s'agrippa à lui comme si sa vie en dépendait. Il pouvait sentir son cœur battre la chamade et ses larmes ruisseler dans son cou. Elle sanglotait convulsivement et il resserra son étreinte.

—Chhhh, tout va bien, je suis là… Je suis là. Tu es en sécurité, ce n'était qu'un cauchemar, tout va bien maintenant. Allez, allez…

Sur ces mots, il lui embrassa le front en lui caressant tendrement les cheveux. Par ces gestes, il espérait lui faire comprendre qu'il était là et qu'il ne lui arriverait plus rien.

—Je suis désolée. Désolée…, sanglota-t-elle contre son cou. Désolée…

—Non, ne t'excuse pas Kylie, ne t'excuse jamais pour ça.

Doucement, il lui caressa le dos de haut en bas, attendant qu'elle se calme un peu et, petit à petit, elle commença à se détendre. Puis, elle changea de position, posant la tête sur son torse. Elle pleurait encore, mais sa respiration était redevenue presque normale. Il aurait tout donné pour pouvoir l'apaiser, lui ôter le poids de ses tourments, la libérer de ses cauchemars.

—Il ne peut rien t'arriver tant que tu es dans mes bras, murmura-t-il dans ses cheveux. Calme-toi et essaie de te rendormir.

Elle émit un petit soupir et se plaqua contre lui, leurs jambes s'entrecroisant, comme si elle avait peur qu'il s'en aille. Il la sentit se détendre de nouveau et crut qu'elle avait fini par s'endormir jusqu'à ce qu'elle se raidisse dans ses bras, le battement de son pouls s'accélérant progressivement. Elle était sur le point de lui dire quelque chose et il resserra ses bras autour d'elle, l'encourageant silencieusement à se confier à lui.

—Je déteste être comme ça, chuchota-t-elle.

Il ne dit rien et lui caressa le bras, remontant jusqu'à son épaule avant de redescendre et de prendre doucement sa main dans la sienne.

—Je hais mon père, poursuivit-elle. Je le hais pour ce qu'il m'a fait, pour ce qu'il nous a fait, à Carson et moi. Je hais ma mère parce qu'elle nous a abandonnés. Je comprends qu'elle ait préféré s'enfuir, mais pourquoi ne nous a-t-elle pas emmenés avec elle ? Elle savait quel genre de monstre c'était, mais ça ne l'a pas empêchée de nous laisser avec lui. Parfois, je crois même que je la déteste plus que lui. Je dois vraiment avoir un problème.

Enfin… Kylie commençait à s'ouvrir à lui. Elle était en train de lui confier des choses qu'elle n'avait dû dire à personne d'autre auparavant. Il était heureux de pouvoir lui prêter une oreille attentive, même s'il avait été obligé de lui imposer sa présence. Mais, avec un peu de temps, elle finirait par s'habituer à une telle proximité. En attendant, il ne fallait surtout pas qu'il la brusque. C'est elle qui devait être à l'initiative de ces confidences.

—Non, tu n'as aucun problème. Ta mère ne t'a pas seulement abandonnée, elle t'a laissée entre les mains d'un monstre. La haine que tu éprouves envers elle est totalement justifiée. Tu n'as pas à en avoir honte. Les parents sont censés protéger leurs enfants, pas leur faire du mal. Ils t'ont trahie tous les deux et tu as le droit de leur en vouloir pour ça.

—Merci, murmura-t-elle d'une voix étranglée.

Il la serra contre lui. Il aurait voulu rester ainsi pour toujours.

—De rien, ma belle. Cela dit, je veux que tu me promettes une chose.

Kylie se redressa sur un coude et croisa son regard avant de baisser les yeux. Les lèvres tremblantes, elle avait du mal à dissimuler son mal-être. C'était tout à fait compréhensible, pour la première fois de sa vie, elle laissait quelqu'un voir une facette d'elle qu'elle prenait soin de cacher. Le fait de la voir ainsi donna envie à Jensen de l'embrasser, mais il se retint, de crainte qu'elle interprète mal son geste. Il n'était pas un salaud au point de profiter d'elle à un moment où elle se sentait particulièrement vulnérable.

Le regard rivé sur elle, il lui effleura la joue d'un doigt et attendit qu'elle relève la tête avant de parler.

—Demain matin, quand cette nuit ne sera plus qu'un souvenir, promets-moi que tu ne regretteras rien de ce qui s'est passé ce soir. Promets-moi que tu ne regretteras pas et que tu ne seras pas embarrassée par ce qui s'est passé entre nous et promets-moi que tu ne m'éviteras plus comme tu sais si bien le faire. Il y a des choses inévitables dans la vie et nous en faisons partie toi et moi. Nous sommes faits l'un pour l'autre, Kylie, inutile de le nier.

Il marqua un arrêt avant de reprendre.

—Ce soir, tu m'as accordé ta confiance. Tu as baissé les barrières que tu as dressées autour de toi et m'as permis de découvrir qui tu étais vraiment. C'est cette Kylie-là que j'aimerais voir plus souvent, celle que je veux.

Elle fronça les sourcils et ouvrit la bouche pour répondre avant de la refermer. Avant qu'elle n'ait eu le temps de la rouvrir, il posa un doigt sur ses lèvres.

—Promets-le-moi.

Elle ferma les yeux et hocha la tête.

—Je veux te l'entendre dire. J'ai besoin de l'entendre, nous avons tous les deux besoin de l'entendre. Je sais que tu ne t'engages pas à la légère. Une fois que tu m'auras donné ta parole, tu t'y tiendras. Dis-moi que tu le promets, fais-le pour moi.

—Je te le promets, finit-elle par répliquer.

Il se pencha vers elle et effleura ses lèvres d'un baiser chaste et rassurant. Un désir monta aussitôt en lui et il le contint, soucieux de ne pas l'effrayer.

—Allez, rendors-toi, dit-il. Il ne peut rien t'arriver dans mes bras, aucun cauchemar ne viendra t'importuner cette fois. En revanche, tu peux toujours rêver de moi, ajouta-t-il avec une touche d'humour.

Kylie se lova contre lui et posa la tête sur son épaule. Elle poussa un léger soupir et il fut très ému de la sentir se détendre peu à peu dans ses bras.

Jensen resta réveillé encore longtemps après que Kylie se fut endormie. Laissant son regard errer au plafond, il essayait, en vain, de résoudre l'énigme qu'elle représentait. Qu'allait-il faire avec elle ? Il ne pouvait pas faire machine arrière et l'abandonner. D'un autre côté, il savait très bien que les choses n'allaient pas changer en une nuit, comme par magie. La connaissant, Kylie ferait sans doute tout son possible pour cacher son côté vulnérable qu'il avait pu voir ce soir-là.

Il devait trouver un moyen de briser les défenses de Kylie une bonne fois pour toutes, d'entrer dans son cœur et dans son âme. Il allait devoir livrer le combat de sa vie pour y arriver, mais ça en valait la peine, Kylie en valait la peine. Elle était têtue et orgueilleuse, très bien, il l'était au moins autant qu'elle. Cette femme lui donnerait du fil à retordre, certes, mais il avait déjà gagné la première bataille et celle-ci l'aiderait sûrement à gagner la guerre.

Chapitre 6

Kylie émergea lentement du sommeil, savourant la sensation aussi délicieuse qu'étrangère qui l'habitait. Elle se sentait reposée, pas du tout perturbée par ses cauchemars habituels. Elle se sentait en sécurité.

Puis, soudain, l'esprit encore embrumé, elle se rendit compte qu'elle n'était pas seule dans son lit. Un homme était allongé à côté d'elle et sa tête était posée sur son épaule.

Jensen.

Elle avait dormi avec Jensen.

Les souvenirs de la veille affluèrent aussitôt à sa mémoire. Elle avait tellement honte ! Elle avait craqué devant lui. Elle avait complètement perdu les pédales.

Elle écarquilla les yeux. Bon sang, elle l'avait menotté à son lit !

—Souviens-toi de ce que tu m'as promis cette nuit, Kylie, dit Jensen d'une voix rauque.

Avec une grimace, elle se souvint de sa promesse. Pourquoi diable lui avait-elle juré de ne pas regretter ce qui s'était passé ni d'en avoir honte? Cette situation était absurde. Il ne s'attendait quand même pas à ce qu'elle tienne sa parole, si?

—Quelle heure est-il? s'enquit-elle d'une voix endormie.

Mieux valait ne pas s'étendre sur ce sujet, maintenir une certaine distance, malgré leur position actuelle. Et puis, sa question était tout à fait légitime étant donné la journée qui les attendait.

—Il est 6 heures, répondit-il calmement.

Il semblait parfaitement indifférent au fait qu'ils étaient allongés, enlacés, dans son lit.

—Tu veux du café? demanda-t-elle tout en se redressant avant de glisser vers le bord du lit.

Le sourire qu'il lui adressa en la voyant faire, la mit encore plus mal à l'aise. On aurait dit qu'il pouvait lire dans ses pensées, qu'il percevait son embarras. Il fallait qu'il arrête de faire ça, d'ailleurs.

—Oui, volontiers. Je ne vais pas tarder à rentrer chez moi pour prendre une douche et me changer, puis je repasse te chercher pour qu'on aille ensemble à notre rendez-vous.

—Non, non, ce n'est pas nécessaire, dit-elle hâtivement. Nous pouvons nous retrouver directement là-bas.

—Comment ? Tu as laissé ta voiture au restaurant, lui fit-il remarquer. Je pensais que nous pourrions déjeuner ensemble pour faire un débriefing du rendez-vous et comme ça, après, je te dépose au *Capitol Grill* pour que tu récupères ta voiture.

Leur conversation tournait autour du travail, mais Kylie remarqua un changement dans le ton de Jensen. La manière dont il s'adressait à elle était plus intime, il y avait de la tendresse dans sa voix.

Son cœur se serra lorsqu'elle croisa son regard. Il y avait quelque chose de bienveillant dans ses yeux et Kylie, n'écoutant que son instinct, s'empressa de mettre encore plus de distance entre eux.

Elle se retourna et se leva avant d'aller chercher sa robe de chambre dans son dressing. Son pyjama camouflait parfaitement tout son corps, mais elle se sentait tout de même exposée et vulnérable. Une couche de vêtements supplémentaire ne lui ferait pas de mal.

—Je vais aller préparer le café, marmonna-t-elle. Prends ton temps. N'hésite pas à utiliser la salle de bains.

Sur ces mots, elle tourna les talons et sortit de la chambre sans se retourner, sachant qu'il la suivait sans doute du regard, arborant encore son sourire satisfait.

Comment en était-elle arrivée là ? La relation qu'elle avait avec Jensen avait complètement changé en l'espace de quelques heures. Enfin, « relation » était un bien grand mot. Jensen était un de ses patrons. Elle était son employée. Et pourtant, c'était ce même Jensen, son supérieur hiérarchique, qui avait passé la nuit avec elle, menotté à son lit.

Elle sentit une vive chaleur monter à ses joues. Elle s'était mise dans de beaux draps ! Il devait la prendre pour une malade mentale. Elle avait accepté de le menotter au lit pour ensuite le libérer parce qu'elle avait été réveillée par un cauchemar, après quoi elle s'était pratiquement jetée sur lui ! Tout cela semblait d'une logique tellement tordue ! Mais, le pire dans tout ça était que Jensen l'avait enveloppée dans son étreinte et qu'elle avait adoré la sensation que ça lui avait procuré. Pouvait-elle mettre ça sur le compte de sa faiblesse ? Elle s'était endormie dans ses bras et jamais auparavant elle ne s'était sentie aussi bien. Elle avait réussi à se reposer, chose qui ne lui était pas arrivée depuis très, très longtemps.

Apparemment, elle n'avait pas besoin d'un psy ou de somnifères ; Jensen semblait être son remède miracle. Bien sûr, jamais de la vie elle ne lui avouerait ça ! Pour rien au monde elle ne lui donnerait cette satisfaction. Cela risquerait de lui laisser une trop grande emprise sur elle et ça, c'était hors de question. Elle s'était juré que personne n'aurait plus d'ascendant sur elle.

Kylie s'affaira à préparer le café, essayant de mettre un peu d'ordre dans ses pensées. C'était à cause de Jensen qu'elle était dans un état pareil. Et puis, qu'est-ce qu'il attendait de sa part ? Elle n'arrivait toujours pas à comprendre quelles étaient ses intentions envers elle. Tous ses propos étaient pleins de sous-entendus et peut-être qu'elle était capable de lire entre les lignes, mais qu'elle avait trop peur de le faire, de voir la vérité en face.

Jensen semblait sincèrement intéressé par elle. Pourquoi ? Que pouvait-il bien lui trouver ? Elle était complètement paumée, mais cela ne l'effrayait pas du tout, apparemment. Il l'acceptait telle qu'elle était. Il se montrait très protecteur envers elle et semblait prendre ce rôle très au sérieux. Il avait même dit qu'il y avait des choses inévitables dans la vie et qu'elle et lui en faisaient partie. Pensait-il vraiment qu'il pouvait y avoir une histoire sérieuse entre eux ? Réellement ?

Ça ne faisait aucun doute : comme elle, Jensen n'avait pas toute sa tête. Cela dit, ils n'avaient rien à faire ensemble, ils n'étaient pas compatibles. Il avait une grande force de caractère et la fâcheuse manie de vouloir tout contrôler. Sa vie était réglée comme du papier à musique. Même s'il refusait de l'admettre, tout comme Tate et Dash, Jensen était l'archétype du mâle dominateur. Il n'avait d'ailleurs pas apprécié la remarque qu'elle lui avait faite à ce sujet et elle pouvait comprendre pourquoi. Malgré sa personnalité dominante, il ne rentrait dans aucune case. Non, il n'y en avait pas deux comme lui. Et heureusement ! Déjà qu'elle avait du mal avec celui-ci…

Kylie en était là de ses pensées quand Jensen entra dans la cuisine. En dépit de son aspect débraillé et de ses cheveux ébouriffés, force lui était de reconnaître que c'était un homme sexy. Très sexy même. Et elle avait passé la nuit avec lui. Enfin, ils n'avaient pas couché ensemble, mais ce qu'ils avaient partagé était, en quelque sorte, beaucoup plus intime que l'acte sexuel en lui-même. Jensen lui avait apporté ce dont elle avait le plus besoin en ce moment : du réconfort. Elle lui en était très reconnaissante et devait arrêter de se comporter comme une garce envers lui. Elle devait arrêter de voir le mal partout.

La nuit passée lui avait ouvert les yeux. Elle avait désormais une meilleure idée de la façon dont elle était perçue par son entourage. Ce constat était sombre, mais conforme à la réalité. Comment était-elle parvenue à se faire des amis avec une telle attitude ? Comment ses amis arrivaient-ils à la supporter ? Il était grand temps de changer tout ça. Oui, devenir une amie digne de ce nom était sa première résolution.

Elle était tellement préoccupée par sa petite personne qu'elle en avait oublié ses amis, ces gens qui lui avaient apporté un soutien indéfectible après la mort de Carson. Elle n'aimait pas la femme aigrie qu'elle était devenue. D'ailleurs, si elle ne s'aimait pas, comment les autres pouvaient-ils l'aimer ? Mais surtout, pourquoi Jensen semblait-il l'apprécier autant ? Pourquoi se donnait-il tout ce mal pour elle ? S'il y avait une personne envers laquelle elle s'était comportée de manière odieuse, c'était bien lui. Pourtant, il était resté à ses côtés toute la nuit, lui offrant son soutien sans rien demander en retour. Pourquoi ? Il devait être masochiste.

Jensen s'assit sur un des tabourets du bar et elle posa une tasse de café devant lui. Un silence gêné s'installa aussitôt entre eux et Kylie prit son courage à deux mains pour le rompre.

— Merci pour ce que tu as fait la nuit dernière, marmonna-t-elle. Tu n'étais pas obligé de rester, mais tu l'as fait. Ça m'a beaucoup touchée, merci.

Le regard doux et chaleureux de Jensen glissa sur son visage comme une caresse. Elle pouvait pratiquement sentir sa main lui caresser la joue. Elle avait envie de ce contact. Elle voulait qu'il la touche. Sa peau s'embrasa à cette pensée et au souvenir de la nuit passée. Elle s'était sentie si bien dans ses bras, elle avait eu l'impression que rien ne pouvait lui arriver, qu'elle était en sécurité.

— De rien. Il était hors de question pour moi de te laisser combattre tes démons toute seule, chose que tu dois faire assez souvent, je crois.

Elle se sentit rougir, mais ne chercha même pas à le contredire. À quoi bon ? Il avait raison.

— Tu ne prends pas de café ? s'enquit-il en se saisissant de sa tasse.

— Non, répondit-elle en secouant la tête. Je suis déjà assez tendue comme ça. La caféine ne ferait qu'empirer les choses.

— Je te rends nerveuse à ce point-là ? Tu as quand même dû te rendre compte que je ne suis pas le monstre que tu imaginais.

Kylie sentit une vague de chaleur envahir sa nuque.

— Non, non, ce n'est pas ça. C'est juste que tout ceci est encore nouveau pour moi. Cette situation me met mal à l'aise. Je ne suis pas habituée à une telle proximité avec qui que ce soit. Et personne ne m'a jamais vue comme ça… Comme toi tu m'as vue hier. Ça me dérange. Je… Je suis vulnérable et je déteste ça.

Il posa sa tasse sur le bar et tendit le bras vers elle avant d'attraper sa main.

— Je ne veux pas que tu te sentes mal à l'aise avec moi, mon cœur, au contraire. Je veux que tu sois toi-même. Tu n'es plus toute seule maintenant. Je te comprends, Kylie, bien mieux que tu ne le crois. Nous avons tous des démons intérieurs.

— Y compris toi ? s'enquit-elle en penchant légèrement la tête sur le côté.

Voyant la mâchoire de Jensen se contracter et son regard se durcir, Kylie regretta aussitôt sa question. Mais, d'un autre côté, il l'avait bien vue alors qu'elle était au plus bas. Il pouvait donc lui dévoiler quelque chose sur lui, non ?

Il regarda sa montre.

— Je vais devoir y aller si nous ne voulons pas être en retard au rendez-vous, dit-il, esquivant ainsi sa question. Tu penses pouvoir être prête d'ici une demi-heure ?

Elle acquiesça d'un hochement de tête. Jensen se leva, contourna le bar et vint se placer devant elle. Puis, il l'attira doucement dans ses bras, déposant un léger baiser sur ses lèvres. Une onde de chaleur se propagea dans tout son corps. Les pointes de ses seins se durcirent et elle remercia le ciel d'avoir enfilé sa robe de chambre qui masquait l'effet que lui faisait son baiser.

—Je me dépêche, murmura Jensen avant de quitter la cuisine.

Quelques secondes plus tard, elle entendit la porte d'entrée s'ouvrir puis se refermer. Ne pouvant se résoudre à bouger, elle porta les doigts à ses lèvres et les caressa. Était-elle en train de rêver ? Comment en étaient-ils arrivés là ?

Cependant, elle se ressaisit rapidement et se dirigea vers la salle de bains pour se préparer. Le rendez-vous avec le directeur financier de S&G Oil était très important. C'était là l'occasion de faire ses preuves. Jensen croyait en elle et, pour la première fois de sa vie, elle aussi avait confiance en elle. C'était pourquoi elle comptait bien donner le meilleur d'elle-même et ne décevoir personne.

Chapitre 7

—Tu as été brillante Kylie, je suis très fier de toi, déclara Jensen, une fois qu'ils se furent installés à l'une des tables du *Lux Café*. Le directeur financier a été très impressionné par ton travail et je pense que nous sommes en bonne voie pour décrocher le contrat.

Kylie ne put s'empêcher de rougir de plaisir devant ce compliment et baissa la tête pour cacher son émotion. Elle avait été très nerveuse pendant tout l'entretien et avait bien cru défaillir quand Jensen avait annoncé que ce serait elle qui ferait la présentation. Après un début un peu hésitant et sous le regard bienveillant de Jensen, elle avait réussi à maîtriser sa peur et à expliquer au directeur financier les manières les plus efficaces, selon elle, pour réduire les dépenses de S&G Oil.

Jamais elle n'aurait imaginé que Jensen ferait une chose pareille. Ce contrat était très important pour Dash et lui.

D'ailleurs, Dash aurait sans doute crisé s'il avait su ce que Jensen avait fait.

— Merci, finit-elle par répondre. Merci de m'avoir donné ma chance. Ça compte beaucoup pour moi. J'étais tellement nerveuse. Jamais je n'aurais cru être capable de faire ça.

— Ah bon ? Ça ne s'est pas vu pourtant. Tu respirais la confiance en toi. Le directeur financier semblait impressionné par ton travail. Il buvait tes paroles ! À un moment, j'avais même envie de lui donner un coup de pied là où je pense pour qu'il arrête de te reluquer comme il le faisait.

— Donc, s'il a manifesté un tel intérêt pour la présentation, c'est parce que je suis une femme ? s'enquit-elle en fronçant les sourcils.

— Non, répondit-il en riant. Je pense qu'il s'est montré très réceptif parce que tu es une femme très belle *et* très intelligente. Le fait que tu aies assuré la présentation était un atout non négligeable, mais ça n'aurait rien changé si les propositions ne lui avaient pas plu. Il s'est peut-être un peu rincé l'œil, mais je peux t'assurer que la qualité de ton travail et ton perfectionnisme ne sont pas passés inaperçus.

Se sentant quelque peu rassurée par ce qu'il venait de lui dire, Kylie se laissa aller contre le dossier de sa chaise. Un serveur apparut à leur table et prit leur commande.

— Tu n'as rien à prouver à qui que ce soit, Kylie, ajouta-t-il lorsqu'ils furent de nouveau seuls. Il faut juste que tu aies un peu plus confiance en toi.

Elle baissa la tête. Une fois de plus, il avait raison. Elle n'avait pas assez confiance en elle. Pourtant, ce n'était pas l'envie qui lui manquait. Elle voulait gagner en assurance, faire comme si rien ni personne ne pouvait l'atteindre. Mais, depuis son plus jeune âge, elle avait appris à s'effacer devant les autres en attirant le moins d'attention possible sur elle. Elle n'avait pas eu le choix tout comme elle ne pouvait pas non plus changer en un claquement de doigts.

Jensen se pencha vers elle et prit sa main dans la sienne. Cette fois-ci, Kylie n'eut aucune réaction désagréable, au contraire. Ce contact lui plaisait. Elle espérait même qu'il ne lui relâcherait pas la main rapidement.

— Tu vas y arriver, dit-il d'un ton encourageant, comme s'il avait lu dans ses pensées. Il te faudra un peu de temps, mais tu y arriveras. La vraie Kylie, celle que j'ai eu la chance d'apercevoir hier, finira par prendre le dessus, tu verras.

— Comment sais-tu autant de choses sur moi ? J'ai l'impression que tu me connais mieux que moi-même alors qu'on se fréquente depuis pas si longtemps que ça.

Il lui sourit.

— J'observe les gens, je prête attention à leurs gestes, leurs réactions et j'arrive à les cerner rapidement. Ça m'aide beaucoup dans mon travail, mais dans la vie en général aussi. Je devine aisément quand quelqu'un est sincère ou bien quand il me ment. Toi, je sais que tu es une battante, que tu as vécu des choses très difficiles et que tu veux aller de l'avant.

Kylie eut un petit rire amer.

— Une battante? Je ne suis pas tout à fait d'accord. J'ai peur de mon ombre. Tu oublies sans doute que j'ai dû te menotter à mon lit pour pouvoir m'endormir.

Le regard qu'il lui adressa était si doux que le cœur de Kylie se serra dans sa poitrine. Elle commençait à aimer cette façon qu'il avait de la regarder, comme s'il la caressait des yeux.

— Oui, tout comme toi tu oublies le fait que tu me les as enlevées après, riposta-t-il. Et tu l'as fait lorsque tu étais dans un état de vulnérabilité extrême. Je pense quand même que ce n'est pas rien.

Kylie sentit ses joues s'empourprer une nouvelle fois. Jensen avait le chic pour retourner la situation à son avantage. Il faisait passer pour une force ce qu'elle percevait comme une faiblesse. Il semblait vraiment croire en elle.

— J'aimerais t'inviter à dîner demain soir, dit-il soudain. Mais cette fois-ci, ça ne sera pas pour parler du travail. Ça sera plutôt un rencard. Toi, moi…

— Il n'y a pas de toi et moi qui tienne, Jensen, repartit-elle vivement.

— J'ai dormi avec toi la nuit dernière, dit-il en haussant un sourcil. Ça veut bien dire quelque chose, non?

— Tu ne m'as pas laissé le choix! s'exclama-t-elle. Et quand bien même, il n'y a pas de toi et moi!

Il l'observa un instant, un sourire enjôleur aux lèvres.

— Tu peux faire comme s'il ne s'était rien passé la nuit dernière si ça t'arrange. Mais, au fond de toi, tu sais que ça va se reproduire, ce n'est qu'une question de temps.

La gorge de Kylie se serra. Elle ne pouvait plus respirer. Jensen savait se montrer très intimidant. Elle n'avait pas peur de lui, non, du moins pas physiquement. Elle savait qu'il ne lui ferait jamais rien. Et puis, il semblait ne pas supporter l'idée qu'on puisse lui faire du mal. Cependant, ce n'était pas la douleur physique qui la préoccupait avec un homme comme lui, mais la douleur émotionnelle. Cet homme avait le pouvoir de la blesser. En était-il seulement conscient ?

—Je n'entrerai pas dans ton jeu, murmura-t-elle en prenant son verre d'eau.

Le regard de Jensen devint grave et son visage prit une expression sérieuse.

—Ce n'est pas un jeu, Kylie. Pas pour moi. Je suis on ne peut plus sérieux. Je ne te vois pas comme une conquête de plus à mon tableau de chasse, une femme que je veux mettre dans mon lit avant de la jeter comme un mouchoir usagé. Je ne suis pas comme ça, je ne suis pas un connard.

Elle resta interdite, incapable de trouver une réponse appropriée à cette révélation à laquelle elle ne s'attendait pas du tout. Ses mains se mirent à trembler tellement qu'elle dut poser son verre, avant de renverser tout son contenu.

—Qu'est-ce que tu veux, Jensen ? s'enquit-elle d'une petite voix.

—Toi, Kylie, je te veux, toi, repartit-il en plongeant son regard dans le sien. Je prendrai de toi tout ce que tu peux me donner.

Quand elle vit des taches danser devant ses yeux, elle comprit qu'elle avait retenu son souffle en attendant sa réponse. Elle devait respirer à fond et surtout, ne pas paniquer.

— Je n'ai rien à te donner, finit-elle par répliquer.

La véracité de son affirmation lui fit monter les larmes aux yeux et elle s'efforça de les refouler. C'était vrai, elle n'avait rien à lui offrir, ni à lui ni à aucun autre homme. Jensen pouvait avoir n'importe quelle femme, il lui suffisait de claquer des doigts pour qu'elles se prosternent à ses pieds.

— Tu te trompes.

Il ne développa pas davantage et continua à la dévisager de son regard pénétrant. Elle était sûre qu'il pouvait lire chacune de ses réactions sur son visage et voir les larmes qui menaçaient de la submerger. Elle déglutit péniblement, déterminée à masquer l'effet qu'il avait sur elle, mais c'était peine perdue. Il savait très bien ce qu'elle ressentait en ce moment. Au moins, il ne le montrait pas ouvertement. Au lieu de ça, il la regardait tendrement, comme s'il pouvait entendre toutes ses pensées, ses doutes, ses questions ; le débat intérieur qui l'agitait. Et, malgré tout ça, il semblait toujours aussi intéressé par elle. Pourquoi ?

— Ce n'est qu'un rencard, dit-il. Un dîner et un ciné, pourquoi pas. Sinon, on peut aussi se louer un film et le regarder tranquillement chez toi ou chez moi. Je ne tenterai rien, je serai sage comme une image.

Il lui adressa un grand sourire avant d'ajouter :

— Du moins, pour cette fois.

Sa réflexion aurait dû la rendre furieuse, mais le ton taquin de sa voix la rassura et chassa son envie de pleurer. Il ne lui proposait rien de méchant après tout, juste un dîner. Qu'y avait-il de mal à cela ? A priori, rien. Mais, connaissant Jensen Tucker, il ne s'arrêtait pas à ça. Il ne la laisserait pas en paix tant qu'il n'aurait pas obtenu ce qu'il voulait.

— Je vais finir par croire que je ne suis vraiment pas de bonne compagnie, marmonna-t-il sèchement.

— Non, non, ce n'est pas ça, se défendit-elle aussitôt.

Elle ne pouvait pas le laisser croire une chose pareille, pas après tout ce qu'il avait fait pour elle. Il s'était montré si gentil et si compréhensif envers elle. Il avait pris soin d'elle quand elle était au plus mal.

— Ah, me voilà rassuré, dit-il en poussant un soupir de soulagement exagéré. Bon, et ce dîner alors ? Je te promets de ne pas t'emmener dans un endroit fréquenté par des vieux bourges pleins aux as. Qu'en dis-tu ?

Elle ne put réprimer un éclat de rire. Il savait se montrer charmant quand il le voulait. D'ailleurs, elle avait l'impression qu'il n'était comme ça qu'en sa compagnie. Mais elle devait certainement se tromper. Elle n'était sûrement pas la seule personne devant laquelle il laissait tomber son masque, si ? Elle avait vu la façon dont il se comportait avec les autres : poli, mais distant. Attentif, mais toujours sur ses gardes.

— Très bien, c'est d'accord.

Après tout, n'avait-elle pas pris la résolution d'arrêter d'avoir peur ? Il serait lâche de sa part de décliner son invitation, surtout après ce qui s'était passé la veille. Et elle voulait éviter ça à tout prix. Elle refusait de céder à la peur, même si son instinct lui soufflait de se lever et de s'enfuir.

Non, cette fois, c'en était fini de la Kylie poule mouillée, celle qui était terrifiée dès qu'elle avait l'impression de ne plus contrôler la situation. Elle ne pouvait pas passer sa vie à se terrer dans sa maison, à fuir le reste du monde. Sortir avec Jensen était un bon début pour mettre sa résolution en pratique. À moins que, au contraire, ça ne finisse par l'achever.

— Oh, mince…, murmura-t-elle en fermant les yeux.

— Quoi?

— Je ne suis pas libre demain soir, dit-elle.

Elle espéra qu'il ne lui reproche pas de se trouver une excuse.

— Pourquoi? s'enquit-il en fronçant les sourcils.

— Parce que j'ai promis à Chessy de dîner avec elle, répondit-elle en soupirant. Tate a un repas d'affaires très important et comme Joss n'est pas là, elle se sent un peu seule. Je ne peux pas lui faire faux bond, Jensen. Tate semble absorbé par le travail ces derniers temps et je m'inquiète pour elle.

— Chessy a beaucoup de chance de t'avoir comme amie, fit-il remarquer en souriant. Mais tu ne te débarrasseras pas de moi aussi facilement. Samedi soir?

— OK, dit-elle, rassurée par la compréhension que manifestait Jensen.

—Parfait. Je passerai te chercher à 18 h 30. Mets une tenue décontractée. Tu veux qu'on regarde le film chez toi ou chez moi?

L'idée de se retrouver seule avec lui – chez lui qui plus est – la mit mal à l'aise, mais elle se ressaisit très vite. Inutile d'en faire tout un plat. Elle était stupide, ils s'étaient déjà retrouvés seuls, tous les deux, chez elle. Il avait même dormi dans son lit!

—Chez moi, répondit-elle en espérant qu'il n'avait pas perçu sa gêne et que, si c'était le cas, il ne l'avait pas mal pris.

Cependant, son sourire l'avertit qu'il savait exactement à quoi elle pensait.

—Pas de souci. Je peux aussi nous faire à dîner chez toi, si tu préfères. Comme ça, on regarde un film après, suggéra-t-il.

—Ça ne me semble pas juste pour toi. Ne serait-ce pas plutôt à moi de faire à manger?

Jensen haussa un sourcil.

—C'est moi qui t'ai invité à sortir et, pourtant, le rencard aura lieu chez toi. Le moins que je puisse faire pour te remercier de ton hospitalité, c'est de te cuisiner un bon repas. En plus, il se trouve que je suis un vrai cordon bleu.

—Très bien, tu as gagné, dit-elle en levant les mains en signe de résignation. Tu me feras une liste de ce dont tu as besoin et j'irai faire les courses samedi matin.

—Non, non. Je m'occupe de tout. Tu n'auras rien à faire, si ce n'est me tenir compagnie et admirer mes talents de cuisinier.

—Mouais…, dit-elle en esquissant une petite moue. Je trouve quand même que ce marché n'est pas équitable pour toi.

—Bien sûr que si. J'ai la chance de passer toute une soirée en ta compagnie et rien ne pourrait me faire plus plaisir que ça.

Une nouvelle fois, Kylie resta interdite. Il y avait tellement de sincérité dans sa voix qu'elle ne pouvait que le croire.

—Qu'est-ce que je vais bien pouvoir faire de toi, Jensen Tucker? demanda-t-elle, visiblement troublée.

—J'ai ma petite idée sur la question, répondit-il avec un sourire malicieux, mais je ne sais pas si elle te plairait…

Chapitre 8

KYLIE DUT SE RENDRE À L'ÉVIDENCE: ELLE S'ÉTAIT trompée sur toute la ligne. Elle avait redouté que les événements récents ne rendent les choses encore plus compliquées au travail entre Jensen et elle, mais ce ne fut pas le cas. De plus, l'hostilité qu'elle éprouvait à son égard s'était muée en une attraction indéniable.

Elle se souvint du vieil adage selon lequel «les opposés s'attirent».

Et ce proverbe ne mentait pas. Jensen et elle n'avaient absolument rien en commun. Il était fort, sûr de lui et courageux. Il ne reculait devant rien. Il émanait de lui une autorité et une assurance qu'elle lui enviait. Kylie, quant à elle, était faible et lâche, et commençait à croire que jamais elle ne réussirait à prendre confiance en elle.

Elle soupira et reporta son attention sur le dossier posé devant elle. Il ne lui restait plus beaucoup de temps et elle avait encore plusieurs rapports à vérifier avant de les donner à Jensen. Mais son esprit refusait de coopérer, trop préoccupé par leur rendez-vous du lendemain.

Tout avait commencé le soir où Jensen avait dormi dans son lit. Puis, ils avaient partagé le déjeuner et il lui avait proposé de dîner ensemble. Il avait été très clair en disant qu'il ne s'agissait pas d'un repas d'affaires. En d'autres termes, il lui avait filé un rencard.

Elle réprima un petit rire nerveux. Comment était-elle censée se comporter envers lui? Elle avait l'impression d'être une de ces héroïnes des romans à l'eau de rose qu'elle lisait parfois, elle collait parfaitement au stéréotype de la secrétaire qui tombait amoureuse de son patron. Pourtant, les choses étaient loin d'être aussi simples dans la vraie vie. Mieux valait éviter de mélanger travail et plaisir. D'ailleurs, beaucoup de sociétés observaient des règles très strictes à ce sujet, décourageant les relations personnelles entre collègues. Cela dit, Dash et Jensen avaient une vision très différente du monde du travail. Leur société avait un mode de fonctionnement assez singulier, et gare à celui qui oserait leur faire une remarque à ce sujet. Il n'y avait pas de règlement intérieur et encore moins de règle interdisant la fraternisation entre les employés. Mais, règlement intérieur ou pas, il était hors de question qu'elle s'engage dans une relation avec Jensen Tucker.

—Déjà, c'est ton patron, pensa-t-elle à voix haute. Ça devrait te suffire comme raison.

Et puis, il était dépourvu de toutes les qualités qu'elle recherchait chez un homme. Non pas qu'elle avait un type d'homme bien précis. Ou qu'elle recherchait un homme, d'ailleurs. Elle ne s'était pas vraiment posé la question. Certes, elle avait eu quelques rencards, mais ça n'avait jamais abouti à du sérieux. Les quelques hommes avec lesquels elle était sortie, avaient fini par se désintéresser d'elle. Et qui pouvait leur en vouloir ? Elle savait pertinemment qu'elle n'était pas facile à vivre. Elle était une garce égoïste et timide, toujours sur la défensive. Pas de quoi charmer un homme.

Néanmoins, c'était agréable de savoir qu'elle pouvait faire de l'effet à un homme. Elle aimerait tant avoir plus de confiance en elle ; avoir le courage d'entrer dans une pièce la tête haute, vêtue d'une robe à tomber par terre en faisant claquer des talons aiguilles et se comporter avec suffisance, comme si tout lui était acquis. Elle rêvait de pouvoir faire rêver les hommes.

Bon, et qu'est-ce que tu ferais après ? se demanda-t-elle, emplie d'un dégoût envers elle-même.

Rien, absolument rien.

Elle s'enfuirait en courant et se réfugierait chez elle le temps qu'il faudrait pour se faire oublier. Quand est-ce qu'elle allait arrêter de gâcher délibérément son existence ? Elle n'avait pas encore trente ans, pourtant elle se sentait déjà vieille et fatiguée par la vie. Son enfance lui avait semblé durer une éternité et elle était toujours aux prises avec ses démons.

Plusieurs fois, elle avait voulu en finir une bonne fois pour toutes alors qu'elle n'était encore qu'une enfant. Une vague de honte la submergea à ce souvenir. Quel enfant normal songerait à mettre fin à ses jours ? La seule chose qui l'avait empêchée de passer à l'acte, c'était Carson. Elle ne pouvait se résigner à l'idée de le laisser tout seul, subir les foudres de leur père. Jamais ils n'auraient pu survivre l'un sans l'autre.

Combien de fois Carson s'était-il interposé entre son père et elle ? Et combien de fois avait-elle fait la même chose pour lui ? Lorsque leur père était ivre, il s'en prenait à son frère. En revanche, il dirigeait toute sa colère contre elle quand il était sobre. Jamais elle n'oublierait la haine qui déformait son visage chaque fois qu'il la regardait. Rien de ce qu'elle faisait n'était jamais assez bien pour lui, tout était prétexte à s'énerver.

Elle n'avait jamais révélé ses pensées noires à Carson, cela l'aurait sans doute anéanti. Elle ne l'avait jamais dit à personne. Elle avait gardé ce lourd secret pour elle et avait construit sa vie dessus. Mais elle n'avait jamais complètement oublié cette partie sombre de sa vie, elle s'était contentée de la ranger dans un coin de son esprit. À cette époque, elle avait été au bord du point de rupture et jamais depuis elle ne s'était sentie aussi mal… Jusqu'à présent. Pourquoi ?

Son père ne pouvait plus rien lui faire, elle était en sécurité. Elle avait une maison, son havre de paix, dans lequel elle pouvait se réfugier et dans lequel elle se sentait à l'abri de tout. Certes, Carson n'était plus de ce monde et c'était sans doute là que résidait le problème. Elle n'avait peut-être pas réellement fait le deuil de son frère. Depuis sa mort, elle agissait machinalement, comme un robot, refusant de croire que la seule personne qui l'ait jamais aimée et protégée ne soit plus là, refusant d'admettre qu'elle était seule au monde.

Carson et Joss étaient sa seule famille et elle avait toujours su qu'elle n'en fonderait pas une elle-même. Elle, mariée avec des enfants ? Quelle idée ! Elle savait également que, en dépit du souhait de Joss, Carson non plus ne voulait pas avoir d'enfants. Et elle, mieux que personne, comprenait pourquoi. Il était hors de question qu'ils transmettent les gènes qu'ils portaient en eux à leur progéniture. Leur père était un monstre, mais leur mère n'était pas mieux. Quelle mère digne de ce nom abandonnerait ses enfants aux mains d'un homme aussi horrible ? Il y avait quand même mieux comme modèle parental ! Une mère absente et un père alcoolique, abusif et misogyne, cela ne correspondait pas exactement à l'image d'une famille idéale.

Kylie secoua la tête en plissant les lèvres. Non, jamais elle n'aurait d'enfants. Jamais. Elle ne voulait pas reproduire les erreurs de ses parents et elle ne voulait pas que ses enfants connaissent le même sort qu'elle et Carson. Ou qu'ils deviennent, à leur tour, des monstres comme leurs grands-parents maternels. Son frère et elle n'étaient tout simplement pas destinés à avoir des enfants. Dieu soit loué, le nom de son père s'éteindra avec elle ; elle était le seul membre vivant de sa famille. Elle espérait que son père irait brûler en enfer le moment venu, si ce n'était pas déjà le cas. Il avait fait de sa vie un véritable cauchemar, c'était donc la moindre des choses qu'elle pouvait lui souhaiter en retour.

— Les rapports sont prêts, Kylie ?

Elle sursauta en entendant la voix de Jensen à travers l'interphone.

Brusquement, Kylie rassembla les documents étalés devant elle, ne sachant plus trop si elle les avait tous vérifiés.

— Oui, acquiesça-t-elle d'une voix un peu trop aiguë. Veux-tu que je te les apporte ?

— Oui, s'il te plaît.

Elle se leva de son bureau et regroupa les dossiers en une pile. Puis, inspirant profondément, elle prit la pile et se dirigea vers le bureau de Jensen. Sa porte était ouverte, mais il ne la vit pas entrer. Les sourcils froncés, il avait les yeux rivés sur son écran d'ordinateur.

Le col de sa chemise était ouvert et il avait enlevé sa cravate. Ses manches étaient roulées jusqu'aux coudes et la veste de son costume était négligemment posée sur le dossier d'une des chaises. À la différence de Dash et Carson, Jensen ne semblait pas très à l'aise en costume-cravate. Le monde du luxe et du raffinement n'étaient visiblement pas sa tasse de thé. Il préférait rester en retrait, laissant souvent Dash prendre les devants lors de réunions avec leurs clients. Cela dit, Kylie était prête à parier tout son salaire qu'en dépit de son attitude effacée et discrète, Jensen était au moins aussi impliqué que Dash, voire même plus. Il faisait un travail remarquable et connaissait tous leurs clients, sans exception.

D'un pas hésitant, elle s'approcha de son bureau, ne voulant pas l'interrompre dans son travail. Elle posa la pile de documents sur le coin de la table, puis tourna les talons, désireuse de sortir le plus vite et le plus discrètement possible.

—Kylie, attends, entendit-elle derrière elle.

Elle était certaine qu'il avait fait exprès d'attendre ce moment précis pour la retenir. Il était peut-être vraiment occupé et ne lui avait pas donné l'impression de l'avoir vue arriver, mais cela ne l'avait pas empêché de lui prêter attention. Lentement, elle se retourna et le regard de Jensen l'enveloppa aussitôt. Ses yeux étaient toujours expressifs et empreints de tendresse quand il la regardait et elle aimait ça. Elle aimait la manière qu'il avait de l'observer, comme si elle était la huitième merveille du monde. Elle se sentait en sécurité. Chaque fois qu'elle croisait son regard, Kylie avait l'impression de se noyer dans ses yeux. Oui, son regard avait quelque chose d'addictif et elle se comportait comme une droguée en manque!

Mais, soudain, l'expression de Jensen se fit grave et le cœur de Kylie bondit dans sa poitrine. Était-il fâché? Qu'allait-il lui dire? Elle essayait toujours d'éviter les conflits et quand elle n'y arrivait pas, elle tentait, tant bien que mal, de détendre la situation. Y arriverait-elle cette fois?

—Il y a un problème? s'enquit-elle nerveusement. Je peux faire quelque chose pour toi?

Sans dire un mot, il saisit sa main et la serra légèrement tout en l'attirant vers lui, ne lui laissant pas d'autres choix que de s'approcher en contournant le bureau. Kylie fut surprise par ce geste, plus qu'inhabituel. Une fois qu'elle fut juste à côté de lui, il recula son fauteuil et la regarda droit dans les yeux.

— Je vais devoir m'absenter quelques jours, annonça-t-il. Je pars lundi et je ne serai pas de retour au bureau avant jeudi matin.

Elle hocha la tête en se demandant pourquoi cela semblait le contrarier à ce point. Pourtant, ce n'était pas la première fois que Dash et lui seraient absents du bureau en même temps.

— Ça concerne le contrat avec S&G Oil, poursuivit-il. Le directeur financier a accepté notre proposition et veut que je rencontre le P.-D.G. ainsi que le conseil d'administration de la société au plus vite. Je dois donc aller à Dallas. Le contrat est à nous, le rendez-vous est une simple formalité pour finaliser la chose. Et, donc, ils veulent me... enfin, *nous* rencontrer.

Il fit une grimace et passa nerveusement la main dans ses cheveux avant de reprendre :

— Kylie, c'est grâce à toi que nous avons décroché ce contrat. C'est toi qui devrais aller à ce rendez-vous. Ou du moins, nous devrions y aller ensemble, pas juste moi. Mais, comme Dash n'est pas là, nous ne pouvons pas nous absenter tous les deux et laisser le bureau sans surveillance pendant trois jours.

— Bien sûr, je suis tout à fait d'accord avec toi, répliqua Kylie.

Comment avait-il même pu envisager une chose pareille ?

— Après tout, c'est mon travail de gérer le bureau, ajouta-t-elle.

— Je sais, mais je trouve injuste que tu ne puisses pas participer à cette réunion, dit-il le visage fermé. La plupart des idées que nous leur avons soumises viennent de toi et tu t'es également très bien débrouillée lors du rendez-vous avec le directeur financier. Je suis certain que tu aurais fait un malheur à Dallas, aussi.

Elle secoua la tête, très flattée par ses compliments, mais également terrifiée par l'éventualité de devoir aller au rendez-vous à Dallas toute seule, sans Jensen à ses côtés. Certes, elle voulait s'affirmer et sortir de sa coquille, mais pas aussi vite. Elle voulait faire les choses à son rythme, sans se précipiter.

— Ne t'en fais pas, lui dit-elle d'un ton léger, tu ne seras absent que pendant trois jours. Je m'occuperai de tout en ton absence, tu peux partir l'esprit tranquille.

— Je n'en doute pas une seule seconde. Mais bon, j'aurais quand même voulu que tu viennes avec moi.

Kylie écarquilla les yeux. C'était donc ça qui lui posait un problème ! Il ne voulait pas la laisser toute seule au bureau. Cependant, il n'avait vraiment pas le choix. Ils n'avaient pas beaucoup d'employés et personne ne pouvait la remplacer. Pourtant, ce n'était pas faute d'avoir signalé à Dash et Jensen qu'ils manquaient de personnel, à commencer par une assistante pour chacun d'eux. Ils avaient besoin d'une personne qui s'occuperait de leur agenda ainsi que de leurs affaires professionnelles et personnelles, et les accompagnerait lors de leurs voyages d'affaires. Une personne digne de confiance sur qui ils pourraient se reposer. Même si elle était responsable du bureau, c'était à Kylie qu'incombaient toutes ces tâches pour le moment. Son rôle était de s'assurer que tout se passait bien du point de vue financier et administratif et, parfois, il lui était difficile de concilier les besoins de Jensen et Dash avec son emploi du temps déjà très chargé. Rien ne les empêchait d'embaucher des assistantes, mais ni l'un ni l'autre ne semblaient intéressés par cette idée. Ils semblaient satisfaits par son travail et ne voyaient donc pas de raison de changer leur mode de fonctionnement.

D'ailleurs, c'était décidé, elle demanderait une augmentation de salaire lors de son entretien annuel, prévu d'ici quelques semaines. Elle la méritait bien, après tout. La Kylie d'autrefois n'aurait jamais envisagé une telle chose, elle aurait continué à prendre sur elle tout en se laissant submerger par le travail, dans le but d'éviter de froisser quelqu'un. Mais, la Kylie d'aujourd'hui ne comptait pas se laisser faire aussi facilement. Elle aurait du cran et le courage de ses opinions. La demande qu'elle comptait faire concernant son augmentation était plus que justifiée. Jensen et Dash ne considéraient pas son travail comme un dû, loin de là. Ils ne manquaient pas une occasion de la féliciter de son travail et de lui dire qu'ils seraient certainement perdus sans elle.

Oui, elle allait demander une augmentation, une augmentation significative. Comme tout le monde, elle avait des envies et des buts dans la vie. Pour commencer, elle voulait déménager. Dash, Joss, Tate et Chessy vivaient tous dans le même quartier qu'elle et même Jensen habitait dans un autre quartier chic de la ville, non loin d'eux. Elle voulait s'éloigner un peu, prendre un nouveau départ, ne plus dépendre autant de ses amis.

Parfois, elle avait l'impression de vivre dans le mensonge, de mener une vie qui n'était pas la sienne. C'était Carson qui avait insisté pour qu'elle emménage près de chez lui. Il voulait qu'elle soit à proximité pour pouvoir la protéger et pour qu'elle ne se sente pas seule. Son frère était si bienveillant. Il avait toujours été là pour elle et à présent il était mort. Elle n'avait rien pu faire pour empêcher ça. Carson n'aurait pas dû mourir. Non, il n'aurait pas dû mourir. Ça aurait dû être elle, pas lui. Carson avait Joss, il avait trouvé l'amour et était heureux. Elle, elle n'avait personne, mis à part lui.

Oui, elle aurait dû mourir à sa place. Ça n'avait rien à voir avec les pensées suicidaires qu'elle avait pu avoir lorsqu'elle était plus jeune, non. À l'époque, elle avait été tentée de choisir la solution de facilité pour fuir à jamais la violence de son père et ce monde qui ne lui offrait que déception et tristesse. Là, c'était différent, Carson…

—À quoi es-tu en train de penser? s'enquit Jensen, la ramenant ainsi à l'instant présent.

Elle leva les yeux vers lui, essayant de maîtriser le sentiment de culpabilité qui s'emparait d'elle. Elle sentit ses joues rougir de gêne d'avoir oublié où elle était et d'avoir laissé son esprit s'aventurer très loin, de s'être attardée sur les moments les plus sinistres de sa vie.

— Oh, rien de très intéressant, répondit-elle.

Jensen secoua la tête.

— Un jour, Kylie, tu finiras par partager avec moi ces sombres pensées qui semblent te hanter jour et nuit. Je sais que tu essaies de dissimuler tes émotions derrière cette façade froide et hautaine ; les autres ne se rendent peut-être pas compte qu'il y a quelque chose qui te tourmente, mais moi si. Je ne te dis pas ça pour te faire peur, je veux juste que tu apprennes à me faire confiance, que tu saches que jamais je ne te ferai le moindre mal.

Elle déglutit et hocha la tête. Que pouvait-elle faire d'autre ? Comment pouvait-elle lui expliquer certaines choses alors qu'elle ne voulait en parler à personne ? Il pensait peut-être en savoir beaucoup sur elle, mais ce n'était pas le cas. Personne, pas même Carson, ne savait ce qu'elle avait enduré.

— Quoi qu'il en soit, ne t'en fais pas pour le travail, tout se passera bien, dit-elle calmement. Concentre-toi sur le contrat avec S&G Oil et moi je m'occupe du bureau. Dash sera de retour dans une semaine et puis, tu sais, avant que tu nous rejoignes, nous n'étions que tous les deux. Et c'est moi qui gérais, seule, le bureau quand il devait s'absenter.

— Ce n'est pas ça qui m'embête, Kylie. C'est toi qui devrais aller à Dallas, pas moi.

Kylie secoua vivement la tête, sentant une angoisse s'insinuer en elle.

—Jensen, j'apprécie vraiment la confiance que tu m'as témoignée en me laissant faire la présentation lors du rendez-vous avec le directeur financier de S&G Oil. Tu as déjà fait beaucoup pour moi et je t'en suis très reconnaissante, mais je ne me sentirais pas à l'aise devant les gros bonnets à Dallas. Ça, c'est ton domaine, c'est toi l'expert. Cet entretien n'est peut-être qu'une formalité, mais je n'ai pas l'expérience requise et je ne veux pas courir le risque de tout faire capoter.

Son regard s'adoucit aussitôt et un frisson la parcourut. C'était une sensation agréable à laquelle elle pourrait très vite s'habituer.

—Tu apprendras les ficelles du métier. Ça ne se fera pas du jour au lendemain, mais tu y arriveras. D'ailleurs, je compte bien parler à Dash de tout ça dès son retour.

Kylie ouvrit grand les yeux et était sur le point de protester, mais il poursuivit :

—Rien de ce que tu pourras dire ne me fera changer d'avis.

Elle soupira puis sourit malgré elle.

—Et moi qui comptais juste lui demander une grosse augmentation lors de mon entretien annuel… De mon point de vue, rien que cette demande aurait épuisé mon quota annuel d'audace. Mais là…

—Tu l'auras, ton augmentation, dit-il en riant. Et, si tout se passe comme prévu, tu auras également une promotion.

Nous devrons donc trouver une autre personne pour s'occuper du bureau parce que tu ne pourras plus t'occuper de tout.

Kylie fronça les sourcils. Elle n'avait pas vu les choses sous cet angle. Son bureau était sa zone de confort et elle aimait beaucoup son travail. Elle connaissait les tenants et les aboutissants de la société. Elle se sentait utile, pour ne pas dire indispensable.

— Kylie, tu mérites bien plus qu'un poste de responsable de bureau. Tu es titulaire d'un MBA et tu es très intelligente. Il ne te manque plus que la confiance en toi. Une fois que tu l'auras acquise, rien ne pourra plus t'arrêter.

Elle sentit encore le rouge monter à ses joues. Il semblait tellement confiant. Si lui croyait en ses capacités professionnelles, pourquoi ne pouvait-elle pas faire de même ?

— Merci, Jensen.

Il lui sourit et elle se redressa en pensant au travail qui l'attendait encore. Alors qu'elle faisait demi-tour pour s'en aller, Jensen l'appela et elle se retourna.

— Amuse-toi bien ce soir avec Chessy, lui dit-il. Nous, on se voit demain soir. Chez toi à 18 h 30 ? OK ?

Elle avait presque oublié leur rendez-vous. Vu la façon dont il le lui avait rappelé, il devait certainement s'attendre à ce qu'elle se mette à pleurer ou bien qu'elle essaie d'annuler en inventant une excuse bidon. Mais elle n'en fit rien.

— Oui, parfait. À demain, alors, répondit-elle aussi calmement que possible avant de quitter la pièce.

Chapitre 9

—Alors, raconte-moi un peu... Quoi de neuf de ton côté? demanda Chessy, une fois qu'elle et Kylie furent installées dans leur box préféré au *Café Lux*.

Elles venaient très souvent manger dans ce restaurant. Tous les serveurs les connaissaient déjà et elles avaient même leur table attitrée. Cet endroit était devenu leur Q.G.

Kylie se mit à l'aise sur la banquette, se demandant pourquoi Chessy lui avait posé une telle question. Son amie savait pourtant qu'il n'y avait pour ainsi dire jamais rien «de neuf de son côté». C'étaient surtout Chessy et Joss qui avaient des tas de choses à raconter et cela convenait parfaitement à Kylie. Elle préférait de loin écouter plutôt que de parler.

Chessy se doutait-elle de quelque chose? Elles étaient copines, ce qui voulait dire qu'elles étaient censées parler de tout et de rien, échanger les derniers potins, se confier des secrets ou encore parler de choses très intimes. Cela ne semblait poser aucun problème à ses deux amies. Elle, en revanche, avait plus de mal à se lâcher comme ça.

—Rien de spécial, répondit-elle avec un sourire forcé. La routine, quoi. J'ai pas mal de boulot en ce moment.

Chessy l'observa quelques instants de ses grands yeux verts.

—Il y a quelque chose de différent en toi. Je ne sais pas de quoi il s'agit, mais si je devais deviner, je dirais que ça a un lien avec un homme.

Kylie se sentit rougir comme une pivoine. Bon sang, était-ce si évident que ça ? En même temps, très peu de choses échappaient à l'attention de Chessy. À cet instant, elle aurait tant voulu que Joss soit là aussi ! Sans elle, Chessy n'allait sans doute pas la laisser tranquille tant qu'elle n'aurait pas avoué la vérité.

—Oh, j'ai raison, n'est-ce pas ? s'exclama son amie.

Elle se pencha sur la table, une lueur inquisitrice dans son regard.

—Allez, crache le morceau, dit-elle. Je veux tout savoir.

Kylie soupira même si, au fond d'elle, elle était heureuse de la réaction de Chessy. Joss et elle étaient ses amies les plus proches. Et les amies, ça s'intéressait au sort des autres et ça se serrait les coudes. Si Chessy et Joss pouvaient se confier à elle, pourquoi ne pouvait-elle pas en faire autant ? Certes, jusqu'à présent, elle n'avait rien de bien intéressant à raconter. Mais là, elle-même ne savait pas trop ce qui se passait entre Jensen et elle. Comment l'expliquer à Chessy alors?

— Je ne sais pas par où commencer, avoua-t-elle, le regard fuyant.

— Qu'est-ce qui se passe, ma chérie? demanda Chessy en fronçant légèrement les sourcils.

— C'est Jensen, avoua Kylie.

Chessy écarquilla les yeux.

— Jensen… Jensen Tucker? Le Jensen Tucker qui s'est associé avec Dash?

— Oui, le seul et l'unique, répondit-elle en hochant la tête.

— Eh ben, marmonna Chessy. Ça me laisse sans voix. Je dois avouer que cet homme m'intimide.

— Moi aussi, et pas qu'un peu. Je ne sais ce qu'il attend de moi, mais, en tout cas, il se comporte d'une façon radicalement différente quand on est ensemble.

— Tu sais, Kylie, une femme a le pouvoir de transformer un homme. Mais, quand tu dis qu'il se comporte différemment avec toi, tu veux dire quoi par là, exactement?

Kylie poussa un nouveau soupir. Ça y est, Chessy était sur sa lancée et, la connaissant, elle n'allait pas la lâcher de sitôt.

— On a un rencard demain soir. Enfin, c'est lui qui insiste sur le fait que c'est un rencard. Interdiction de parler de quoi que ce soit en rapport avec le travail. Un vrai rencard, quoi. Mon Dieu, rien que le fait de le dire me rend nerveuse…

— Mais, toi, tu veux y aller à ce rencard ou c'est plutôt lui qui t'a forcé la main ? demanda Chessy d'un ton protecteur, le visage grave, ce qui fit sourire Kylie.

— Non, j'ai accepté son invitation. Je ne sais pas si c'est une bonne idée, mais j'ai envie d'y aller. En fait, on ne va nulle part. Il a proposé de venir chez moi et de préparer le dîner, et après, on regardera peut-être un film. Donc, ce n'est pas un vrai rencard, si on y réfléchit bien.

— Je suis sûre que vous allez passer une bonne soirée.

Kylie décela une pointe de regret dans la voix de son amie.

— Je commence à en avoir assez de manger au restaurant, poursuivit Chessy. Dernièrement, Tate a toujours un client important à divertir et il compte souvent sur moi pour ça. Ça ne me dérange pas, mais j'aimerais pouvoir passer une soirée, en tête-à-tête avec lui, à la maison. Tu vois, un bon petit repas en amoureux, cuisiné par ses soins, chez nous.

Sur ces mots, Kylie se pencha en avant avec un air inquiet. Ce que venait de lui dire son amie ne faisait que confirmer ce qu'elle soupçonnait depuis plusieurs mois : quelque chose n'allait pas chez Chessy. Kylie et Joss en étaient même venues à se demander si elle était vraiment heureuse en mariage.

D'habitude, Chessy était toujours souriante et pleine de vie, chaleureuse et spontanée. Puis, progressivement, une profonde tristesse s'était substituée à la joie qui brillait dans ses yeux. Elle avait l'air malheureuse et le fait de la savoir ainsi chagrinait beaucoup Kylie. À un moment, elle avait même pensé que Tate la violentait, mais Joss l'avait immédiatement rassurée sur ce point. Néanmoins, Kylie se faisait du souci pour son amie. Malheureusement, elle avait eu l'occasion de voir – et de subir, surtout –, le côté sombre de la personnalité d'un homme, de ce côté qu'il était tellement facile de dissimuler derrière un sourire et des belles paroles.

— Est-ce que tout va bien avec Tate ? demanda-t-elle, voulant mettre un terme aux spéculations que Joss et elle avaient à propos de leur couple.

Chessy se redressa, manifestement surprise par la question. La lueur d'hésitation qui brillait dans ses yeux ne fit que renforcer les soupçons de Kylie : il y avait bien un problème. Son amie resta silencieuse un moment, la considérant d'un regard triste.

— Tout va bien, finit-elle par répondre d'un ton qui se voulait détaché. C'est juste que je me sens un peu seule ces derniers temps. On ne se voit pas beaucoup avec Tate dernièrement. Enfin, si, on se voit, mais c'est toujours dans le cadre de son travail. J'aimerais juste qu'on passe un peu plus de temps tous les deux ; du temps pour nous, tu vois ce que je veux dire ?

— Chessy, est-ce que tu es heureuse ? insista Kylie.

— Non, répondit-elle en baissant les yeux. Du moins, pas en ce moment. Je m'en veux, parce que tout ce que fait Tate, il le fait pour moi. Il travaille d'arrache-pied pour que je ne manque de rien. Il fait ça pour moi, pour nous. Mais je voudrais juste qu'il passe un peu plus de temps avec moi.

L'argent et le reste, je m'en fiche. C'est lui que je veux, je veux que tout redevienne comme avant. C'est égoïste de ma part, je sais.

—Non, ce n'est pas égoïste du tout. Est-ce que tu en as parlé avec Tate ? Il sait ce que tu ressens au moins ?

Chessy secoua la tête.

—Non, non. Ça l'anéantirait de l'apprendre. C'est pour moi qu'il travaille autant, dans le but de me rendre heureuse. Je ne peux pas le lui dire. C'est juste une mauvaise période à passer. Ça finira par s'arranger. Et puis, tu sais, il y a des hauts et des bas dans chaque mariage, c'est la vie. Je ne veux pas inquiéter Tate pour rien, je l'aime beaucoup trop pour ça.

Kylie prit sa main au-dessus de la table et la serra dans la sienne.

—Je sais que tu aimes Tate et je sais que Tate t'aime, lui aussi. Et, comme tu dis, tout finira par s'arranger, je n'en doute pas. Et… Tu as toujours des doutes sur sa fidélité ? Je sais que tu pensais qu'il te trompait à un moment et que tu ne voulais pas lui en parler par peur de le vexer et de fragiliser votre couple.

Chessy avait fait part de ses craintes à Joss, et avant d'en parler à Kylie, elle lui avait fait jurer de ne pas aborder le sujet avec Tate. À la différence de Chessy, Kylie n'était pas aussi patiente et compréhensive, elle avait l'habitude de prendre le taureau par les cornes et de crever l'abcès. D'ailleurs, si elle n'avait pas eu à promettre à Chessy de ne rien faire, elle en aurait sans doute touché deux mots à Tate. Elle avait horreur de voir son amie aussi triste et de ne pouvoir rien faire pour l'aider à retrouver le sourire.

Elle n'avait jamais parlé à Chessy des soupçons qu'elle nourrissait à l'égard de Tate, cela aurait sans doute entaché leur amitié. Elle en avait juste parlé à Joss pour connaître son avis. Kylie se trompait sans doute au sujet de Tate, il ne pouvait pas être un homme abusif, mais elle était habituée à redouter le pire.

— Oh, j'ai été stupide d'imaginer un truc pareil, déclara Chessy en secouant la tête. Tate serait incapable de me tromper. J'essaie de ne même plus y penser parce que je refuse de céder au doute. Et puis il travaille tellement qu'il n'aurait même pas de temps à consacrer à une maîtresse.

Elle marqua une pause puis poursuivit :

— Je sais qu'il m'aime. C'est juste un peu compliqué de se retrouver tous les deux en ce moment. Je voulais mettre un bébé en route. On veut un enfant tous les deux, du moins j'espère que c'est encore le cas. Tate n'en parle plus et la dernière fois que j'ai abordé le sujet, il m'a simplement répondu que ce n'était pas le bon moment pour avoir un enfant et qu'il préférait attendre que ça aille mieux à son travail. On n'en a pas reparlé depuis, et je me dis que cet enfant, je le désire peut-être pour combler ma solitude, ce qui n'est pas une bonne raison de fonder une famille.

Kylie fit une grimace en gage de sympathie. Néanmoins, Tate avait raison, il était plus prudent d'attendre avant d'avoir un enfant, surtout dans un contexte pareil. Kylie était également certaine que Chessy ne lui disait pas tout, non plus.

Quoi qu'il en soit, ce n'était pas le moment idéal pour penser à un bébé. Tate était souvent absent et un enfant avait besoin de ses deux parents. Et puis Chessy aurait plus que jamais besoin de Tate une fois qu'elle aurait accouché. Elle décida de garder tout ça pour elle afin de ne pas contrarier Chessy encore plus qu'elle ne l'était déjà. Même si elle comprenait très bien ce que ressentait son amie – la solitude était parfois très dure à supporter, Kylie en savait quelque chose –, elle ne pouvait malheureusement rien faire pour l'aider. Elle se promit toutefois de passer plus de temps avec elle, surtout pendant que Joss n'était pas là.

—Enfin, bref, dit Chessy, un petit sourire en coin, revenons-en plutôt à toi et Jensen. Comment se fait-il que tu aies accroché avec lui pour finir ? Est-ce là une de ces histoires comme dans les livres romantiques ?

Kylie éclata de rire.

—Au début, je pensais que ce n'était qu'un abruti de première qui s'évertuait à me pourrir la vie. Il m'a tout de même dit que j'avais une mine affreuse avant de m'inviter à dîner. Il faut le faire, quand même, tu ne trouves pas ?

Chessy poussa un petit soupir, ayant l'air de mûrir sa réponse.

—Tu sais, ma chérie, il n'a pas tout à fait tort. Tu as l'air… fatiguée. Ce sont tes cauchemars qui sont revenus ?

—Ils ne sont jamais vraiment partis, répondit Kylie avec un haussement d'épaules. Ce n'est pas aussi facile de s'en débarrasser.

Elle détestait parler d'elle et de ses soucis personnels et préférait de loin prêter une oreille attentive à ses amies quand elles en avaient besoin. Se confier sur son passé lui était très difficile et, surtout, elle ne voulait pas inquiéter davantage Chessy et Joss. Toutes les deux savaient ce qui lui était arrivé. Carson en avait parlé à Joss et Kylie à Chessy, une fois qu'elles étaient devenues plus proches. Mais ça s'arrêtait là ; elles savaient ce qu'il y avait à savoir, rien de plus.

— Oui, je me doute bien. Je suis désolée, dit Chessy. J'aimerais tellement pouvoir t'aider. Tu devrais peut-être aller voir un psy ou prendre des médicaments.

— On croirait entendre Jensen, marmonna Kylie.

— Ma chérie, demander de l'aide n'est pas une faiblesse, au contraire.

Chessy savait parfaitement à quel point Kylie détestait paraître faible devant les autres. Elle en avait discuté de nombreuses fois avec ses amies. Elle perdait ses moyens dès qu'elle avait l'impression que les choses échappaient à son contrôle. Peut-être qu'elle devrait vraiment aller consulter un psy, mais la seule idée de confier ses secrets à un parfait inconnu la terrifiait.

— Non, Chessy, je ne veux pas. Je sais que tu ne peux sans doute pas le comprendre, mais je ne conçois pas qu'un inconnu puisse analyser mon passé et mes pensées. Ça ne ferait qu'empirer les choses.

— Mais, tu sais que je suis là, moi. Tu peux me parler si tu veux, dit Chessy d'un ton sérieux. Tout ce que tu pourras me confier restera entre nous. Joss et Tate n'en sauront rien.

—Je t'adore, Chessy, et je ne sais pas ce que je ferais sans Joss et toi. Comment faites-vous pour me supporter? Je me comporte comme une vraie garce, je ne mérite pas votre amitié. Souviens-toi comme j'ai été désagréable avec Joss quand j'ai appris qu'elle s'était mise en couple avec Dash; j'ai honte rien que d'y repenser. Je lui ai dit des choses horribles, tu ne peux pas savoir comme je m'en veux…

Les yeux débordants de tendresse, Chessy lui sourit et le cœur de Kylie se serra. Elle avait encore du mal à croire qu'elle avait des amies aussi formidables. Tout cela était encore nouveau pour elle parce que, avant, Carson était le seul en qui elle avait confiance et sur qui elle pouvait compter.

—Tu es une bonne personne et tu es fidèle en amitié, Kylie. Joss et moi sommes très heureuses de t'avoir dans nos vies. Et puis, personne n'est parfait, on a déjà toutes été désagréables l'une envers l'autre, l'amitié, c'est ça aussi. Il t'arrive de blesser une personne à qui tu tiens, mais après tu t'excuses et tu repars sur de meilleures bases qu'avant. Joss ne t'en veut pas du tout par rapport à ce qui s'est passé. Elle savait que tu étais choquée et que tu ne pensais pas forcément ce que tu disais.

Elle marqua une petite pause avant de poursuivre:

—Tu sais, tout le monde a été surpris de les voir ensemble. Moi-même je ne l'ai pas vu venir, pour te dire. Joss et Dash? Qui l'eût cru! En plus, j'ignorais que Dash en pinçait pour elle depuis longtemps. Enfin, je t'avais dit une fois que je croyais qu'elle lui plaisait, mais ça fait déjà un bail. De l'eau a coulé sous les ponts depuis. Et Dash n'a jamais rien laissé paraître de ses sentiments. Même Tate est tombé des nues.

—Chessy... Tu me le dirais s'il y avait un problème entre toi et Tate, n'est-ce pas ? Tu sais que je suis là pour toi.

La tristesse se lut dans les yeux de Chessy et Kylie regretta aussitôt sa question. Elle avait tout gâché ! Pourquoi avait-elle ouvert sa grande bouche ? Elle allait sérieusement devoir faire un effort sur elle-même. Ses amis n'avaient pas besoin d'une personne comme elle dans leur vie. La nouvelle Kylie ne serait pas comme ça, elle réfléchirait avant de parler, du moins elle essaierait.

—Merci, ma chérie, je sais, mais tout va bien. Et, si jamais il y avait un problème, je l'attacherais au lit pour l'empêcher de fuir devant les difficultés ! s'exclama-t-elle dans un éclat de rire. Vu que c'est lui qui m'attache tout le temps, poursuivit-elle, ça bousculera les habitudes.

Une lueur de malice éclaira le regard de Chessy et Kylie fut rassurée de la voir de meilleure humeur.

—Bon, je vais te dire un truc, comme ça, tu ne pourras plus m'accuser de tout garder pour moi, dit Kylie avec des airs de conspiratrice. Mais tu dois me jurer que tu ne le répéteras à personne, compris ?

—Eh ben, vu ton expression, ça doit être un truc important.

— Tu vas rire. Enfin, au début je n'ai pas du tout trouvé ça drôle, mais avec un peu de recul… Surtout quand tu sais que ça ne ressemble pas du tout à Jensen.

— Mais, quoi donc? Allez, parle! s'exclama Chessy, visiblement piquée par la curiosité.

— Voilà… Jensen m'a demandé de travailler avec lui sur un des contrats que la boîte essaie d'obtenir. J'ai été très surprise qu'il me demande ça. Après tout, je ne suis qu'une simple assistante, je n'ai rien à voir avec les clients et les contrats. Enfin bref, il voulait mon avis sur le dossier. Il se trouve que mes idées lui ont tellement plu qu'il les a fait figurer dans la proposition finale, et il a insisté pour que je participe à la réunion avec ce client. La veille du rendez-vous, on s'est retrouvés au *Capitol Grill* pour finaliser la proposition.

— Et? demanda Chessy en se penchant encore plus vers elle.

— Et j'ai pété un câble. Pendant le dîner, j'ai vu un type qui ressemblait à mon père, assis à quelques tables de la nôtre et j'ai paniqué. Je suis restée paralysée durant plusieurs minutes, j'ai perdu tous mes moyens.

— Oh, ma chérie, je suis désolée, dit Chessy dans un murmure.

— Forcément, Jensen n'a rien compris, le pauvre. Il s'est inquiété et son instinct dominateur et protecteur a immédiatement pris le dessus.

— Mmmm, j'aurais donné cher pour voir ça! s'esclaffa Chessy en mimant des frissons de plaisir. Il n'y a rien de plus beau que de voir un mâle, un vrai, prendre les choses en main.

Kylie éclata de rire.

— Je ne m'en suis pas trop rendu compte sur le moment, mais, oui, je dois avouer qu'il a vraiment bien géré la situation. Je n'aime pas les hommes qui ont besoin de tout contrôler, mais là, je me suis sentie… protégée.

— Oui, je vois ce que tu veux dire. Je ressens la même chose quand je suis avec Tate. J'ai l'impression qu'il ne peut rien m'arriver avec lui et qu'il fera tout ce qu'il peut pour me protéger. Mais bon, revenons-en à nos moutons… Que s'est-il passé ensuite?

— Il m'a ramenée à la maison et je n'avais qu'une envie: me débarrasser de lui et aller me réfugier sous la couette pour y mourir de honte. Sauf qu'il a insisté pour rester chez moi et pour dormir… avec moi, dans mon lit.

Chessy écarquilla les yeux et ouvrit la bouche puis la referma avant de dire:

— C'est pas vrai! Vous avez couché ensemble?

Kylie secoua aussitôt la tête.

— Non! Mais c'est là que ça devient drôle, ça frôle le ridicule, même.

— Je suis tout ouïe!

— Il était tellement doux et attentionné. La façon qu'il avait de me regarder me faisait fondre, je ne sais pas comment l'expliquer…

— Oui, je connais cette sensation, dit Chessy en prenant sa tasse de thé.

—Il m'a demandé de le menotter à mon lit pour que je puisse dormir tranquillement à ses côtés. Comme ça, au moins, j'avais la garantie que je ne risquais rien.

Chessy faillit s'étouffer avec son thé. Elle reposa la tasse, le visage figé dans une expression de stupeur.

—Tu plaisantes ! s'exclama-t-elle. Jamais je n'aurais cru qu'il puisse céder le contrôle de la situation à quiconque, encore moins à une femme. Je le vois plutôt comme un mâle dominant, un peu comme Tate et Dash.

—Oui, exactement, répliqua Kylie en hochant la tête. Ça m'a choquée. Mais j'étais dans tous mes états, et je ne savais pas quoi faire. J'étais partagée entre l'envie qu'il parte et celle qu'il reste. En plus, comme tu peux t'en douter, je n'étais pas très enthousiaste à l'idée qu'il dorme avec moi.

Son amie l'enveloppa d'un regard plein de compréhension.

—C'est tout de même fou qu'il ait fait ça pour toi. Il a quand même renoncé à contrôler la situation. Il s'est mis dans une position vulnérable pour que tu te sentes en sécurité. Je suis impressionnée.

—Oui. Du coup, on s'est couchés, lui tout habillé et moi dans mon vieux pyjama de grand-mère. Je ne lui ai menotté qu'une main au lit parce que sa position était loin d'être confortable. C'est tout de même affreux que je laisse un homme dormir avec moi uniquement si je l'attache à mon lit avant. Franchement, j'ai honte.

—Ma chérie, tu n'as pas à avoir honte de vouloir te sentir en sécurité.

Kylie laissa échapper un petit soupir avant de continuer son récit.

— On s'est endormis assez vite, sauf que j'ai fait un cauchemar. Le fait d'avoir aperçu cet homme qui ressemblait à mon père a fait resurgir de vieux souvenirs. Et soudain, j'entendais Jensen m'appeler et me dire que tout allait bien, qu'il fallait juste que je me réveille. Quand j'ai ouvert les yeux, je me suis jetée dans ses bras, enfin, dans un de ses bras plutôt, parce qu'il était toujours menotté. J'avais tellement besoin qu'il m'enlace que je l'ai libéré. Il m'a serrée contre lui en me murmurant des paroles rassurantes et je me suis rendormie très vite, comme ça, sur lui. Je ne me suis plus réveillée de la nuit et je dois avouer que ça fait très longtemps que ça ne m'était pas arrivé.

— Mais, c'est une bonne chose, Kylie, lui dit Chessy en souriant. Jensen a l'air d'être quelqu'un de bien, tendre et attentionné. Il a toutes les qualités qu'on peut rechercher chez un homme. Il est beau à tomber par terre, viril et protecteur. Et ce qu'il a fait pour toi… Il a quand même fait passer tes besoins avant les siens. Je ne connais pas beaucoup de mecs qui auraient fait ça.

— Je sais, je sais, murmura Kylie. Et, je ne sais pas pourquoi, mais je me sens vraiment en sécurité avec lui. Pourtant, je trouve les hommes comme lui terriblement intimidants et je les évite autant que possible. Mais, la manière qu'il a de me regarder… J'ai l'impression de fondre littéralement. C'est ridicule.

—Non, ce n'est pas du tout ridicule, la réprimanda Chessy. Il faut croire que tu t'es trouvé un prétendant digne de ce nom. Et du coup, vous avez un rencard demain soir, c'est ça ?

—Oui. En fait, il voulait qu'on se voie ce soir, mais je lui ai dit que j'avais prévu de te voir. En plus, il ne sera pas là en début de semaine prochaine. Du coup, ça me laissera le temps de voir un peu où j'en suis et de faire le point sur toute cette histoire.

—Oh, Kylie ! Tu aurais dû me dire qu'il voulait te voir ce soir ! On aurait très bien pu se voir une autre fois.

—Hors de question. Les amis passent avant tout et puis, je voulais vraiment te voir. J'étais un peu inquiète pour toi, Chessy. Je sais que tu es souvent seule dernièrement et je sais très bien ce que l'on ressent dans des moments comme ça.

—Et tu oses dire que tu es une garce ? Je n'hésiterai pas à te botter les fesses si je t'entends te dénigrer encore une seule fois. Tu as un grand cœur, Kylie, et je t'adore. Cela dit, la prochaine fois que Jensen te proposera un rencard, n'essaie pas de le remettre à plus tard ! Surtout pas à cause de moi, j'y veillerai personnellement. Toi et moi, on peut se voir quand on veut, ce n'est pas un problème, mais ce n'est pas tous les jours qu'un mec sublime et viril t'invite à sortir. C'est une bonne chose que tu aies accepté. Je pense que tu es prête à vivre une histoire d'amour. Tu dois comprendre que tous les hommes ne sont pas forcément des connards.

Kylie avait vraiment de la chance d'avoir une amie comme elle. Il ne manquait plus que Joss à leur table pour que la soirée soit parfaite. Mais Joss avait une bonne excuse de ne pas être là : elle était en lune de miel et devait profiter de chaque moment de bonheur avec Dash. Kylie serait certainement perdue sans ses deux meilleures amies. Depuis la mort de son frère, elles étaient devenues comme une deuxième famille pour elle. Elle ne le leur disait peut-être pas assez souvent, mais elle ne pouvait plus imaginer sa vie sans elles.

—Oui, je vais essayer, dit-elle d'une petite voix. J'en ai marre de tout le temps fuir devant la moindre difficulté et de me réfugier chez moi chaque fois qu'il y a quelque chose qui ne va pas. Et puis, qui sait ? Jensen est peut-être le bon. Mais, pour le savoir, je dois déjà lui donner une chance, me prouver que je peux le faire.

—Très bien, voilà ce que j'aime entendre. Et je veux savoir tous les détails ! Si tu ne m'appelles pas dimanche pour me faire un débriefing de votre rencard, je n'hésiterai pas à venir chez toi. J'attendrai jusqu'au début de l'après-midi. On ne sait jamais, si Jensen passe encore la nuit chez toi.

Elle accompagna sa dernière phrase d'un clin d'œil et Kylie eut un soupir exaspéré.

—Oui… ne te fais pas trop d'illusions, repartit sèchement Kylie. N'oublie pas que j'ai quand même dû le menotter au lit pour pouvoir dormir avec lui. À l'allure où vont les choses, je ne suis pas près d'avoir des relations sexuelles avec qui que ce soit avant bien longtemps encore.

—Au risque de te contrarier, je pense que tu as tort. Je pense que Jensen et toi allez vous sauter dessus plus vite que tu ne le crois.

—Mouais… Si tu le dis.

Kylie avait beau être agacée par les propos de Chessy, au fond d'elle, elle espérait tout de même qu'il y avait une part de vérité dans ce que disait son amie. Arriverait-elle à être intime avec Jensen ? Réussirait-il à briser ses défenses, à surmonter sa peur ? Étrangement, cette idée ne la faisait pas paniquer, au contraire. Sa réaction parlait pour elle-même. Soudain, elle avait hâte d'être à samedi soir.

Chapitre 10

KYLIE ESSUYA SES PAUMES MOITES SUR SON JEAN ET SE regarda de nouveau dans le miroir. Elle était ridicule ! Pourquoi se mettre dans un état pareil ? Ce n'était qu'un simple rencard. Il n'y avait pas de quoi en faire tout un fromage.

Oui, elle, Kylie Breckenridge, avait un rendez-vous galant. Et alors ? Tout le monde avait des rencards. Sauf qu'elle n'était pas comme tout le monde. À cause de son passé, elle avait renoncé à l'amour depuis bien longtemps et fuyait les hommes comme la peste. Enfin, tous les hommes, sauf un.

Elle avait le sentiment qu'une force mystérieuse l'attirait vers Jensen et elle ne savait toujours pas si elle devait s'en réjouir ou pleurer. D'un côté, elle était vraiment contente à l'idée de passer la soirée avec lui. Elle appréciait sa compagnie et se sentait en sécurité avec lui. Mais, était-ce vraiment ce qu'elle ressentait ? N'était-il pas plutôt une béquille qui l'aidait à tenir la route ? Prendrait-elle la fuite dès que les choses deviendraient plus sérieuses ?

Elle était néanmoins sûre d'une chose, Jensen ne se contenterait pas d'un simple flirt. Et puis, c'était un homme, après tout. Un homme beau et séduisant. Un homme qui, tôt ou tard, voudrait avoir une relation sexuelle. Avec elle. La question était de savoir combien de temps il serait prêt à attendre pour ça.

Kylie avait déjà pensé au sexe avec Jensen et cette idée n'était pas pour lui déplaire. Mais le fait que son corps soit consentant ne suffisait pas. Il fallait que sa tête le veuille aussi, et ça, c'était une tout autre histoire. Il fallait qu'elle surmonte sa peur. Établir une relation physique avec Jensen n'allait pas être facile.

« Relation physique » ?

Dit comme ça, cet acte lui sembla totalement dénué de sentiments. Elle était donc vraiment en train de se servir de lui. Elle ferma les yeux, essayant de mettre son cerveau en veille. Pourquoi éprouvait-elle le besoin de tout analyser ? Elle aimait passer du temps avec Jensen et c'était la seule chose qui importait pour le moment. Et alors s'ils finissaient par coucher ensemble ? Ce n'était pas la fin du monde. Les hommes ne se posaient sûrement pas toutes ces questions. Ils avaient envie de la fille, un point c'est tout. C'étaient surtout les femmes qui se montaient la tête pour comprendre le pourquoi du comment.

Jensen avait envie d'elle, il avait été très clair là-dessus. Mais à quel point exactement? Cherchait-il juste à tirer son coup ou en attendait-il plus? Et elle, jusqu'où pouvait-elle aller?

Toutes ces questions lui donnaient mal à la tête. Elle était en train de se rendre malade à cause d'un simple rencard. Elle avait même changé de tenue quatre fois, parce qu'il y avait systématiquement quelque chose qui ne lui convenait pas. Cela dit, n'était-ce pas normal qu'une femme veuille se sentir belle pour un rencard? Surtout lorsqu'elle avait rendez-vous avec un homme comme Jensen, qui représentait la quintessence de la virilité et la sensualité.

Elle avait fini par opter pour un jean et un haut tout simple. Elle voulait avoir l'air décontractée. Dire qu'il y avait encore quelques jours, elle ne pouvait pas supporter l'idée d'être dans la même pièce que lui! Et il avait suffi d'une nuit pour que cela change du tout au tout.

En l'espace d'une nuit, Jensen avait réussi à gagner sa confiance et Dieu seul savait à quel point c'était un exploit. Il l'avait aidée à surmonter ses peurs et c'était grâce à ça qu'elle avait fini par comprendre qu'il ne lui ferait aucun mal. Elle nourrissait peut-être encore des appréhensions à son sujet, mais son cœur lui disait qu'elle n'avait rien à craindre. Elle se demanda d'ailleurs si elle faisait bien de baisser sa garde aussi rapidement.

Soudain, la sonnette retentit. Elle jeta un dernier coup d'œil à son reflet dans le miroir et décida qu'elle était satisfaite de son apparence avant de se hâter vers la porte d'entrée. Lorsqu'elle ouvrit, la carrure imposante emplit l'encadrement de la porte.

Dieu qu'il était beau! Et grand. Et musclé. Elle fut rassurée de voir que lui aussi s'était habillé de manière décontractée. Son tee-shirt mettait en valeur son torse et ses bras musclés et il portait un jean délavé qui lui allait à ravir. En le détaillant du regard, Kylie se surprit à vouloir voir si ses fesses étaient bien moulées dans son pantalon. Il était encore plus sexy dans cette tenue que lorsqu'il portait un costume. Elle était pratiquement en train de baver sur lui! Dire qu'elle ne se croyait pas capable d'éprouver de l'attirance pour un homme… Jensen avait éveillé en elle un désir physique qu'elle n'aurait jamais soupçonné. Comme quoi…

L'ancienne Kylie aurait sans doute déjà cédé à la panique. Mais non, elle se sentait sereine, optimiste.

Elle lui sourit et lui fit signe d'entrer. Il avait un sac dans chaque main et tenait une bouteille de vin sous un bras.

— Laisse-moi t'aider, dit-elle en tendant les mains vers lui pour le débarrasser.

— Non, non, laisse. Je vais tout déposer dans la cuisine et commencer à préparer le dîner. Ce soir, ce n'est pas de ton aide dont j'ai besoin, juste de ta compagnie.

Sur ces mots, il se dirigea vers la cuisine et elle lui emboîta le pas. Elle s'installa sur un des tabourets du bar et le regarda vider les sacs de courses.

— Tu nous prépares quoi de bon? s'enquit-elle.

—Du poulet à l'australienne. Tu connais ?

Kylie secoua la tête.

—Tu vas te régaler, crois-moi. Ce sont des blancs de poulet badigeonnés d'une sauce moutarde et miel, garnis de bacon, de champignons et de fromage. Que des bonnes choses !

Il lui adressa un sourire chaleureux si bien qu'elle faillit tomber à la renverse. Ça y est, elle était officiellement accro ; Jensen l'avait rendue complètement dépendante de lui. Était-ce une bonne chose ? Elle n'en était pas si sûre… Elle n'était pas du genre à s'attacher aux personnes, du moins pas aussi vite. Hormis ses amis les plus proches, elle préférait éviter le contact avec les gens. Pourtant, Jensen avait fait tomber ses barrières très vite et elle ne savait pas si elle devait entièrement s'en remettre à lui ou pas. Elle avait du mal à lâcher du lest, même lorsqu'il s'agissait de son propre bonheur.

D'ailleurs, était-elle vraiment heureuse ? Bien sûr que non. Mais elle n'était pas malheureuse non plus. Disons qu'elle avançait dans la vie, au jour le jour. Ou plutôt, c'était sa vie qui défilait sous ses yeux. Oui, elle n'était pas actrice de sa vie, mais plutôt spectatrice. N'avait-elle pas perdu assez de temps comme ça ?

—Mmmm, ça a l'air délicieux, dit-elle avec gourmandise.

Jensen lui sourit de plus belle et son souffle resta coincé dans sa gorge. Elle se comportait comme une collégienne en chaleur ! Oui, elle, Kylie Breckenridge ! Elle inspira profondément, portée par ces nouvelles émotions, ces émotions qu'elle avait longtemps réussi à maîtriser. Que lui arrivait-il ? Se pouvait-il que Jensen soit l'homme de ses rêves, son prince charmant ?

—Tu as passé une bonne soirée avec Chessy hier ? lui demanda-t-il, la tirant de ses pensées.

Il ouvrit la bouteille de vin et remplit deux verres avant de lui en tendre un. Elle le prit et le porta à ses lèvres, humant l'arôme du breuvage. Kylie ne buvait que très rarement, uniquement lorsqu'elle était avec ses amies. Elle avait vu les ravages que pouvait causer l'alcool et s'était juré de ne jamais sombrer dans cet abîme sans fond.

—Oui, ça m'a fait plaisir de la voir, répondit-elle après avoir bu une gorgée. Tate travaille beaucoup ces derniers temps et, du coup, Chessy se sent seule.

—Elle est malheureuse ? s'enquit Jensen en levant le regard vers elle.

Kylie fit une grimace, regrettant d'avoir évoqué ce sujet. Elle aurait dû ne rien dire et se contenter de répondre par un simple « oui ». À présent, elle avait l'impression de trahir la confiance de son amie. C'était à cause de Jensen ! Elle se sentait tellement à l'aise en sa compagnie, c'était facile de parler avec lui. D'ailleurs, si ça continuait comme ça, elle risquait sans doute de lui avouer encore des tas d'autres choses avant de s'en mordre les doigts.

—Kylie, dit-il, tu peux me faire confiance. Ce n'était qu'une simple question. Je ne compte pas en discuter avec Tate ou Chessy derrière, leurs histoires de couple ne me regardent pas. En plus, je ne considère pas Tate comme un ami, mais plutôt comme une connaissance. Si je suis amené à le voir souvent, c'est uniquement à cause de Dash. Ce qui ne m'empêche pas de l'apprécier énormément. Chessy aussi, d'ailleurs. Et je ne voudrais pas la savoir malheureuse.

—J'en ai déjà trop dit, marmonna Kylie. Je ne sais pas pourquoi je te raconte tout ça.

—Il n'y a rien de mal à ça.

Ils se regardèrent un instant en silence et Kylie fut surprise par son expression sérieuse.

—Je veux que tu te sentes à l'aise avec moi, poursuivit-il. Tu peux tout me dire, tu le sais ça, non ?

Kylie poussa un léger soupir.

—Tate est très accaparé par son travail et Chessy le vit mal, dit-elle. Elle se sent seule et, contrairement à moi, c'est une sensation qui lui est totalement inconnue. Chessy est quelqu'un de très sociable, elle a besoin d'être entourée. Son mari lui manque en ce moment, elle est perdue.

—Tate est au courant de ce qu'elle ressent ? Je ne les ai vus que quelques fois ensemble et il m'a semblé qu'il était fou amoureux d'elle. La plupart des hommes qui aiment vraiment leur femme feraient n'importe quoi pour leur redonner le sourire. Mais, s'il n'est pas au courant de…

—Il ne l'est pas, l'interrompit Kylie. Du moins, elle ne lui a rien dit. Elle a peur de le vexer. Elle ne veut pas qu'il se sente indigne d'elle. À un moment, elle a pensé qu'il avait une maîtresse et, là encore, elle n'a rien voulu lui dire parce qu'elle était persuadée que cela risquerait de fragiliser leur couple et la confiance qu'ils ont l'un envers l'autre.

Kylie eut un soupir résigné avant de poursuivre.

—Je n'aime pas la voir comme ça. Parfois, j'ai même envie de secouer Tate et de lui dire de se réveiller, de voir ce qu'il fait à sa femme.

—Oui, ça ne doit pas être facile pour elle d'avoir des craintes et de ne pas pouvoir en parler avec la personne concernée. Pour moi, la communication est un des principaux piliers du couple. J'espère que ma compagne comprendra qu'elle peut tout me dire.

Le double sens de sa dernière phrase était évident. Il voulait parler d'elle ; d'elle et de lui. Il voulait lui faire comprendre qu'il était là pour elle et qu'elle pouvait se confier à lui.

—Eh bien, en tout cas, mon côté pipelette prend souvent le dessus quand tu es dans les parages, déclara-t-elle. Je ne suis pas comme ça d'habitude.

—Je prends cette remarque pour un compliment, dit Jensen. J'aime bien te voir aussi détendue et j'espère que tu pourras me faire entièrement confiance un jour.

—Je te fais déjà confiance, admit-elle dans un murmure. Je ne sais pas pourquoi ni comment, mais je me sens en sécurité avec toi et, paradoxalement, ça me fait flipper.

Jensen arrêta ce qu'il était en train de faire et contourna le bar pour venir se placer devant elle. Il tourna le tabouret sur lequel elle était assise de manière qu'elle se retrouve face à lui et planta son regard dans le sien, prenant son visage dans ses mains. Ses yeux pétillaient et un petit sourire jouait sur ses lèvres. Elle était persuadée qu'il allait l'embrasser et c'est exactement ce qu'il fit, mais pas là où elle l'espérait. Doucement, il déposa un baiser sur son front et elle ferma les yeux, savourant une chaleur exquise qui se propageait dans ses veines.

— Kylie, tu es en sécurité avec moi, dit-il en se redressant, sans lâcher son visage.

Il caressa ses lèvres de son pouce. Allait-il les embrasser aussi ?

— S'il y a bien une chose que tu peux croire, c'est ça, poursuivit-il. Il ne t'arrivera rien tant que tu es avec moi. Je ferai tout ce qui est en mon pouvoir pour te protéger.

— Mais, pourquoi moi ? Pourquoi moi, Jensen ? Je ne suis pas avide de compliments, je veux juste savoir ce qui t'attire chez moi. Tu peux avoir n'importe quelle femme et pourtant, tu m'as choisie, moi. Je pense que tu ne sais pas dans quoi tu t'embarques.

Il l'enveloppa d'un sourire d'une tendresse infinie et son cœur se mit à battre la chamade.

— Au contraire, je sais très bien dans quoi je m'embarque, murmura-t-il. Et pour répondre à ta question : je ne sais pas pourquoi je t'ai choisie. C'est comme ça, il y a des choses qui ne s'expliquent pas. J'ai vu la femme que tu étais vraiment, celle que tu t'efforces de cacher derrière tes airs distants. Et c'est cette femme qui me plaît. C'est cette femme que je veux.

— Mais nous sommes trop différents, fit-elle remarquer d'une petite voix. La seule chose que nous ayons en commun c'est ce besoin maladif de tout contrôler. Je n'irais pas jusqu'à dire que j'ai des TOC, mais j'aime faire les choses à ma façon. Toi aussi, d'ailleurs. Tu nous imagines ensemble ? Ça tournerait rapidement au désastre.

Le sourire aux lèvres, il l'observait calmement pendant qu'elle parlait, nullement affecté par sa vision des choses.

— Kylie, les choses ne sont pas aussi compliquées que tu le crois. Je ne suis pas une menace pour toi. Cela ne me pose aucun problème de relâcher le contrôle pour la femme que j'aime. Ce que je veux n'a rien à voir avec la soumission physique.

La soumission physique ? Elle était intriguée par ce qu'il venait de dire. Voilà qu'il parlait comme un dominant à présent. Était-il comme Tate et Dash ? Mais, dans ce cas, pourquoi manifestait-il autant d'intérêt pour elle ?

— Es-tu un… dominant ? s'enquit-elle d'une voix à peine audible. Tu ne m'as pas répondu l'autre jour, quand je t'ai demandé si tu étais dans le délire dominant-dominée, comme Tate et Dash. Tu as simplement dit que tu n'étais pas comme eux, mais ce n'est pas une réponse suffisante. Aimes-tu les femmes soumises ? Aimes-tu les… dominer ?

— Je préfère les femmes soumises, oui, avoua-t-il sans ménagement. Et, avant de te connaître, jamais je n'aurais imaginé être aussi attiré par un tout autre genre de femme.

—Tu as dit que ce que tu voulais n'avait rien à voir avec la soumission physique, dit-elle en essayant de ne pas prêter attention aux battements de son cœur qui s'accéléraient. Ça veut dire quoi ça, exactement ?

Il glissa les doigts dans ses cheveux avant de caresser de nouveau son visage.

—Ça veut dire que, d'un point de vue physique, je ne veux pas d'une relation dominant-soumise avec toi, répondit-il d'une voix douce. Ai-je déjà eu ce type de relation avec une femme ? Oui. Ai-je déjà utilisé des équipements et des accessoires propres à ce genre de relation ? Oui. Mais ce n'est pas ça que je veux avec toi. Ce que je veux, c'est que tu t'abandonnes à moi émotionnellement, que tu lâches prise.

—Je ne vois pas trop ce que tu veux dire par là, mais ça me semble bien plus effrayant que la soumission physique.

Jensen hocha la tête.

—Ça crée un lien bien plus profond, plus intime, entre les personnes concernées, expliqua-t-il. Une femme peut donner son corps à un homme bien plus facilement que son cœur. Cela n'a rien d'extraordinaire. Mais s'en remettre entièrement à un homme sur le plan émotionnel est bien plus fort que l'acte physique en lui-même. Et c'est ça que je veux de toi, Kylie. Je veux ta confiance. Ton cœur et ton âme.

—Rien que ça… Eh ben, on ne peut pas dire que tu te contentes de peu, dis donc…

Il gloussa, le son venant du fond de sa gorge, et déposa un autre baiser sur son front.

—Ne t'en fais pas, tu y arriveras. N'y pense pas pour l'instant, détends-toi.

Il retourna à son plan de travail, la privant ainsi de cette sensation agréable que lui procurait sa proximité. Elle était aux anges. Son pouls battait à toute vitesse et l'euphorie commençait à monter en elle, remplaçant sa peur et son inquiétude.

Elle but une gorgée de vin, espérant que son émoi ne se lisait pas sur son visage. En silence, elle regarda Jensen préparer les ingrédients avant de les disposer dans un plat. Il glissa celui-ci dans le four puis régla le thermostat et le minuteur.

—Je te propose d'aller boire un autre verre de vin dans le salon en attendant que le dîner soit prêt, dit-il en se redressant.

Kylie se laissa glisser du tabouret, s'efforçant de masquer sa joie. Elle n'était plus elle-même lorsqu'elle était avec lui. Elle se comportait comme une collégienne entichée du mec le plus populaire du bahut. Jamais de sa vie elle n'avait ressenti une chose pareille pour un homme, jamais elle ne s'était laissée aller à ça. Quelle attitude était-elle censée adopter dans ce genre de situation?

Jensen lui tendit la main et elle la prit, nouant ses doigts aux siens. Quelle merveilleuse sensation! Main dans la main, ils se dirigèrent vers le salon et s'arrêtèrent sur le pas de la porte. Il porta sa main à ses lèvres et déposa un baiser sur son poignet avant de croiser son regard.

—Le dîner sera prêt dans une demi-heure environ. Tu veux qu'on commence à regarder le film maintenant ou tu préfères manger avant et le regarder après?

—On peut le regarder après avoir mangé, balbutia-t-elle.
On peut se poser dans le canapé entre-temps, non?

—Oui, bien sûr.

La tenant toujours par la main, il la guida vers le canapé et
s'assit en l'attirant avec lui. Tout ça était si nouveau pour elle.
Jamais auparavant elle ne s'était livrée au jeu du flirt. Que
devait-elle faire et dire? Elle se doutait bien qu'ils n'allaient
pas simplement se regarder dans le blanc des yeux, en silence,
pendant une demi-heure.

Elle se mit à l'aise dans le canapé et observa Jensen du
coin de l'œil. Calé contre le dossier du canapé, il regardait
devant lui, un vague sourire errant sur ses lèvres. Elle réprima
un soupir, n'osant faire le moindre geste. Une minute passa,
puis une autre et encore une autre, avant qu'elle ne se décide
à rompre le silence gênant qui s'était installé entre eux.

—On ferait peut-être mieux de retourner en cuisine,
marmonna-t-elle en tournant la tête vers lui.

Il lui adressa un regard indéchiffrable qui la mit encore plus
mal à l'aise. Avait-elle fait ou dit quelque chose qu'il ne fallait pas?

—Euh, écoute… Je suis nulle quand il s'agit de flirter, je
n'y connais rien, se justifia-t-elle.

—Détends-toi, Kylie, dit-il en lui adressant un regard
amusé. Tout va bien. On peut retourner dans la cuisine si tu
préfères. Tiens, tu peux mettre la table pendant que je vérifie
la cuisson du poulet.

Elle se leva d'un bond, ravie d'avoir de quoi s'occuper.
Elle se dirigea vers la cuisine et sentit la main de Jensen sur

son épaule lorsqu'elle eut presque atteint le bar. Réprimant un frisson de plaisir, elle se retourna.

— Relax, OK ?

— Je suis désolée, bafouilla-t-elle. Je ne sais vraiment pas comment me comporter dans ce genre de situation. Je n'ai pas l'habitude de me retrouver en tête-à-tête avec un homme. Les rendez-vous galants et moi, ça fait deux.

Jensen referma son autre bras autour d'elle et l'attira doucement vers lui. Il posa son menton sur sa tête et ils restèrent ainsi quelques instants. À sa grande stupéfaction, Kylie se calma aussitôt.

— Il n'y a pas de règles à suivre, on fait ce qu'on veut, quand on veut. Je n'attends rien de toi, Kylie. Je veux juste passer du temps avec toi. Partager un repas et discuter, c'est tout.

— Je suis stupide, tu peux le dire, déplora-t-elle dans un soupir.

Il éclata de rire.

— Allez, mets la table pendant que je finis de tout préparer, lui dit-il en lui donnant une petite tape sur les fesses.

Kylie disposa les assiettes et les couverts puis alla chercher deux verres à vin propres dans la cuisine. Elle prit également la bouteille de vin et la plaça sur la table. Elle se retourna vers le côté cuisine au moment où Jensen sortait le plat du four. Il le posa au milieu de la table et Kylie sentit son estomac gargouiller en voyant les blancs de poulet recouverts de bacon et de fromage bien gratiné, d'une belle couleur dorée.

—Ça a l'air succulent, dit-elle en s'asseyant sur la chaise. Je vais finir par croire que tu es monsieur Parfait. Y a-t-il quelque chose que tu ne saches pas faire ?

Jensen la considéra d'un air pensif quelques instants.

—Je ne sais pas, à toi de le découvrir, répondit-il enfin. En tout cas, je doute que tu te sois dit que j'étais monsieur Parfait les jours suivant notre rencontre.

Elle avait l'impression d'avoir un tout autre Jensen devant elle, plus détendu. Moins intimidant. Jensen était quelqu'un de bien, elle n'avait plus aucun doute là-dessus. D'ailleurs, elle se sentait de plus en plus à l'aise en sa compagnie et espérait qu'il en était de même pour lui.

—J'avoue que nous sommes partis du mauvais pied, admit-elle d'une petite voix. Je me suis trompée à ton sujet, c'est vrai que tu n'es pas aussi détestable que ça.

Jensen haussa un sourcil sceptique.

—« Pas aussi détestable que ça » ? Je ne sais pas comment je dois le prendre, dit-il en lui servant un morceau de viande.

—Trop de compliments tuent le compliment. Je ne veux pas que tu prennes la grosse tête, répliqua-t-elle, amusée par son air sérieux.

—Ah, c'est très délicat de ta part.

Kylie sourit jusqu'aux oreilles. Toutes ses appréhensions s'étaient dissipées, et elle était en train de flirter avec Jensen ! C'était donc censé ressembler à ça, un rencard. Leur relation allait-elle déboucher sur quelque chose de plus sérieux ?

Doucement, Kylie… Arrête de te poser tout un tas de questions.

Si elle continuait comme ça, elle finirait sans doute par avoir une nouvelle crise de panique. Refoulant ses interrogations dans un coin de son esprit, elle se concentra sur son assiette. Elle coupa un morceau de poulet et le goûta. Cette première bouchée lui fit l'effet d'une explosion de saveurs. Le plat était parfaitement assaisonné. La viande était tendre et le mélange moutarde et miel était exquis. Que dire de l'alliance du fromage fondu et du bacon grillé ? Un vrai régal !

—Mmm, c'est délicieux, dit-elle après avoir avalé une deuxième bouchée. J'ai du mal à croire que tu sois toujours célibataire avec de tels talents de cuisinier.

Une ombre passa dans le regard de Jensen avant de disparaître. Kylie ne l'aurait certainement même pas remarquée si elle n'avait pas levé les yeux en lui parlant. Il semblait toujours de bonne humeur, le sourire qu'elle aimait tant toujours en place, mais elle était persuadée d'avoir touché un point sensible par inadvertance.

—Peut-être que j'attends de trouver la bonne personne pour me caser, déclara-t-il. On ne prend pas ce genre de décision à la légère.

—Je suis tout à fait d'accord avec toi. Même si je n'aurai certainement jamais à prendre ce genre de décision.

Sans la quitter du regard, Jensen posa ses couverts dans l'assiette et se laissa aller contre le dossier de sa chaise. Il l'observait avec une intensité qui la mettait mal à l'aise, lui donnant l'impression qu'il lisait en elle et pouvait percer à jour tous ses secrets. Elle se sentait de nouveau vulnérable, exposée, et ça ne lui plaisait pas du tout, d'autant qu'elle commençait vraiment à s'attacher à lui.

—Tu ne veux pas te caser, tomber amoureuse, avoir des enfants? Enfin, pas dans cet ordre, bien sûr... Il faut déjà tomber amoureux avant d'envisager le reste même si, bon, cet ordre, qui pour moi est normal, reste une notion bien relative de nos jours. Il faut croire que les temps ont changé.

—Mon Dieu, docteur Phil, sors de ce corps, marmonna Kylie.

Jensen éclata de rire.

—N'empêche, tu n'as toujours pas répondu à ma question. Ne le prends pas mal, mais tu me fascines, Kylie. Tu es un mystère que je compte bien élucider. Je veux tout savoir sur toi, ce qui te rend triste, ce qui te rend heureuse, tout, tout, tout...

Elle cilla, en proie à une certaine confusion.

—Tu ne trouves pas que tu vas un peu vite, là? N'oublie pas qu'on n'en est qu'à notre premier rencard.

—Il n'est jamais trop tôt pour ce genre de choses, répondit-il en haussant les épaules. On ne sait jamais quand on va tomber sur la bonne personne, ça peut arriver très vite, il faut se préparer à cette éventualité. Peut-être même que c'est déjà fait. Et puis, comme je te l'ai dit, tu me fascines, je veux tout savoir sur toi.

—Il n'y a pas grand-chose à savoir sur moi, repartit-elle. Comme tu as déjà pu le remarquer, j'ai plus de problèmes qu'un livre de maths. Tu connais mon passé, du moins une partie, et du coup, tu comprends pourquoi les mecs et moi, ça fait pas bon ménage et pourquoi je ne suis pas pressée de trouver quelqu'un avec qui faire ma vie. J'ai vingt-cinq ans, j'ai encore du temps pour ça. Pour le moment, je veux juste vivre ma vie au lieu de la subir et la voir défiler devant moi. Je ne veux pas me prendre la tête plus que nécessaire.

—Tu fais preuve de beaucoup de cynisme pour quelqu'un de ton âge, commenta Jensen. Tu fais comme si de rien n'était, comme si tu te contentais de mener la vie que tu mènes. Tu as peut-être réussi à faire croire à ton entourage que tout allait pour le mieux dans le meilleur des mondes, mais moi je n'y crois pas une seule seconde. Je sais que tu voudrais tomber amoureuse et faire confiance à un homme. Mais pour ça, il faut que tu te l'admettes. Il n'y a pas de honte à ça.

—Tu te prends pour un psy maintenant ? demanda-t-elle froidement. Tu as raté ta vocation.

—Non, dit-il en riant, je me fonde sur mon expérience personnelle.

—Avec les femmes, oui ! lâcha-t-elle.

—Aussi, oui, acquiesça-t-il, sans relever son sarcasme.

—Combien de femmes as-tu connues ? demanda-t-elle sans réfléchir.

Mais, qu'est-ce qu'il lui avait pris de lui demander ça ? Elle aurait mieux fait de tourner sa langue sept fois dans sa bouche ! C'était malin, elle allait passer pour une fille jalouse à présent.

—Je veux dire, combien de femmes soumises as-tu eues, ajouta-t-elle hâtivement, dans l'espoir de rattraper sa gaffe. Tes relations amoureuses ont-elles toutes été de type dominant-soumise ?

—Non et je ne compte pas le nombre de mes conquêtes non plus, répondit-il sèchement. Je ne suis pas un salaud, Kylie, je te l'ai déjà dit, ça. Je ne couche pas à droite, à gauche. Oui, j'ai déjà eu des aventures d'un soir ainsi que des relations plus sérieuses. Plus de cinq et moins de douze, si tu tiens vraiment à le savoir.

—Mais… Quel âge as-tu exactement ?

—Trente-cinq ans.

Il fronça les sourcils en voyant sa réaction.

—Tu as l'air surprise. Pourquoi ?

—Je ne m'attendais pas à ça. Normalement, les hommes de ton âge ont couché avec bien plus de douze femmes. Mais je ne suis pas en train de te juger, j'étais simplement curieuse d'en savoir un peu plus sur ton passé amoureux.

Elle prit son courage à deux mains avant de poursuivre :

—Mais, si tu préfères les femmes soumises, comment se fait-il que ça n'ait jamais collé avec aucune d'elles ?

—Aucune d'elles n'était la bonne.

—Comment le sais-tu ?

Il lui sourit et Kylie sentit sa peau s'enflammer sous son regard intense.

—Je le sais, c'est tout.

Elle poussa un soupir d'agacement mêlé à de l'amusement. Décidément, cet homme avait le don de la rendre folle. Son regard et ses propos étaient souvent lourds de sous-entendus et, même si elle ne trouvait pas cela si déplaisant que ça, Kylie préférait feindre l'incompréhension.

— Donc, tu crois en l'amour et tout le tralala ? s'enquit-elle.

— Bien sûr. Pas toi ?

Jensen semblait sincèrement surpris par le manque d'enthousiasme avec lequel elle venait de s'exprimer. Certes, elle ne croyait pas en l'amour, mais elle savait que pour beaucoup d'autres personnes, c'était l'un des plus beaux sentiments au monde. Elle savait que ses deux amies aimaient leurs maris respectifs de tout leur cœur. D'ailleurs, il était difficile de ne pas remarquer tous les témoignages d'affection qu'ils s'adressaient. Cependant, l'amour avait aussi ses limites. Ce qui arrivait à Chessy en ce moment en était une preuve éloquente.

L'amour était un sentiment bien trop compliqué, surtout pour Kylie. Selon elle, aimer quelqu'un voulait dire renoncer à une partie de soi-même et accorder sa confiance à l'autre. Aimer quelqu'un voulait dire se mettre dans une position vulnérable face à l'autre, lui laisser entrevoir ses sentiments. Non, l'amour n'était pas pour elle. Joss et Dash étaient heureux, mais il leur avait fallu beaucoup de temps pour en arriver là. Et Chessy ? La pauvre Chessy souffrait d'un mal… d'amour, justement. Dans le meilleur des cas, l'amour était un sentiment à double tranchant.

Kylie leva le regard vers Jensen, comprenant qu'il attendait sa réponse.

— Je ne vais pas prétendre que je n'y crois pas, dit-elle. Il est évident que Joss et Dash s'aiment à la folie. Et je sais aussi que Joss aimait vraiment Carson. Chessy, quant à elle, n'est peut-être pas très heureuse ces derniers temps, mais elle aime Tate plus que tout et lui aussi l'aime comme un fou. Mais quand je vois tous les problèmes que rencontrent les gens qui s'aiment, je préfère éviter les relations amoureuses.

— Je me doutais que tu étais cynique, mais pas à ce point, murmura-t-il avant de se redresser. Ce n'est pas grave, je finirai bien par percer cette carapace dont tu t'entoures. Je n'ai jamais renoncé à un défi et celui-ci me tient particulièrement à cœur.

Kylie fronça les sourcils, troublée. D'habitude, son discours faisait fuir les hommes, mais Jensen ne semblait pas du tout effrayé ni contrarié par ce qu'elle venait de lui dire. Même son passé sordide ne lui avait pas fait prendre la poudre d'escampette. Non, ses propos avaient manifestement eu sur lui l'effet inverse : il voulait apprendre à mieux la connaître, il voulait lui faire baisser sa garde. Il voulait détruire les barrières qu'elle avait érigées autour d'elle depuis des années.

Elle avait mis du temps à s'accepter telle qu'elle était, à préserver son intimité. Elle était sa meilleure alliée et sa pire ennemie en même temps et elle avait fini par trouver un certain équilibre. Par contre, ce style de vie l'empêchait de s'engager dans une relation amoureuse. Quel homme sain d'esprit voudrait faire sa vie avec une fille comme elle ? Elle traînait trop de casseroles.

Elle baissa les yeux sur son assiette et fut surprise de constater que celle-ci était vide. Du coin de l'œil, elle vit que celle de Jensen était vide également et une légère angoisse vint remplacer son euphorie initiale. Ils avaient fini de manger, qu'allait-il se passer à présent ? Que devait-elle faire ?

Le film ! Mais, oui ! Jensen avait ramené un film ! Ils avaient prévu de dîner et regarder le film après. C'était faisable, après tout, il n'y avait rien de très compliqué là-dedans.

— On regarde le film ? s'enquit-elle, se félicitant de son initiative. Je vais débarrasser la table et mettre à tremper la vaisselle, je la laverai plus tard. Tu mets le film pendant ce temps ? Je nous ramènerai un autre verre de vin à moins que tu ne préfères autre chose ?

— Non, du vin, ça me va très bien. Je me fiche de tout le reste du moment que je suis avec toi.

Merde, était-il vraiment obligé de dire ça ? Que pouvait-elle bien lui répondre à présent ? Elle se sentait complètement désarmée lorsqu'il jouait les séducteurs. Il suffisait d'un sourire de sa part pour l'envoyer sur un petit nuage. Qu'est-ce que ça allait être quand les choses deviendraient plus sérieuses !

Sentant ses hormones s'affoler, elle mit les assiettes et les couverts dans le plat de cuisson et alla les porter dans la cuisine. Elle les rinça rapidement et les laissa dans l'évier puis, elle posa les deux mains à plat sur le plan de travail et inspira profondément.

Calme-toi, Kylie. Vous allez juste mater un film! Inutile d'en faire tout un plat!

Elle retourna vers la table et remplit les deux verres de vin. Elle ne comptait pas boire le sien; elle avait déjà bu plus qu'elle n'en avait l'habitude. Jensen avait déjà un effet plus que déstabilisant sur elle, et l'alcool ne risquerait pas d'arranger les choses. Même si… Peut-être qu'un autre verre lui donnerait le courage qui lui faisait si cruellement défaut.

Sachant qu'il ne servait à rien de repousser l'inévitable, elle prit les verres et se dirigea vers le salon. Jensen était déjà installé sur le canapé, la télécommande à la main. Le film était sur pause, on n'attendait donc plus qu'elle. Elle ne savait même pas ce que Jensen avait choisi. Peu importe, elle ne parviendrait pas à se concentrer dessus.

Il lui tendit une main et elle comprit tout de suite pourquoi. Elle posa les verres sur la table basse et plaça sa main dans la sienne, mêlant ses doigts aux siens. Il l'attira doucement vers lui et elle s'assit sur le canapé à côté de lui.

—Voilà qui est mieux, dit-il en lançant le film. La soirée DVD peut officiellement commencer.

—On regarde quoi? demanda-t-elle.

—Un film d'horreur qui parle d'une invasion de zombies, répondit-il en lui adressant un petit sourire en coin. Ça m'a semblé un bon compromis parce que je ne voulais pas que tu te méprennes sur mes intentions si j'avais choisi autre chose.

— D'accord… Donc, si on suit ton raisonnement, je devrais faire attention à ce que tu ne me mordes pas et m'infectes avec un virus mortel, non ?

Il éclata de rire.

— J'aime bien ton sens de l'humour. Beaucoup de gens le trouveraient bizarre, je parie, mais moi, j'adore.

Kylie rougit aussitôt à son compliment, s'il s'agissait bien d'un compliment. Jamais personne ne lui avait dit qu'elle avait de l'humour, bizarre ou pas. Jensen posa nonchalamment le bras sur le dossier du canapé, l'invitant silencieusement à se rapprocher de lui. Elle hésita quelques instants, mais son corps finit par céder, comme attiré par un aimant. Elle se lova contre lui et il referma son bras autour de ses épaules.

Kylie essaya de se concentrer sur le film, mais les caresses qu'il lui prodiguait sur le bras du bout des doigts ne facilitaient pas les choses. De délicieux frissons couraient sur sa peau tandis qu'une chaleur agréable se répandait en elle. Au bout d'un moment, ne pouvant plus résister, elle tourna la tête vers Jensen et leurs regards se croisèrent. Un éclat intense brillait dans ses yeux, chaleureux et rassurant à la fois. Comme envoûtée, elle se pencha vers lui et il en fit autant.

Lorsque leurs lèvres se touchèrent, Kylie tressaillit comme sous l'effet d'une décharge électrique. Elle entrouvrit ses lèvres malgré elle et sentit sa langue se glisser dans sa bouche. Elle percevait le goût du vin sur les lèvres de Jensen, mais il y avait aussi autre chose, quelque chose de masculin et d'exaltant qui lui plaisait beaucoup.

Il referma ses bras autour d'elle et elle laissa échapper un léger soupir contre sa bouche. Leurs langues se caressaient sensuellement et cette soudaine proximité fit naître en elle une myriade d'émotions. Elle avait chaud et froid à la fois. Ses seins, tendus sous son tee-shirt, se pressaient contre son torse et elle pouvait sentir ses tétons se durcir presque douloureusement, comme avides de ses caresses. De sa bouche. De sa langue.

Sans rompre le baiser, elle se figea, surprise par la direction que prenaient ses pensées. Elle pouvait sentir le cœur de Jensen battre contre le sien et sa respiration, chaude et de plus en plus saccadée, contre ses lèvres et sa joue successivement. Puis, doucement, il la fit s'allonger sur le canapé et couvrit son corps du sien.

Il pesait à présent de tout son poids sur elle et une vague de panique monta aussitôt en elle, lui faisant perdre tout contact avec la réalité. Elle ne savait plus où elle était ni avec qui. Tout ce qu'elle savait, c'était que cette sensation aussi familière que désagréable l'étouffait, l'effrayait, lui faisait perdre ses moyens. Elle se sentait faible et sans défense. Un voile noir tomba devant ses yeux. Ses poumons étaient comprimés et elle ne pouvait plus respirer. Sa gorge était tellement serrée qu'elle ne pouvait même pas parler, encore moins crier. Pourtant, elle voulait hurler, le supplier d'arrêter ce qu'il était en train de faire. Elle ne voulait plus qu'il lui fasse du mal.

Soudain, son instinct de survie prit le dessus. Elle commença à se débattre de son étreinte, donnant des coups de pied et de poing là où elle pouvait, sans se soucier des conséquences. Elle devait se libérer de ce dangereux prédateur. Se libérer et fuir. Vite. Maintenant. Elle était si hystérique qu'elle n'avait même pas remarqué qu'elle poussait des cris d'agonie et qu'elle n'était plus allongée. Quelqu'un la tenait fermement par les poignets et l'appelait par son prénom.

Kylie, Kylie… Tout va bien…

Non, c'était le fruit de son imagination. Rien n'allait bien. Elle était en danger et elle devait se protéger coûte que coûte. Elle devait survivre. Elle ne voulait plus jamais revivre le calvaire d'autrefois. Non. Non. Non!

Des larmes se mirent à couler sur ses joues tandis que des sanglots aigus s'échappaient de ses lèvres tremblantes. Pourquoi se mettait-elle dans un état pareil? Que lui arrivait-il? Pourquoi ne pouvait-elle pas arrêter de pleurer?

—Kylie! Kylie, écoute-moi, c'est moi, c'est Jensen. Tout va bien, tu es en sécurité, mon cœur. Kylie, s'il te plaît, ressaisis-toi! Il ne t'arrivera rien, tu es avec moi.

Encore cette voix qui se voulait rassurante. Kylie avait la vue brouillée par les larmes et avait l'impression que la pièce tournait violemment autour d'elle. La nausée lui souleva l'estomac et elle porta une main à sa bouche. Se rendant compte qu'elle n'était plus retenue par ces mains de fer, elle se recroquevilla sur elle-même, se protégeant ainsi des coups qu'elle n'allait sans doute pas tarder à recevoir. Les larmes coulaient encore à flots sur ses joues, inondant son visage et mouillant ses manches. Elle était secouée par de violents spasmes que rien ne pouvait arrêter.

Une main se posa sur son épaule et elle sursauta, prête à se battre bec et ongles pour se protéger.

— Mon Dieu, Kylie! C'est moi! Regarde-moi, s'il te plaît, regarde-moi. Tu es en sécurité.

La voix implorante de Jensen la tira de ses sombres pensées. Elle était dans son salon. Ils avaient dîné ensemble et commencé à regarder un film avant…

Un sentiment d'humiliation l'envahit. Elle était ridicule. Toutes ses bonnes résolutions s'effondrèrent. Adieu la nouvelle Kylie. Jamais elle ne changerait. Elle en était incapable. Elle enfouit le visage dans ses bras et se balança légèrement d'avant en arrière. Elle n'avait pas le courage de le regarder en face. Il devait la prendre pour une demeurée et elle ne pouvait même pas lui en vouloir pour ça.

— Va-t'en, s'il te plaît, marmonna-t-elle. S'il te plaît, Jensen, laisse-moi seule. Je suis désolée, je suis désolée. Va-t'en, je t'en supplie.

— Bon sang, Kylie, arrête de t'excuser pour ça! tonna-t-il.

Il y avait de la colère dans sa voix et Kylie se raidit. Elle avala la salive qui s'était accumulée dans sa bouche, puis souleva légèrement la tête et le regarda du coin de l'œil pour voir son expression. Il allait sans doute lui dire ses quatre vérités à présent. Cependant, sa peur se dissipa quand elle croisa son regard. Il était assis à l'autre bout du canapé, voulant sans doute maintenir une distance entre eux pour ne pas l'effrayer davantage. Tout ça était sa faute ! Arrêterait-elle de flipper un jour ? Aurait-elle une vie normale ? Était-ce trop demander ?

L'esprit assailli par toutes ces interrogations, elle cacha son visage et se remit à pleurer de plus belle.

— Ma puce, dis-moi ce que je peux faire pour t'aider.

Le ton suppliant de Jensen lui serra la gorge. Comme elle, il semblait résigné.

— Ce n'est pas ta faute, articula-t-elle. Tu n'as rien fait, c'est moi. Je suis désolée.

— Bien sûr que c'est ma faute ! s'exclama-t-il. Je me suis comporté comme un imbécile. Je me suis laissé emporter. Désolé, Kylie, j'aurais dû me contrôler.

Kylie releva la tête et la secoua avec véhémence. Les larmes continuaient à couler sur ses joues et elle ne songeait même plus à les arrêter.

— Non, Jensen, ce n'est pas ta faute, balbutia-t-elle. Va-t'en, s'il te plaît. Je préfère rester seule.

Il n'avait pas l'air convaincu et elle savait qu'il ne voulait pas la laisser seule, dans cet état. Mais, elle le connaissait suffisamment pour savoir qu'il ne voulait pas la contrarier davantage.

— Ça ira, ne t'en fais pas pour moi, dit-elle pour le rassurer. Allez, rentre chez toi. La soirée est gâchée par ma faute.

— Kylie, je ne veux pas te laisser comme ça. C'est à cause de moi, tout ça. Je t'ai rappelé de très mauvais souvenirs et je préférerais crever plutôt que de t'infliger une chose pareille. Je ne supporte pas de te voir malheureuse, surtout si c'est de mon fait.

Elle enfouit de nouveau la tête dans ses bras, voulant creuser un trou dans le sol pour s'y cacher et ne plus jamais en ressortir. Depuis le début, Jensen s'était montré gentil et attentionné envers elle, toujours soucieux de son bien-être. Et elle, pour le remercier de son soutien, n'avait rien trouvé de mieux que de faire l'amalgame entre lui et… Et son père, ce monstre! Sa réaction était totalement injustifiée. Pourquoi ne pouvait-elle pas maîtriser ses émotions? Pourquoi perdait-elle les pédales dès que les choses devenaient un peu trop sérieuses?

—Kylie?

La voix de Jensen était douce et rassurante, mais elle ne pouvait se résigner à le regarder en face. Pas après ce qui venait de se passer. Pas après ce qu'elle venait de lui faire subir.

—Rentre chez toi, Jensen, marmonna-t-elle sans relever la tête. Si tu veux vraiment m'aider, rentre chez toi. Et ne va pas imaginer que tu es responsable de ce qui est arrivé ce soir, parce que ce n'est pas vrai. Au contraire, tu t'es toujours montré gentil et patient avec moi. Mais là, j'ai besoin de rester toute seule.

—Tu ne peux pas rester seule dans cet état.

Kylie tourna la tête vers lui de sorte à pouvoir le voir d'un œil. Il avait l'air frustré. Il passa une main dans ses cheveux, visiblement indécis. Jamais elle ne l'avait vu ainsi.

D'habitude, il avait de l'assurance à revendre. C'était sa faute, tout ça, c'était à cause d'elle.

— S'il te plaît, chuchota-t-elle, laisse-moi. Ça ira, ce n'est pas la première fois que ça m'arrive, je peux me débrouiller seule.

Ses propos n'eurent pas sur Jensen l'effet escompté.

— Tu ne peux pas traverser une épreuve pareille toute seule, dit-il et Kylie décela une pointe de désespoir dans sa voix. Mais, puisque tu insistes, je m'en vais. Ce n'est pas ce que je veux, mais je respecterai ta volonté.

Elle releva un peu plus la tête et esquissa un léger sourire entre deux sanglots.

Il la regarda et poussa un soupir, ne sachant que faire. Il semblait abattu. Au bout de quelques instants, il finit par se lever et elle le suivit du regard jusqu'à ce qu'il eût quitté le salon. Elle se maudissait de lui avoir infligé tout ça. Il ne le méritait pas.

Elle entendit claquer la porte d'entrée et tressaillit.

Cette soirée lui servirait de leçon. Comment avait-elle pu être aussi stupide? À présent, elle était sûre et certaine qu'elle ne pouvait prétendre à une vie normale et que la nouvelle Kylie n'avait pas sa place dans ce monde. Un rêve de plus qui partait en fumée. Un rêve qui, elle l'avait toujours su au fond d'elle, n'avait aucune chance de se réaliser.

Chapitre 11

Fou de rage, Jensen monta dans sa voiture et frappa le volant du plat de la main.

—Merde, putain !

Il n'avait pas voulu laisser Kylie toute seule, mais il était également conscient que sa présence n'aurait fait qu'empirer la situation qui était déjà assez compliquée comme ça. Elle était mortifiée à cause de ce qui s'était passé et il savait que rien de ce qu'il aurait pu dire ou faire ne l'aurait aidée à se sentir mieux. Il soupira, combattant l'envie de retourner dans la maison et la prendre dans ses bras pour la réconforter. Si ça n'avait tenu qu'à lui, il serait resté avec elle, quitte à ce qu'il passe toute la nuit à ses côtés, menotté à son lit.

Il était révulsé à l'idée d'avoir réveillé en Kylie des souvenirs pénibles. À présent, chaque fois qu'elle le regarderait, ça ne serait plus lui qu'elle verrait, mais son père, ce monstre abominable, et tout ce qu'il lui avait fait subir.

Le fait de l'avoir vue aussi désespérée et apeurée avait également ravivé ses propres blessures. En l'espace de quelques secondes qui lui avaient semblé durer une éternité, il avait eu l'impression de redevenir ce petit garçon terrifié qui regardait, impuissant, son père battre sa mère. Et, chaque fois qu'il avait essayé d'intervenir, de protéger sa mère, c'était lui qui avait fait les frais de la colère de son père.

Il serra les dents, tentant de chasser ce souvenir douloureux. Non, Kylie n'était pas la seule à être aux prises avec des démons intérieurs, mais, contrairement à lui, elle n'avait toujours pas trouvé le moyen d'aller de l'avant. Elle restait prisonnière du passé et ses blessures émotionnelles risquaient de mettre du temps à cicatriser.

Comment faire pour la sortir de cet enfer ? Finirait-il par gagner sa confiance, un jour ? Et pourquoi, pourquoi tenait-il tant à elle, bon sang ?

Kylie n'était pas du tout la femme qu'il lui fallait, mais il ne voulait aucune autre femme qu'elle. Elle était différente de toutes celles qu'il avait pu côtoyer. Elle était fragile et vulnérable et, chaque fois qu'il était avec elle, il devait lutter contre sa nature, contre ce qu'il était. Était-ce une bonne chose ? Kylie en valait-elle la peine ? La réponse à ces questions se formula aussitôt dans sa tête.

Bien sûr qu'elle en valait la peine. Cependant, il avait l'impression de partir sur un échec et il n'avait pas éprouvé cette sensation désagréable depuis des années, depuis son enfance. Non, le mot « échec » ne faisait plus partie de son vocabulaire depuis très longtemps.

Toujours garé dans l'allée de Kylie, Jensen sortit son téléphone portable de sa poche et fit défiler les numéros de sa liste de contacts jusqu'à ce qu'il ait trouvé celui de Chessy Morgan. Il pressa la touche d'appel et attendit une réponse.

—Chessy? dit-il quand une voix féminine répondit enfin à l'autre bout du fil. C'est Jensen Tucker à l'appareil, l'associé de Dash.

—Ah, oui… Bonsoir, Jensen.

La voix de Chessy était amicale et méfiante à la fois. Elle devait sans doute se demander pourquoi il l'appelait. Après tout, ils ne s'étaient rencontrés qu'une seule fois, mais, avant de partir en lune de miel, Dash avait quand même insisté pour lui communiquer les numéros de Tate et Chessy, en cas d'urgence.

—Tu es sans doute au courant que j'avais un rencard avec Kylie ce soir?

Il ne lui laissa pas le temps de répondre ; inutile de tourner autour du pot.

—Bon, ça ne s'est pas bien passé du tout.

—Oh non! Que s'est-il passé? Elle va bien? s'inquiéta son interlocutrice.

—Non, elle ne va pas bien. Quand je l'ai laissée, elle pleurait encore. Je ne voulais pas partir, mais c'est elle qui a insisté. Chessy, ce n'est pas bon qu'elle reste toute seule, surtout pas dans son état, et c'est pour ça que j'ai décidé de t'appeler. Je me suis dit que tu pourrais passer chez elle pour t'assurer qu'elle va bien.

—Tu as bien fait de m'appeler, Jensen. J'y vais de ce pas. Elle ne sera sans doute pas ravie de me voir débarquer comme ça, mais elle devra faire avec. Oh, et puis, les amies c'est là pour ça aussi.

Jensen sourit derrière le combiné. Il était rassuré de savoir que Kylie ne resterait pas toute seule ce soir-là. Elle serait entre de bonnes mains. Chessy n'allait pas la laisser tomber comme il l'avait fait.

Merde, quel con.

—Merci, dit-il. Je suis très inquiet pour elle. Je… Je tiens beaucoup à elle.

—Je n'en doute pas une seconde, répliqua Chessy. Ne t'en fais pas, Jensen, je t'appellerai s'il y a le moindre problème.

Jensen la remercia encore une fois, puis raccrocha. Il inséra la clé dans le contact, démarra et sortit de l'allée avant de céder à l'envie de rejoindre Kylie dans la maison.

Cette nuit-là, Jensen mit longtemps avant de trouver le sommeil. La crise d'angoisse de Kylie l'avait affecté bien plus qu'il ne l'aurait cru. Pourtant, il était persuadé d'avoir définitivement tourné la page sur ce chapitre douloureux de sa vie. Avec le temps, il avait même fini par ne plus y penser. À un moment, il avait juste dit à Kylie que tout le monde avait des démons intérieurs et qu'il comprenait son désarroi. Mais, il était hors de question qu'il lui raconte son histoire, il était inutile de l'accabler avec ça.

Lorsqu'il s'endormit enfin, son passé vint s'immiscer dans ses rêves qui tournèrent rapidement au cauchemar.

Il se réveilla en sursaut, essoufflé et couvert de sueur. Désorienté, il assena plusieurs coups de poing dans le vide pour faire fuir l'agresseur imaginaire qui l'avait tant perturbé. Jusqu'à présent, il faisait toujours le même cauchemar, il revivait la scène qui avait souvent lieu dans sa maison, quand il était petit et, chaque fois, il pouvait pratiquement ressentir son impuissance et sa douleur quand son père les frappait, sa mère et lui. Mais, cette fois-ci, ce n'était ni lui ni sa mère qui se faisait tabasser. C'était Kylie. C'était Kylie qui criait à tue-tête pendant que lui observait la scène, incapable de lui venir en aide. Il détestait ce sentiment d'impuissance qu'il s'était juré de ne plus jamais éprouver.

La respiration toujours saccadée, Jensen roula sur le côté, essayant de chasser ces images d'une acuité bouleversante de sa tête. Il se demanda comment allait Kylie et ce qu'elle pouvait bien faire en cet instant. Dormait-elle ou était-elle, comme lui, hantée par les fantômes du passé ? Y avait-il vraiment un avenir pour eux deux ou étaient-ils bien trop paumés pour s'engager dans une relation sérieuse ?

Il ne pouvait pas envisager sa vie avec elle tout comme il lui était inconcevable de l'imaginer sans elle. Mais, s'il lui faisait le moindre mal, jamais il ne pourrait se le pardonner. Il ferma les yeux, luttant contre les pensées sombres qui assaillaient son esprit.

Il partait pour Dallas le lendemain et ne verrait donc sûrement pas Kylie avant son départ. Ce voyage ne pouvait pas tomber plus mal et, en même temps, c'était peut-être une bonne chose pour lui comme pour Kylie.

La perspective d'être séparé de la jeune femme pendant plusieurs jours ne lui plaisait guère, mais une pause leur ferait peut-être du bien à tous les deux.

Un ricanement amer lui échappa. Une pause. Une pause de quoi ? Ils n'étaient même pas en couple ! Ils n'avaient eu qu'un rencard pour l'instant. Mais, là n'était pas le vrai problème. La véritable question était de savoir si Kylie allait leur – et, par leur, il voulait dire lui – accorder une autre chance. Peut-être qu'elle était vraiment la femme de sa vie, son âme sœur. Tous deux avaient eu une enfance difficile et il était persuadé que Kylie était la seule qui pouvait l'aider à panser ses blessures du passé et à tourner la page pour de bon. Mais lui, pouvait-il faire la même chose pour elle ? Parce que, après ce qui s'était passé chez elle…

Une vague de nausée le submergea à cette pensée. Le fait qu'il lui ait rappelé les horreurs que lui faisait subir son malade de père lui était tout simplement insupportable.

— Je ne peux pas rester sans rien faire, Kylie, je ne peux pas, chuchota-t-il. Peut-être que nous ne sommes pas faits l'un pour l'autre, mais je ne peux pas te laisser filer sans m'être battu avant. Non, tu ne te débarrasseras pas de moi aussi facilement.

Fort de sa résolution, il se retourna vers l'autre côté du lit et tenta de se rendormir.

Les quatre prochains jours risquaient d'être les plus longs de sa vie. Mais, dès son retour, il irait retrouver Kylie. Elle ne serait plus jamais seule, ils combattraient ses démons ensemble, elle et lui. Et il n'accepterait aucun refus de sa part.

Chapitre 12

KYLIE FERMA LES YEUX, S'EFFORÇANT DE FAIRE LE VIDE dans son esprit pour pouvoir se concentrer sur la pile des mémos devant elle. Mais rien n'y faisait, la voix de Chessy résonnait encore à ses oreilles.

Très inquiète, son amie n'avait pas voulu la laisser aller au travail le lundi et le mardi, et avait insisté pour qu'elle reste se reposer chez elle. D'ailleurs, Kylie était quelque peu étonnée de ne pas avoir reçu ni de coup de fil ni de visite de Chessy ce matin-là pour essayer de la dissuader d'aller au bureau, aujourd'hui aussi. Peut-être avait-elle compris qu'elle avait épuisé son pouvoir de persuasion.

Kylie savait que Jensen avait prévenu Chessy de ce qui s'était passé parce qu'il ne voulait pas qu'elle reste seule. Cela partait d'un bon sentiment. Pourtant, le fait que son amie l'ait vue dans un état pitoyable, n'avait fait que renforcer son sentiment d'humiliation. Bien sûr, Chessy avait insisté pour rester dormir chez elle et avait même été témoin de ses cauchemars. Kylie s'était réveillée en sursaut et Chessy était là, à côté d'elle. Elle avait tout vu et tout entendu. Et comme si cela ne suffisait pas, Jensen avait assisté à deux de ses crises d'angoisse.

La honte.

Kylie ouvrit les yeux. Sa vision était toujours trouble et son mal de crâne devenait de plus en plus insupportable. Cela faisait déjà plusieurs nuits qu'elle ne dormait pas du tout. Elle avait trop peur que le sommeil n'attire les cauchemars. Elle passait donc les nuits entières, allongée, à regarder dans le vide. Éveillée, elle pouvait contrôler ses pensées et ses souvenirs, et tenir à distance les fantômes du passé qui la tourmentaient sans cesse. Elle ne savait pas combien de temps elle pourrait encore lutter à ce rythme-là, mais elle espérait que la fatigue extrême finirait par tromper son esprit et chasser ses cauchemars, ne serait-ce que le temps d'une nuit.

En plus, elle devait reconnaître que Jensen lui manquait. Enfin, sa présence ici, au bureau, lui manquait. Elle savait qu'il s'était absenté pour quelques jours seulement, mais l'ambiance au travail n'était pas la même sans lui. Le bureau lui semblait tout à coup plus grand, plus silencieux. Elle se sentait seule. Au moins, quand Jensen était là, elle se sentait en sécurité, même quand il venait dans son bureau juste pour la distraire.

Jensen…

Leur relation, si ce qu'il y avait entre eux pouvait être qualifié de relation, n'avait aucune chance de fonctionner. Après le fiasco de leur premier rencard, il préférerait sans doute prendre ses distances avec elle. Elle ne pourrait même pas lui en tenir rigueur. Après tout, qui voudrait s'embarquer dans une histoire avec une détraquée comme elle ?

Kylie regarda l'horloge. Les minutes passaient avec une lenteur infernale. Non pas qu'elle avait hâte de rentrer chez elle, dans sa grande maison vide. Pas du tout. Elle comptait les heures qui la séparaient du retour de Jensen.

Le lendemain, Jensen serait là. Il fallait donc qu'elle reste réveillée encore cette nuit. Ressentant le poids de sa fatigue, elle posa la tête sur la pile de mémos devant elle. Elle avait besoin de fermer les yeux, juste quelques secondes.

Juste quelques secondes…

La tension de ses épaules commençait à se relâcher lorsqu'elle entendit un bruit dans son bureau. Ouvrant les yeux, elle leva brusquement la tête et regretta aussitôt de l'avoir fait. Elle avait l'impression que toute la pièce tournait autour d'elle. Toute la pièce et…

Jensen.

Le visage grave, il l'observait depuis le pas de la porte. Le cœur de Kylie se mit à battre à tout rompre. Il était rentré. Elle ne l'attendait pas avant le lendemain et pourtant, il était là. Il était là et, malgré toutes ses appréhensions, elle était heureuse et rassurée de le revoir.

—Putain, Kylie, regarde-toi! dit-il d'un ton inquiet. Est-ce que tu as fermé l'œil depuis que je suis parti?

D'emblée, elle se leva et posa les mains sur le bureau.

—Je vais… bien… Et puis, de quoi je me mêle…

Elle avait du mal à articuler et sa vision devenait de plus en plus floue. Elle devait s'asseoir. Elle entendit vaguement Jensen proférer une série de jurons puis, étrangement, elle se retrouva allongée par terre. Elle pouvait toujours entendre Jensen l'appeler, mais sa voix s'affaiblissait et devenait de plus en plus lointaine. Soudain, elle sentit quelqu'un l'attirer dans son étreinte et elle savait que c'était lui. C'était Jensen. Sollicitant ses dernières forces, elle tendit les bras vers lui. Enfin! Jensen était là. Elle était en sécurité. Ce fut là sa dernière pensée avant de sombrer dans l'inconscience.

Jensen souleva Kylie et l'attira contre lui avant de vérifier son pouls. Il était faible. Il était prêt à parier qu'elle s'était jetée corps et âme dans son travail et n'avait pas dormi depuis qu'il était parti à Dallas.

Sa poitrine se soulevait et s'abaissait au gré de sa respiration qui, comme son pouls, était faible. Du moins, elle respirait, c'était déjà ça. Elle avait une mine affreuse. Des cernes profonds entouraient ses yeux. Son visage était pâle et aminci. Elle était encore plus fragile qu'il ne l'avait pensé. Mais, même comme ça, elle était la plus belle femme qu'il ait jamais vue.

Malheureusement, ce qui devait arriver arriva. Elle avait travaillé jusqu'à épuisement, au point de s'en rendre malade.

Mais, à présent qu'il était là, il ne comptait plus la lâcher d'une semelle. Qu'elle le veuille ou non, il allait s'occuper d'elle et la remettre d'aplomb.

Il passa un bras sous ses genoux et l'autre sous ses bras, puis la souleva sans le moindre effort. Elle était aussi légère qu'une plume. Laissant le bureau sans surveillance – c'était le cadet de ses soucis pour l'instant –, il la porta jusqu'au parking et l'installa avec précaution à l'arrière de sa voiture. Il ferma la portière et contourna le véhicule avant de s'installer au volant. Il mit le contact, démarra et quitta le parking.

Il n'avait qu'une hâte : arriver chez lui. Cette fois-ci, il ne lui laisserait pas le choix. Il pourrait la surveiller et s'occuper d'elle plus facilement chez lui, que chez elle. Il lui fallait du repos, et du repos, elle allait en prendre, elle pouvait compter là-dessus! Déjà, il était hors de question qu'elle retourne au bureau de la semaine. D'ailleurs, il travaillerait de la maison et n'irait au bureau que s'il y avait une urgence. Connaissant Kylie, elle s'était sûrement occupée de tout pendant qu'il était à Dallas. La boîte n'allait pas couler s'ils n'étaient pas là pendant quelques jours. Et puis, Dash serait de retour au bureau la semaine prochaine. Kylie pourrait donc même prendre quelques jours de vacances en plus. Oui, c'était parfait. Voilà qui était réglé.

Jensen resserra ses mains autour du volant. Tout ceci était sa faute! C'était à cause de lui que Kylie était dans cet état. C'était lui et ses agissements stupides qui avaient fait remonter des souvenirs aussi sombres que douloureux pour Kylie. Quoi qu'il en soit, le mal était fait. À présent, il comptait faire son possible pour se racheter, pour arranger les choses. Et pour ça, il n'y avait pas trente-six solutions.

Il devrait encore se montrer insistant, mais pas pour les mêmes raisons cette fois-ci. Il voulait lui faire comprendre qu'elle n'était pas toute seule et qu'il n'y avait aucune honte à pouvoir compter sur le soutien de quelqu'un. Il savait que c'était une notion abstraite pour elle, mais elle finirait par la comprendre. Comme lui, Kylie était une âme solitaire, c'était un autre point qu'ils avaient en commun. Ils étaient tous deux écorchés par la vie et peut-être qu'il était son remède et elle le sien.

Une fois qu'elle aurait appris à compter sur son soutien, il passerait à la prochaine étape. Pas avant. Il trouverait une façon de lui faire baisser sa garde de sorte qu'elle commence à lui faire confiance. Il n'avait aucune arrière-pensée. Il ne faisait pas tout ça dans l'espoir de la mettre dans son lit. Il se fichait éperdument du sexe. Il était prêt à attendre toute sa vie pour ça s'il le fallait.

Bien sûr, il avait envie d'elle, c'était inutile de le nier. Oui, il avait envie de lui faire l'amour, combien de fois en avait-il seulement rêvé la nuit, mais elle n'était pas encore prête pour ça. Et lorsqu'elle le serait – si elle l'était un jour –, il devrait faire quelque chose qu'il n'avait jamais fait avant : laisser le contrôle à une femme. Mais Kylie n'était pas n'importe quelle femme. Certes, l'idée de ne pas avoir l'ascendant au lit n'était pas des plus agréables. Il se sentait vulnérable rien qu'en y pensant, mais ce n'était pas grand-chose comparé à ce que devait éprouver Kylie tous les jours. Et puis, elle en valait la peine. Pour elle, il était prêt à faire ce sacrifice.

Il n'avait plus aucun doute à présent, Kylie et lui étaient faits l'un pour l'autre. Il l'avait toujours su, au fond de lui. Ils étaient partis du mauvais pied, mais une des facettes de sa personnalité, sa fragilité et la façade derrière laquelle elle dissimulait sa véritable nature, l'avait profondément touché. C'était la femme de sa vie. Restait à savoir si lui était l'homme de la sienne. Jensen ne croyait pas au destin, cependant, il savait qu'ils étaient faits l'un pour l'autre. Il l'avait su dès l'instant où il avait posé les yeux sur elle.

Il tourna dans sa rue et gara la voiture dans l'allée de sa maison. Il sortit rapidement du véhicule et ouvrit la porte arrière. Kylie n'était toujours pas revenue à elle. Il ne devait pas oublier d'appeler Chessy. Il l'avait eue rapidement au téléphone avant qu'il ne parte pour Dallas et elle lui avait dit que Kylie avait eu des cauchemars pratiquement toute la nuit.

Il ferma les yeux quelques instants. Tout cela ne serait jamais arrivé s'il n'avait pas brusqué Kylie. Les choses sont allées beaucoup trop vite pour elle. D'ailleurs, il s'était senti tellement coupable qu'il n'avait même pas eu le courage de rappeler Chessy pour prendre des nouvelles de Kylie depuis. Il avait été con, il s'était comporté comme une vraie merde. Mais c'était du passé tout ça. Plus jamais il ne laisserait tomber Kylie, plus jamais.

Dorénavant, il s'adapterait à son rythme à elle. Il se montrerait intransigeant juste pour une chose : sa santé. Là, elle n'aurait pas son mot à dire. Il se doutait bien qu'elle essaierait de protester, mais elle avait besoin de quelqu'un et ce quelqu'un, c'était lui.

Fort de cette décision, il la souleva dans ses bras et la porta vers la maison. Il traversa le couloir et le salon avant d'arriver dans sa chambre à coucher. Doucement, il l'allongea sur le lit et tira les couvertures sous elle. Elle ne bougeait toujours pas. Il lui mit un coussin sous la tête et lui enleva ses chaussures. Hors de question qu'il lui enlève ses vêtements aussi, il ne voulait pas qu'elle s'imagine des choses. Elle aurait déjà assez de surprises comme ça à son réveil.

Il remonta les draps sur elle et écarta les mèches de cheveux tombées sur son beau visage avant de se redresser. Pendant un long moment, il resta debout, à côté du lit, à la contempler. C'était une évidence, la place de Kylie était là, avec lui, dans sa maison, dans son lit. Elle l'ignorait encore, mais c'était là qu'elle se sentirait le plus en sécurité. C'était là qu'il pouvait la protéger au mieux de la douleur du passé. Il était prêt à remuer ciel et terre pour elle, pour qu'elle se sente bien.

Mis à part avec son frère, s'était-elle déjà sentie en sécurité avec quelqu'un d'autre ? Elle avait un cercle restreint d'amis qu'elle adorait et qui l'adoraient aussi, mais, avaient-ils eu l'occasion de voir la vraie Kylie, celle qu'elle s'obstinait à cacher ? Leur avait-elle seulement confié ses peurs et ses secrets ?

Tout ce que Jensen savait sur elle, il l'avait appris de la bouche de Dash. Mais il voulait qu'elle se confie à lui d'elle-même ; pas pour alimenter une curiosité morbide, mais pour lui prouver qu'elle pouvait lui faire entièrement confiance. D'ailleurs, elle la lui avait visiblement accordée et sa langue se déliait de façon déconcertante en sa présence. C'était une bonne chose, non ? Seul le temps le lui dirait. Il savait se montrer très patient quand le jeu en valait la chandelle et c'était en partie grâce à cette qualité qu'il avait fini par arriver là où il en était aujourd'hui. Gagner la confiance de Kylie était sans aucun doute le plus gros challenge de toute sa vie.

Il devrait se montrer assez fort pour tous les deux parce qu'elle aurait besoin de s'appuyer sur lui au cours des prochains jours. Et puis, qui sait, peut-être qu'elle parviendrait à faire fuir les démons intérieurs qui l'agitaient, lui. Cette femme était sur le point de transformer sa vie. Pour elle, il était prêt à réprimer son côté dominateur. Il était prêt à s'en remettre à elle, chose qu'il n'avait jamais envisagée avec une autre femme.

Il allait devoir se montrer particulièrement attentif à ses besoins. Tout ceci était nouveau pour elle, mais pour lui aussi. Ça ne serait pas toujours facile, il en était bien conscient. Il avait besoin de toujours, toujours contrôler la situation. Non pas qu'il y prenait plaisir, il avait simplement besoin d'avoir l'ascendant dans tout et à tout moment. Il était comme ça. Mais, pour Kylie, il était prêt à y renoncer tout de suite s'il le fallait.

Jensen se surprenait lui-même en constatant qu'il était prêt à renoncer à une partie de lui-même, qui régissait sa vie en quelque sorte, pour une femme. Parce que, le contrôle avait fini par devenir le maître mot de toute son existence. Mais aucun sacrifice n'était trop grand en amour.

En amour ?

Confus, il secoua la tête. Non, il était encore trop tôt pour parler d'amour. Il n'avait pas encore compris quelle était la véritable nature de ses sentiments pour Kylie. Il ne pouvait même pas dire qu'ils sortaient ensemble. Le seul et unique rencard qu'ils avaient eu s'était soldé par un échec cuisant et lourd de conséquences.

Par contre, il était sûr d'une chose : il n'avait jamais ressenti pour aucune femme ce qu'il ressentait pour Kylie.

—Putain…, murmura-t-il.

Dans quoi s'était-il encore fourré ? Quelque chose lui disait qu'il n'était pas au bout de ses surprises et que la décision qu'il avait prise l'engageait pour le restant de ses jours. Il était prêt à tout risquer, à chambouler sa vie pour Kylie. L'éternelle question revint dans son esprit : en valait-elle vraiment la peine ?

Oui.

Oui, sans aucune hésitation. Pourquoi en était-il aussi sûr ? Il n'en avait aucune idée. Mais il savait qu'il ne pouvait l'abandonner.

Il était coincé, pris entre le marteau et l'enclume. Il se trouvait à un tournant de sa vie. Son futur reposait à présent sur cette femme fragile allongée dans son lit. Et, le pire, c'est qu'elle ne s'en doutait pas le moins du monde. Elle ne se rendait pas compte de l'effet qu'elle lui faisait, de l'emprise qu'elle avait sur lui.

Jensen massa sa nuque crispée. Ayant voulu rentrer le plus vite possible, il avait rapidement expédié son rendez-vous à Dallas et, à présent, la fatigue commençait à se faire sentir. En regardant Kylie, il se dit qu'il n'aurait jamais dû partir, quelle que soit l'importance que ce fichu contrat avait pour la boîte. Elle avait besoin de lui et lui ne s'était pas montré à la hauteur. Il se jura qu'à partir de cet instant, Kylie passerait avant tout le reste parce que, à ses yeux, elle était plus importante que tout.

Chapitre 13

Lentement, Kylie émergea d'un sommeil profond. Elle se sentait différente. Son angoisse avait complètement disparu. Oui, pour une fois, elle se sentait bien. Reposée et en sécurité.

Poussant un petit soupir de satisfaction, elle se pelotonna encore un peu plus dans les bras qui l'enlaçaient.

— Tu es réveillée? entendit-elle dire.

L'esprit encore embrumé, elle ouvrit grand les yeux et croisa un regard chaleureux qui lui était très familier.

Jensen.

Qu'est-ce qu'il faisait là? Que s'était-il passé et, d'ailleurs, où était-elle exactement?

— Pas de panique, mon cœur, murmura-t-il. Je suis là maintenant, tu es en sécurité.

Kylie se détendit quelque peu, mais adressa tout de même un regard interrogateur à Jensen.

—Tu t'es évanouie dans le bureau, lui dit-il. Tu ne t'en souviens pas?

Petit à petit, quelques souvenirs commencèrent à lui revenir à la mémoire. Elle cligna des yeux, se rendant compte qu'ils étaient ensemble… dans le lit. Et que ce n'était pas son lit à elle. Brusquement, elle se redressa et eut un léger vertige.

—Doucement, ne fais pas de mouvements brusques. Doucement… Respire…

—Je vais bien, murmura-t-elle. J'ai les idées un peu confuses. Où suis-je?

—Je t'ai ramenée chez moi. Tu m'as fait une peur bleue, Kylie. Tu étais sur les rotules. Quand as-tu dormi pour la dernière fois? Heureusement que je suis rentré plus tôt que prévu.

Elle balaya la chambre du regard. Le style épuré et masculin de la pièce représentait Jensen à la perfection. Le lit dans lequel ils se trouvaient était immense. D'ailleurs, elle était toujours collée à lui, leurs jambes emmêlées. Machinalement, elle baissa les yeux vers son corps. Dieu soit loué, elle était habillée. Il ne s'était donc rien passé entre eux… Si?

D'un doigt, Jensen lui releva le menton. Son regard était doux et plein de tendresse.

—Il ne s'est rien passé, dit-il comme s'il avait deviné ses doutes. Jamais de la vie je n'aurais profité de toi. Tu t'es évanouie dans ton bureau, je t'ai ramenée ici et je t'ai mise directement au lit. Tu as dormi pendant seize heures.

Seize heures ?!

— Mon Dieu, je devrais être au travail ! s'exclama-t-elle. Quelle heure est-il ?

Aussitôt, Jensen fronça les sourcils et afficha une moue désapprobatrice.

—N'y pense même pas. Le travail peut attendre. Tu ne bougeras pas d'ici durant les prochains jours. Tu vas te reposer, c'est un ordre du patron ! Et non, ce n'est pas négociable.

Kylie se rendait compte qu'il était inutile de protester. Elle le dévisagea avec étonnement. Pourquoi l'avait-il ramenée chez lui ? Elle était pourtant persuadée qu'il ne s'intéresserait plus à elle après tout ce qui s'était passé.

—À quoi tu penses ? s'enquit-il avec une curiosité évidente.

—Je me demande ce que tu fais ici. Ou plutôt, ce que moi je fais ici, chez toi. Tu es toujours là, malgré le désastre de notre premier rendez-vous.

Son regard s'attendrit. Il lui caressa le bras avant de poser la main sur sa hanche.

—Il en faut bien plus pour me décourager. Je ne vais nulle part et toi non plus, d'ailleurs.

—Mais, comment peux-tu vouloir être avec moi après tout ce qui s'est passé ?

—Kylie, pour moi, ce qui s'est passé ne change rien à ce qu'il y a entre nous. Tu ne te débarrasseras pas de moi aussi facilement. Nous sommes faits l'un pour l'autre, je le sais.

Maintenant, il faut juste que toi aussi tu te rendes à cette évidence.

À ces mots, une chaleur se répandit dans tout le corps de Kylie. Elle éprouvait un soulagement immense. À bout de forces, elle se laissa aller contre l'oreiller. Pourquoi était-elle aussi rassurée ? Ne devrait-elle pas plutôt lui faire comprendre qu'il se trompait et qu'il serait bien mieux sans elle ?

L'insistance de Jensen aurait dû la faire fuir, mais, au lieu de ça, elle se sentait apaisée par ses propos.

— Je n'arrête pas de flipper quand je suis avec toi, marmonna-t-elle. Tu dois être masochiste pour vouloir encore de moi.

— Nous traversons cette épreuve ensemble, ma belle, dit-il, un sourire aux lèvres.

Kylie eut l'impression qu'une digue venait de se rompre en elle, laissant libre cours à des sentiments qu'elle se refusait d'éprouver jusqu'à présent : du désir et de l'espoir. Beaucoup d'espoir. Jensen ne renonçait pas à elle. Il allait rester à ses côtés. Il l'avait vue lorsqu'elle était au plus bas et cela ne l'avait pas effrayé. Et, si cela ne l'avait pas effrayé, ça voulait dire qu'il était capable de tout surmonter. À deux, ils pouvaient tout surmonter.

À cet instant précis, Kylie comprit qu'elle avait attendu ce moment avec impatience toute sa vie. Elle s'était attendue à ce que Jensen prenne peur et lui tourne le dos, mais, il était resté auprès d'elle et la contemplait désormais avec des yeux pleins de tendresse.

— Ensemble, pensa-t-elle tout haut.

Le regard de Jensen s'illumina et il fut visiblement rassuré de sa réaction. Pensait-il qu'elle allait le repousser ?

— Tu as faim ? demanda-t-il. Je sais que tu n'as pas dormi depuis plusieurs jours, mais est-ce que tu as au moins pris la peine de te nourrir ?

Elle fronça les sourcils.

— Bon, je prends ça pour un non, marmonna-t-il au bout de quelques secondes. Je vais aller te préparer à manger et toi, pendant ce temps, tu ne bouges pas, compris ? Je t'ai laissé un tee-shirt et un bas de survêtement, mais tu te remets au lit dès que tu t'es changée.

— Oui, chef ! acquiesça-t-elle.

— Voilà ce que je veux entendre, la taquina-t-il en lui ébouriffant les cheveux.

Il se leva et Kylie constata que lui aussi était habillé. Il portait sans doute les vêtements de la veille et elle fut touchée par son tact et sa délicatesse. Il n'avait sans doute pas voulu se changer pour lui prouver sa bonne foi. Cet homme était un saint, en fait. Mais il devrait s'armer de patience avec elle parce qu'elle n'était pas la femme la plus facile à vivre au monde, loin de là.

Elle le suivit du regard puis, quand il disparut derrière la porte, elle reporta son attention sur les vêtements qu'il lui avait laissés. Elle voulut prendre une douche avant de se changer, mais elle n'en avait tout simplement pas la force. Et puis, les ordres de Jensen étaient clairs. Elle devait se changer et se recoucher *illico presto*. Malgré le fait d'avoir dormi plus de seize heures d'affilée, elle était encore fatiguée et l'idée de rester bien au chaud sous les couvertures n'était pas pour lui déplaire. D'autant plus qu'elle allait avoir droit à un petit déjeuner au lit.

Kylie se changea rapidement, ne voulant pas que Jensen la voie nue. Elle jeta ses vêtements dans un coin de la chambre et se remit au lit. Elle était bien plus à l'aise ainsi. Le tee-shirt qu'il lui avait laissé était imprégné de son parfum viril. Elle avait presque l'impression qu'il la tenait serrée dans ses bras, même si rien ne pouvait égaler ce qu'elle ressentait lorsqu'elle était blottie contre lui.

Elle remonta les draps sur elle et huma profondément l'odeur de Jensen. Dieu que ça sentait bon ! Elle tendit l'oreille pour s'assurer qu'il était toujours dans la cuisine, puis, rapidement, elle échangea leurs oreillers. C'était sans doute stupide, mais elle voulait se noyer dans son odeur enivrante et rassurante. Une fois qu'elle fut confortablement allongée, elle ferma les yeux et se laissa aller au plaisir qui la submergeait. Jensen mettait ses sens en émoi.

Au bout de quelques instants, Kylie entendit un bruit et ouvrit les yeux. Jensen était de retour, tenant un grand plateau dans les mains. Ajustant son oreiller, elle se redressa et il installa le plateau devant elle. Il lui avait préparé des gaufres au bacon.

—Ça a l'air très appétissant, s'extasia-t-elle. Merci.

Jensen s'installa à côté d'elle, leurs épaules se touchant.

—Allez, attaque. Il ne doit rien rester dans l'assiette.

Elle sourit et coupa un morceau de la gaufre.

—Avoue que tu aimes bien me commander comme ça, dit-elle entre deux bouchés. C'est ton côté dominateur, je parie.

Il lui adressa un regard surpris et Kylie ne comprit pas tout de suite pourquoi. Puis, elle s'aperçut que jamais elle n'aurait dit une chose pareille si ça avait été quelqu'un d'autre. Mais, avec Jensen, c'était différent, elle se sentait vraiment à l'aise et avait l'impression de pouvoir tout lui dire.

Quelques jours auparavant, une telle pensée l'aurait certainement affolée. Mais, au fond d'elle, Kylie savait que Jensen ne lui ferait pas le moindre mal. Elle se trompait peut-être, néanmoins, jamais elle ne s'était sentie aussi en sécurité avec quelqu'un. Il avait déjà eu plus d'une occasion de l'achever, la briser en mille morceaux, mais non. Il la traitait comme si elle était un objet rare qu'il craignait de casser. Elle ignorait encore pourquoi il lui accordait tant d'attention, mais elle dut admettre que c'était fort agréable de se sentir aussi appréciée.

—Lorsqu'il s'agit de nous deux, tu te rendras très rapidement compte que c'est toi qui as tous les pouvoirs et que moi je n'en ai aucun, dit-il d'un ton sérieux.

La bouchée qu'elle était en train d'avaler resta coincée dans sa gorge et elle dut faire un effort pour déglutir. Que voulait-il dire exactement? Jensen respirait l'autorité et il lui semblait inconcevable qu'il puisse céder le pouvoir à quiconque.

— Je ne comprends pas ce que tu veux dire par là.

Il l'observait attentivement et elle se sentit fondre sous l'intensité de son regard.

— Ça veut dire qu'à partir de maintenant, c'est toi qui décides de la suite des événements, ma belle. Ça veut dire que, quand tu te sentiras prête à faire l'amour, c'est toi qui auras le contrôle absolu de la situation et c'est moi qui serai à ta merci. Avec toi, je mets ma nature dominante en veilleuse. En somme, je suis à tes pieds.

Je n'en reviens pas.

Qu'était-elle censée répondre à ça ? L'émotion lui noua la gorge et elle eut soudain envie de pleurer, non pas de tristesse mais de joie. Jensen était vraiment prêt à tout pour la mettre à l'aise et gagner sa confiance. Ce n'était pas le genre d'homme à faire des concessions et pourtant, pour elle, il était prêt à renoncer au contrôle, à une partie de lui.

Kylie n'était pas habituée à ce que l'on fasse tant d'efforts pour elle ; elle ne méritait pas tant d'attention. Les paroles de Jensen venaient de renverser, une à une, les barrières qu'elle avait dressées entre eux. Elle ne pouvait pas rester de marbre face à une telle générosité.

— Je ne sais pas quoi dire, balbutia-t-elle.

— Commence par dire que tu acceptes de rester ici, avec moi, pendant quelques jours. Laisse-moi prendre soin de toi, donne-moi une chance de gagner ta confiance.

— Et quoi d'autre ?

— Je veux que tu nous donnes une chance, Kylie.

—Mais, y a-t-il vraiment un « nous » ?

—Oui, moi j'y crois en tout cas. Et tu dois y croire aussi parce que si tu y crois même un tout petit peu, c'est déjà un grand pas en avant.

Kylie retint son souffle. Avait-elle le courage de se lancer corps et âme dans cette aventure ? La réponse lui parut évidente.

—Oui, c'est d'accord, dit-elle sans se laisser le temps de changer d'avis.

Il cligna plusieurs fois des yeux.

—« Oui, c'est d'accord » quoi ? Sois un peu plus précise, ma belle, parce que tout ceci est très important pour moi et je veux être sûr qu'on est sur la même longueur d'onde.

Elle prit une profonde inspiration, sentant son courage la déserter lentement, mais sûrement.

—Oui, c'est d'accord, je reste ici avec toi. Oui, c'est d'accord, je veux bien nous donner une chance.

Le soulagement qu'elle lut dans les yeux de Jensen la laissa sans voix. Elle ne pensait pas qu'il tenait tellement à elle, à eux. Dire qu'il y avait encore quelques jours, elle pouvait à peine le supporter et, à présent, ils étaient pratiquement en couple, même si elle avait encore du mal à s'imaginer avec lui parce qu'elle ne parvenait pas à chasser le souvenir de leur premier rencard désastreux.

Jensen prit son visage dans ses mains et tourna lentement sa tête vers lui. Il lui caressa les joues de ses pouces puis se pencha vers elle et l'embrassa tendrement. Quand elle sentit sa langue glisser sur ses lèvres, un feu se propagea dans ses veines. Son corps avait envie de lui, son cœur avait envie de lui. Si seulement son esprit pouvait s'aligner sur sa volonté, si seulement elle pouvait arrêter d'avoir peur d'aller de l'avant.

Peut-être qu'elle avait vraiment besoin d'aller voir un psy, après tout. Elle n'y voyait aucun intérêt jusqu'à présent, mais là, les choses étaient différentes. Elle n'était plus seule, elle avait Jensen. Il lui avait redonné de l'espoir en l'avenir, il lui avait fait prendre conscience qu'elle pouvait être heureuse et que la vie avait encore beaucoup à lui offrir.

— Tu as dit que, quand je me sentirai prête à faire l'amour, ce serait moi qui aurai le contrôle absolu de la situation tandis que toi, tu serais à ma merci. Tu voulais dire quoi par là, exactement ?

Il lui repoussa quelques mèches de cheveux qui tombaient devant ses yeux et caressa de nouveau son visage.

— Ça veut dire que, le moment venu, je m'en remettrai entièrement à ta volonté afin que tu te sentes totalement en sécurité. Je ferai tout ce qui est en mon pouvoir pour t'aider à vaincre tes peurs. Et je veux que tu saches que mon but n'est pas de te mettre la pression en te disant tout cela, ça arrivera quand ça arrivera. On a tout le temps devant nous.

— Es-tu prêt à attendre ?

Le doute dans sa voix était bien palpable, ce qui voulait dire que Jensen l'avait sûrement perçu, lui aussi. C'était plus fort qu'elle. Allait-il l'interpréter comme un manque de confiance de sa part ? Visiblement non, car son regard se fit encore plus tendre.

—Pour la bonne personne, je suis prêt à attendre le temps qu'il faut, l'éternité même, répondit-il.

Ses mots résonnaient comme un serment. Il n'y avait aucune hésitation dans sa voix et il semblait tellement sûr de lui.

—J'ai du mal à comprendre, vraiment…, murmura-t-elle en secouant la tête. Je me suis comportée comme une garce envers toi et pourtant, tu es toujours là.

Il lui sourit et pressa lentement la paume de sa main contre son cœur.

—Parce que je suis allé au-delà des apparences et que j'ai vu la vraie toi, celle que tu cachais derrière une façade rigide. Tu as peut-être réussi à leurrer les autres, ou bien alors ils n'ont pas pris le temps de mieux te connaître, mais pas moi.

—Je t'aime bien, admit-elle. Je t'aime beaucoup, en fait. Tu crois que je n'ai pas confiance en toi, mais ce n'est pas vrai. J'ai confiance en toi, Jensen, et je ne sais pas pourquoi, mais je me sens en sécurité à tes côtés. Je t'ai même confié des choses que je n'avais racontées à personne d'autre.

—Tu n'as rien à craindre avec moi, ma belle, déclara-t-il, son sourire s'élargissant. Je serai toujours là pour toi et je ferai tout mon possible pour te protéger, que ce soit émotionnellement ou physiquement. Toujours. Et je suis ému d'apprendre que tu me fais confiance. Tu ne sais pas ce que cela signifie pour moi. Jamais je ne te trahirai. Jamais.

Kylie poussa un petit soupir de bien-être et se laissa aller contre son oreiller sans détacher son regard du sien. Elle était perdue dans ses yeux pleins de tendresse. Jensen était devenu un élément indispensable à sa vie, son confident, son soutien le plus fidèle.

—Tu m'as manqué, s'entendit-elle dire. Je comptais les heures et les minutes jusqu'à ton retour de Dallas. Tu avais raison, je n'ai pas fermé l'œil depuis cette terrible soirée. J'avais trop peur de m'endormir et de faire des cauchemars parce que tu n'étais pas là pour me réconforter.

Jensen prit le plateau et le posa au pied du lit puis se retourna de nouveau vers elle et l'attira dans ses bras. Kylie se blottit contre lui et posa la tête sur son épaule.

—Je n'aurais jamais dû te laisser toute seule, dit-il après un moment de silence. Je suis désolé de ne pas avoir été là pour toi, mais tu as ma parole que ça ne se reproduira plus. Tu passes avant tout le reste. Toi aussi, tu m'as tellement manqué. Je n'avais qu'une hâte : revenir le plus vite possible pour te retrouver. Pour la première fois de ma vie, j'avais de quoi me réjouir en rentrant, c'était une sensation très agréable. Mais, quand je t'ai vue aussi pâle et fatiguée… On peut dire que tu m'as fait une belle frayeur, Kylie.

—Je suis désolée, marmonna-t-elle. Je ne suis pas facile à vivre, je le sais. Mais, je veux que ça change. Grâce à toi, je sais que je peux changer, j'ai envie de changer. Maintenant que tu es là, je sais que je peux m'en sortir, que je peux me délivrer des chaînes du passé. Cela dit, je suis à la fois excitée et terrifiée par ces changements qui s'annoncent dans ma vie et, comme tu as pu le constater, je ne réagis pas toujours très bien quand je sors des sentiers battus.

—On est pareils, toi et moi. Je te comprends bien mieux que tu ne le penses et, toi aussi, tu apprendras à me comprendre, avec le temps.

—J'en ai tellement envie, Jensen. Vraiment.

Sur ces mots, elle tourna la tête pour le regarder.

—Tu as dit que toi aussi tu avais tes démons intérieurs, hasarda-t-elle. Est-ce que tu m'en parleras un jour ?

Il lui prit la main et lui embrassa les doigts.

—Un jour, oui. Pas maintenant. Je ne veux pas gâcher ce moment. On est bien, là, tous les deux, toi dans mes bras.

Kylie n'insista pas, consciente du fait que, s'il lui parlait de ses démons, elle aussi serait obligée de lui en dire un peu plus sur les siens. Pour une fois, elle préféra oublier les soucis et profiter de l'instant présent. Elle nicha la tête au creux de son épaule et bâilla.

—Repose-toi, ma puce, dit-il tout en lui caressant doucement les cheveux. Tu as des heures de sommeil à rattraper. Je te réveillerai à l'heure du déjeuner et, ce soir, on restera à la maison. Je nous ferai à manger et on se matera un film si tu veux. Mais, pour l'instant, je veux que tu te reposes.

—Jensen, je pourrais facilement tomber amoureuse de toi, tu sais, avoua-t-elle du bout des lèvres. Ça me fait peur parce que ça me met dans une position vulnérable et je n'aime pas ça.

Il lui embrassa les cheveux.

—C'est normal, chuchota-t-il. Une fois que tu auras appris à me faire confiance, le reste suivra naturellement. Le fait que tu puisses t'attacher à moi et éprouver des sentiments à mon égard ne t'effraiera plus parce que tu sauras avec certitude que jamais je ne ferai quoi que ce soit qui puisse te blesser ou te rendre malheureuse.

Rassurée par ces propos, Kylie ne tarda pas à s'endormir.

Chapitre 14

L<small>E LUNDI MATIN</small>, K<small>YLIE REGARDA</small> J<small>ENSEN SE PRÉPARER</small> pour aller au travail, essayant de faire abstraction de la sensation désagréable qui l'envahissait. Pourtant, les quatre derniers jours avaient sans doute été les plus beaux de toute sa vie et c'était peu dire. Après avoir passé tout ce temps avec Jensen, elle avait fini par se rendre compte que la vie qu'elle menait jusqu'à présent n'était pas une vie, mais une existence, tout au plus. Elle s'était condamnée à vivre au jour le jour, sans prendre de risques et sans penser à l'avenir.

Durant ces derniers jours, Kylie n'avait pas eu une seule crise d'angoisse ou attaque de panique. En même temps, elle devait avouer que c'était en grande partie grâce à l'attitude que Jensen avait adoptée face à elle. À aucun moment il ne s'était montré pressant ou insistant avec elle. Il avait respecté son intimité et son espace personnel et n'était pas allé au-delà de quelques chastes baisers. En revanche, il n'avait pas manqué une seule occasion de la prendre dans ses bras pour lui faire des câlins et elle avait adoré ça.

Elle qui avait cruellement manqué d'affection ne semblait plus pouvoir s'en passer à présent. C'était une sensation des plus agréables. Certes, ses copines étaient toujours très affables avec elle aussi, mais ce n'était pas la même chose. Et puis, tout comme avec Tate et Dash, d'ailleurs, elle avait l'impression qu'une limite invisible, une limite que tous prenaient apparemment grand soin à ne pas franchir, définissait leurs rapports. Elle était assez intelligente pour deviner que cette limite n'était autre que son passé.

En tout cas, depuis qu'elle était chez Jensen, aucun cauchemar n'était venu perturber ses nuits. Tous les soirs, elle s'endormait paisiblement dans ses bras ce qui était un signe révélateur de son état d'esprit. Il ne faisait plus aucun doute que Jensen et elle avaient une histoire à vivre ensemble. Elle lui faisait entièrement confiance et ne se sentait plus du tout vulnérable. Avec lui, elle se sentait parfaitement à l'aise. Pour la toute première fois de sa vie, elle se sentait en accord avec elle-même.

Cependant, malgré tout ça, la sensation désagréable qui l'habitait depuis son réveil ne voulait pas la quitter. Elle était persuadée qu'elle retournerait au bureau avec Jensen ce matin-là, mais ce dernier lui avait rapidement fait comprendre qu'il en était hors de question. Elle avait eu beau insister, en vain. Dash était censé reprendre le travail le jour même et c'était sans doute ce qui l'ennuyait le plus dans toute cette histoire. Elle savait que Jensen et lui s'étaient parlé au téléphone la veille et qu'ils avaient convenu d'un rendez-vous à la première heure ce matin-là pour faire le point sur ce qui s'était passé en l'absence de Dash. Donc, forcément, ils allaient aussi parler d'elle, c'était inévitable.

Kylie ne savait pas trop quelle réaction tout ça provoquait en elle. Elle ne savait pas si elle devait se sentir exclue ou pas. Les deux hommes allaient tout de même discuter d'elle et de son travail. D'un autre côté, Jensen lui avait demandé de lui faire confiance à ce sujet, de rester chez lui et d'attendre son retour. Et, après tout ce qu'il avait fait pour elle, elle lui devait au moins ça. Mais, c'était plus fort qu'elle, elle était tout de même anxieuse à l'idée d'être au centre de leur conversation. Cependant, Jensen lui avait promis de tout lui raconter dès son retour. Il lui avait même proposé de dîner dehors pour enfin passer le cap du premier rencard. Cette fois-ci, elle se sentait nettement plus confiante que la dernière fois, ce qui était bon signe. Ils passeraient une bonne soirée, du moins essayait-elle de s'en persuader parce que, même si elle avait confiance en Jensen, elle n'avait pas encore appris à avoir confiance en elle et en ses réactions imprévisibles. Mais, ça viendrait, elle en était sûre.

Jensen finit de nouer sa cravate puis se tourna vers elle et s'avança vers le lit où elle était encore allongée. Elle pourrait rapidement s'habituer à cette intimité qu'ils partageaient. D'ailleurs, quand ils étaient allés chez elle ce week-end pour qu'elle puisse récupérer quelques affaires, Jensen avait insisté pour qu'elle prenne bien plus que prévu. Manifestement, il tenait à ce qu'elle reste chez lui encore un moment et Kylie avait été surprise de constater que son premier réflexe n'avait pas été de paniquer ou de fuir à toutes jambes. Pour son plus grand bonheur, elle avait réussi à établir un lien de confiance avec lui.

Il s'assit à côté d'elle et l'attira contre lui. Il lui embrassa tendrement le front puis encadra son visage entre ses deux mains. C'était quelque chose qu'il faisait fréquemment, une démonstration d'affection habituelle chez lui et qu'elle aimait bien.

— Je sais que je t'en demande beaucoup, dit-il d'un air sérieux. Et je sais que ça ne doit pas être facile pour toi, mais tu dois me faire confiance. Je pense qu'il est mieux que je parle avec Dash seul à seul. Il y a plein de choses que je voudrais lui dire et puis, il est encore trop tôt pour que tu retournes au bureau. Même si tu as quand même repris du poil de la bête, je te trouve une petite mine pâlotte et tu as toujours les yeux cernés.

— Eh bien, tu sais parler aux femmes, toi. Merci, je me sens mieux maintenant.

— Petite maligne, va ! s'esclaffa-t-il. Écoute, je ne veux pas que tu prennes mal le fait que je préfère voir Dash seul. J'ai promis de te protéger et c'est exactement ce que je fais. Fais-moi confiance, OK ?

Elle acquiesça de la tête.

—Je te raconterai tout ce soir, promis, poursuivit-il. Quant à toi, je veux que tu te détendes. Tu pourrais faire un truc avec Chessy et Joss peut-être. Tiens, je parie que Joss est déjà au courant de tout ce qui s'est passé pendant qu'elle était absente et je suis sûr que les deux n'attendent qu'une chose : te tomber dessus pour connaître la suite. Je ne les connais pas très bien encore, mais je sais qu'elles sont très protectrices vis-à-vis de toi, tout comme toi tu l'es vis-à-vis d'elles. Tu auras sans doute droit à un interrogatoire des plus approfondis à mon sujet.

Il ponctua sa dernière phrase d'un sourire presque insolent, comme s'il était certain qu'elle ne tarirait pas d'éloges sur lui. Et il n'avait pas tort de penser ça, elle n'avait strictement rien à lui reprocher. En revanche, elle n'était pas certaine de vouloir tout raconter à ses copines, non plus. Il y avait des choses qu'elle préférait encore jalousement garder pour elle.

—Tu penses que Dash réagira comment en apprenant les décisions que tu as prises pendant son absence ? demanda-t-elle nerveusement. Je ne veux pas que tu mettes ton travail et votre collaboration en péril, surtout pas à cause de moi parce que…

Doucement, il posa un doigt sur ses lèvres pour la faire taire puis l'embrassa avec une tendresse infinie.

—Ne t'inquiète pas pour ça. Dash est quelqu'un de raisonnable et intelligent. Je vais lui exposer les faits et il n'aura pas d'autre choix que d'être de mon avis. Il sait que tu es un atout pour la société et il ne contestera pas tes capacités professionnelles. Tu auras une augmentation, ça, c'est certain, et, très prochainement, une promotion aussi. Et ne pense pas que je suis en train de te faire une fleur parce que ce n'est pas le cas. Tu mérites tout ça, ma belle, tu le mérites amplement. En plus, tu sais que je ne mêle jamais ma vie privée et ma vie professionnelle. Ce qui se passe entre nous n'a rien à voir avec le travail.

Rassurée par son explication, Kylie opina de nouveau.

— Préviens-moi si tu sors, d'accord ? Non pas que je veuille surveiller tes allées et venues, je veux juste être sûr que tout va bien. Et, si tu as le moindre souci, tu m'appelles, hein ?

— Oui, promis, répliqua-t-elle, ravie de le voir s'inquiéter ainsi pour elle.

Avant de se lever, il l'embrassa encore une fois.

— Ça m'embête de devoir te laisser seule, dit-il, une expression triste sur son visage. Ces quelques derniers jours ont été magnifiques, mais il est temps de revenir à la réalité. Je ne rentrerai pas tard ce soir et je te préviendrai si j'ai un contretemps de dernière minute. Fais-toi belle pour ce soir, je t'emmène dans un endroit sympa.

— Génial, j'ai hâte.

Il lui caressa la joue puis s'en alla.

Kylie demeura immobile un moment, enveloppée par un silence pesant. Jensen venait de partir et pourtant, il lui manquait déjà. Normal, ils avaient passé plus de quatre-vingt-seize heures d'affilée ensemble. Ils avaient même dormi ensemble, elle en pyjama et lui en boxer et tee-shirt.

Elle sourit à cette pensée. Jensen la traitait vraiment avec délicatesse, un vrai gentleman. À aucun moment elle ne s'était sentie mal à l'aise à l'idée de partager son lit. Le jour où il l'avait ramenée chez lui, elle lui avait dit qu'elle pouvait facilement tomber amoureuse de lui et elle avait peur que ce fût déjà fait. Mais, était-ce de l'amour ou de la dépendance affective ? Les deux, peut-être ? Elle n'en avait aucune idée. Tout ça était nouveau pour elle.

Quoi qu'il en soit, si être amoureuse voulait dire être heureuse de la présence de l'autre, et vouloir passer un maximum de temps en sa compagnie, alors, oui, elle était bel et bien amoureuse de Jensen. À présent, il fallait juste que sa tête se fasse à cette idée. Sa raison et son instinct de préservation ne devaient plus avoir le monopole de sa vie. Il était temps de devenir une personne normale.

Peut-être qu'elle devrait appeler Chessy et Joss au lieu d'attendre que l'une d'elles lui tombe dessus ? Oui, peut-être même qu'elle leur raconterait les événements de ces derniers jours. Ce serait un grand pas en avant pour elle. Oui, la nouvelle Kylie s'ouvrirait un peu plus à ses amies. Si elles pouvaient le faire, la nouvelle Kylie en était capable, elle aussi.

Forte de ces nouvelles résolutions, la jeune femme se leva et alla chercher son téléphone portable. Elle pourrait leur envoyer un message en leur proposant de déjeuner toutes ensemble. Oui, ça lui semblait une bonne idée. Novice dans ce genre de situations, elle mit cinq bonnes minutes pour composer le message et cinq autres pour trouver le courage de l'envoyer.

En attendant une réponse de leur part, elle décida de prendre une douche et de s'habiller. Comme ça, elle serait déjà prête au cas où ses amies seraient libres ce midi. Sinon, elle pourrait aller faire quelques courses. Jensen l'emmenait dîner dehors le soir même, mais cela ne l'empêchait pas de remplir le frigo pour les jours à venir, d'autant plus qu'elle était certaine de rester chez Jensen un certain temps. Et puis, en toute honnêteté, elle n'était pas pressée de retourner chez elle. Elle passait de très bons moments en compagnie de Jensen et ne voulait pas tout gâcher en abordant le sujet de son retour chez elle. Ça pouvait attendre. Elle avait déjà fait tellement de progrès qu'il serait dommage de s'arrêter en si bon chemin.

Elle pourrait préparer le dîner demain soir. Oui, si elle devait encore rester à la maison, elle pourrait lui cuisiner un bon petit plat et lui faire la surprise. Et puis, même si elle allait au travail, elle pourrait préparer le dîner à leur retour.

Elle se déshabilla puis rentra dans la douche. Tournant le robinet, elle s'étonna d'avoir été capable de lâcher prise et de laisser Jensen entrer dans sa vie. Et elle s'étonna encore plus de ne pas être terrifiée par cette idée. Il fallait croire qu'elle progressait rapidement. Son histoire avec Jensen était encore toute neuve, mais ils avaient quand même atteint une nouvelle étape dans leur relation. Certes, ils n'avaient pas encore fait l'amour, mais ils partageaient néanmoins un certain degré d'intimité. Le lien émotionnel qu'ils avaient établi était déjà puissant et très intime pour elle. Cela dit, un rapprochement physique y changerait-il quelque chose? Renforcerait-il encore leur relation?

« Quand tu te sentiras prête à faire l'amour, c'est toi qui auras le contrôle absolu de la situation et c'est moi qui serai à ta merci », tels avaient été les mots de Jensen et elle avait encore du mal à comprendre tous les sous-entendus de cette phrase. Se sentirait-elle plus à l'aise le moment venu? Serait-elle capable d'éviter une nouvelle crise d'hystérie?

Elle avait encore du mal à imaginer comment se passeraient les choses et décida qu'elle en parlerait avec Jensen. Bientôt. Très bientôt. Elle avait envie de lui, elle avait envie d'essayer, mais elle avait envie de faire les choses bien pour éviter de reproduire les mêmes erreurs. Il était hors de question qu'elle déraille une fois de plus dans un moment aussi délicat. Jensen s'était montré très compréhensif la première fois, mais sa patience avait des limites et, cette fois-ci, elle ne voulait pas lui donner de faux espoirs.

Elle demanderait conseil à Chessy et Joss, peut-être qu'elles pourraient l'aider à ce sujet. Voilà qui était aussi surprenant que révélateur! Elle comptait demander à ses amies un conseil à propos d'un homme. Et de la perspective de faire l'amour avec lui! C'était sûr, Chessy et Joss n'en reviendraient pas!

Quand elle sortit de la douche, Kylie vit qu'elle avait deux messages sur son téléphone. Chessy et Joss étaient toutes les deux disponibles et proposaient de se retrouver à midi au *Lux Café*. Le sourire aux lèvres, elle s'empressa de leur répondre. Elle avait de la chance d'avoir des amies aussi fantastiques, même si elle savait qu'elles voulaient sans doute également satisfaire leur curiosité. Chessy avait certainement dû appeler Joss et la briefer à la minute où celle-ci avait atterri à l'aéroport et Dieu seul savait ce qu'elle avait bien pu lui dire.

Elle noua la serviette de bain autour d'elle et fit le tour de la maison, désireuse d'en apprendre un peu plus sur la personnalité et les goûts de Jensen, après quoi elle retourna dans la chambre et enfila un jean et un tee-shirt. Elle prit ensuite son téléphone et rédigea un message pour Jensen.

Je déjeune avec les filles. Je t'enverrai un SMS pour te dire quand je serai de retour à la maison.

Elle appuya sur la touche « Envoyer », puis se relut. Mince, elle n'aurait peut-être pas dû mettre « à la maison ». En proie au doute, elle se mordit la lèvre inférieure. Elle prenait ses aises comme si elle était chez elle. Quoi qu'il en soit, il était trop tard à présent, le message était parti.

Le signal annonçant l'arrivée d'un SMS retentit aussitôt et elle afficha la réponse de Jensen sur l'écran.

OK, amuse-toi bien et fais attention à toi. Appelle si tu as besoin de quoi que ce soit.

Un sourire béat se dessina sur ses lèvres. Elle était profondément touchée par l'inquiétude que Jensen semblait avoir pour elle. Elle était rassurée de savoir qu'elle pouvait l'appeler à n'importe quel moment et qu'il n'hésiterait pas une seconde à laisser tomber ce qu'il était en train de faire pour venir la rejoindre en cas de besoin.

Elle sortit de la maison et un sentiment de tristesse s'empara d'elle lorsqu'elle s'installa au volant de sa voiture, cadeau de Carson pour ses vingt et un ans. Son frère lui manquait terriblement. Kylie se sentait perdue sans lui parce qu'il avait toujours été là pour elle, les horreurs qu'ils avaient traversées les avaient unis à jamais. Elle essaya de chasser ces tristes souvenirs de son esprit et démarra.

Comme elle l'avait prédit, Chessy était déjà arrivée et Joss était, bien évidemment, en retard. D'ailleurs, Kylie et Chessy ne manquaient pas une occasion de taquiner leur amie à ce sujet. C'était là son seul défaut parce que Joss était la personne la plus gentille et chaleureuse que Kylie ait jamais connue. Elle aimait tout le monde et avait toujours un mot gentil pour chacun. Dash avait eu beaucoup de chance qu'elle lui pardonne son comportement puéril. Sa stupidité avait bien failli lui coûter sa relation avec elle.

Kylie s'avança vers Chessy, qui attendait devant le *Lux Café*.

— Hey, comment ça va toi ? s'enquit Chessy en la voyant. Tu as meilleure mine que la dernière fois.

— Ça va beaucoup mieux. On rentre s'installer en attendant Joss ? J'attends qu'elle arrive et je vous raconterai tout.

Chessy leva un sourcil interrogateur, manifestement étonnée. Si seulement elle savait ! Elle et Joss n'étaient pas au bout de leurs surprises avec la nouvelle Kylie. Grâce à Jensen, elle avait tourné une nouvelle page de sa vie.

Elles entrèrent dans le restaurant et s'installèrent dans leur box préféré. Elles étaient en train de discuter d'un sujet sans importance lorsque Joss, la respiration haletante, vint se glisser sur la banquette à côté de Chessy.

—Désolée les filles! s'exclama-t-elle. J'ai perdu la notion du temps depuis que je suis rentrée. Deux semaines de farniente, ça vous lave le cerveau!

Kylie et Chessy échangèrent un sourire. Les yeux pétillants, Joss avait l'air plus radieuse que jamais. Il était évident qu'elle nageait dans le bonheur.

—Inutile de te demander comment s'est passée ta lune de miel, fit remarquer Kylie, la réponse se lit sur ton visage.

Joss s'empourpra à ces mots, et esquissa un sourire malicieux.

—C'était… bien, déclara-t-elle.

—«Bien»?! C'est l'euphémisme du siècle! s'esclaffa Chessy en levant les yeux au ciel.

Joss sourit avant de se pencher vers Kylie.

—Et toi, comment tu vas, ma chérie? lui demanda-t-elle avec un air inquiet. Chessy m'a raconté ce qui s'est passé. Ça va mieux?

Kylie acquiesça de la tête. Elle ne s'était donc pas trompée : Chessy lui avait raconté son histoire avec Jensen. Mais, étrangement, cette pensée ne la dérangea pas plus que ça.

—Bon, j'ai besoin d'un… conseil, dit-elle du bout des lèvres, se sentant à la fois stupide et mal à l'aise.

Ses deux amies échangèrent un regard surpris avant de reporter toute leur attention sur elle.

—Ça concerne Jensen, lâcha-t-elle avant que son courage ne la déserte complètement.

Joss se redressa et ouvrit grand les yeux, ce qui surprit Kylie. Pourquoi semblait-elle si étonnée? Chessy lui avait pourtant raconté ce qui s'était passé. À moins qu'elle ne lui ait raconté que les grandes lignes de l'histoire, lui laissant ainsi le soin d'exposer elle-même la situation en détail, si et quand elle en aurait envie.

Kylie regarda Chessy, la remerciant silencieusement pour son tact, et son amie lui fit un clin d'œil.

—Disons que… Nous sortons ensemble, marmonna-t-elle après s'être éclairci la gorge.

—Mais c'est génial, Kylie! s'écria Joss. Il s'en est passé des choses pendant que je n'étais pas là, dis donc. Tu es contente? Tu l'aimes bien? Je veux tout savoir!

—C'est très compliqué, répondit Kylie. Très, très compliqué. Et, étant donné votre… style de vie, je pensais que vous pourriez peut-être m'aider à y voir un peu plus clair.

—Donc, tu sais que Jensen est un dominant, murmura Joss.

—Oui, et c'est là que les choses se compliquent. Il m'a juré que, pour moi, il était prêt à renoncer à cette partie de lui-même et que, quand je me sentirai prête à faire l'amour avec lui, c'est moi qui aurai le contrôle absolu de la situation parce qu'il veut que je me sente complètement à l'aise.

—Waouh! s'exclama Chessy. C'est énorme, Kylie, c'est…
Waouh…

À côté d'elle, Joss hocha énergiquement la tête, partageant l'avis de Chessy.

—Vraiment, Kylie, dit Joss, ce n'est pas anodin. Les hommes comme lui ne renoncent pas au contrôle juste comme ça. Franchement, sa démarche en dit long sur ce qu'il ressent pour toi.

Kylie était à la fois ravie et rassurée d'entendre ça. Elle savait déjà que ce que lui avait promis Jensen impliquait un grand sacrifice de sa part, mais elle avait besoin d'une confirmation. Chessy et Joss étaient toutes les deux mariées à des hommes avec lesquels elles entretenaient une relation dominant-soumise, elles étaient donc les mieux placées pour l'aider à comprendre certaines choses.

—J'ai fait une crise d'angoisse lors de notre premier rencard, avoua-t-elle. On était en train de s'embrasser sur le canapé et, à un moment, j'ai déraillé. Jensen était très inquiet et moi, j'avais juste envie qu'il s'en aille. Il refusait de partir au début, mais il a fini par céder parce qu'il a dû voir que sa présence ne faisait qu'empirer les choses. En partant, il a quand même prévenu Chessy de ce qui s'est passé parce qu'il ne voulait pas que je reste seule.

—C'est quelqu'un de bien, fit remarquer Joss. Et je crois qu'il tient énormément à toi.

—Je l'espère. Moi aussi je tiens beaucoup à lui. Je suis peut-être même déjà amoureuse de lui, je ne sais pas.

Tout est tellement confus dans ma tête. Le lendemain de notre rencard, il a dû s'absenter pour affaires et je n'ai pas fermé l'œil pendant les trois jours où il n'était pas là, je ne me sentais pas en sécurité. Je déteste ce sentiment de dépendance, ça m'effraie. Quoi qu'il en soit, il est rentré plus tôt et, quand il est venu dans mon bureau, je suis tombée dans les pommes. Lorsque je me suis réveillée, j'étais chez lui et il a insisté pour que j'y reste. Je ne suis pas allée au travail depuis mercredi dernier.

—Ah, il n'a donc pas mis son ego de mâle dominant complètement en sourdine, commenta Chessy, visiblement amusée par ce que Kylie venait de dire.

—Franchement, jamais je n'aurais cru dire ça, mais j'aime bien cet aspect de sa personnalité, admit Kylie. Il est arrogant et autoritaire, mais, quand il est avec moi, il devient doux comme un agneau. Il me touche au plus profond de moi et me donne envie d'aller de l'avant.

Joss tendit la main par-dessus la table et prit la sienne.

—Alors fonce, ma chérie, fonce! dit-elle en lui serrant la main. Donne-lui une chance. Si tout ce qu'il t'a dit est vrai, alors il en vaut vraiment la peine. Je pense qu'avant toi, l'idée de s'en remettre entre les mains d'une femme ne lui avait jamais traversé l'esprit. Tu dois vraiment beaucoup compter pour lui.

—J'espérais que tu dirais ça, avoua timidement Kylie. Je n'ai aucune expérience en matière de relations et encore moins celles de type dominant-dominée. Et lui, c'est un dominant, aucun doute là-dessus. Jusqu'à présent, il n'a fréquenté que des femmes soumises. Par contre, il ne veut pas que je me soumette physiquement à lui, il veut une soumission émotionnelle. Il m'a promis qu'il n'utiliserait aucun équipement et accessoire BDSM. Tout ce qu'il veut, c'est que je m'investisse émotionnellement sans retenue et je vous avoue que ça me fait peur, ça me paraît plus intime que l'acte physique en lui-même.

— En effet, tu seras sans doute dans une position plus vulnérable, dit Chessy. À toi de voir si ça en vaut la peine, s'il en vaut la peine. Pour lui, il n'y a aucun doute apparemment puisqu'il est prêt à faire un sacrifice pour toi.

— C'est un immense sacrifice, je suis bien placée pour le savoir, fit remarquer Joss à mi-voix. Moi aussi j'ai dû renier une partie de moi-même pour Carson. Je savais que jamais il ne serait en mesure de se montrer dominant avec moi. Je l'aimais de tout mon cœur et ça ne me dérangeait pas le moins du monde, même si je dois reconnaître que j'avais toujours l'impression de me sentir incomplète. La soumission est importante pour moi dans ma vie de couple, j'en ai besoin pour fonctionner.

Kylie demeura silencieuse, réfléchissant à tout ce qu'elle venait d'apprendre. À en croire Chessy et Joss, ce que Jensen était prêt à faire pour elle était vraiment incroyable. Certes, elle le savait déjà, mais elle avait envie de l'entendre de la bouche de ses amies aussi.

— Je veux lui donner une chance, murmura-t-elle après quelques instants de réflexion. Je veux nous donner une chance. Je n'ai jamais autant voulu quelque chose avant ça. Je veux ce qu'ont les autres femmes : une vie normale avec un mec qui les aime et qu'elles aiment. J'ai besoin d'un homme qui ne sera pas effrayé et dégoûté par mon passé, qui sera là pour moi et avec lequel je me sentirai en sécurité. Eh oui, Jensen correspond à ce profil à cent pour cent.

— Eh bien alors dans ce cas, qu'est-ce que tu attends, ma belle ? s'enquit Chessy avec une pointe de défi dans la voix. Avant que tu ne dises quoi que ce soit, non, je ne suis pas en train de t'inciter à coucher avec lui, je sais qu'il est encore trop tôt pour ça. Mais je crois que vous pouvez vraiment bâtir quelque chose de solide.

Elle marqua un temps d'arrêt avant d'ajouter :

— Je suis tellement heureuse pour toi, Kylie. Je l'aime bien, Jensen. Oui, c'est le prototype du mâle alpha, mais, avec toi, il devient une tout autre personne. Tu ne peux pas lui en demander plus.

Tandis que Chessy parlait, Joss hochait la tête à côté d'elle.

— J'ai très peur, les filles, vraiment très peur, souffla Kylie. Mais ce n'est pas une mauvaise peur, vous savez, pas celle qui vous saisit à la gorge. Je n'ai pas peur de lui ou de m'embarquer dans une relation avec lui, non. J'ai peur de tout faire foirer comme je sais si bien le faire. Je gâche toujours tout.

Ses deux amies lui lancèrent un regard désapprobateur.

— Non, ce n'est pas vrai, ne dis pas ça, l'admonesta Joss. Tu as toutes les raisons du monde d'avoir peur de l'intimité, qu'elle soit physique ou pas. Et Jensen le sait très bien. Donne-lui une chance, mais, surtout, donne-toi une chance. Aie confiance en toi et suis ton instinct. Tu te poseras toujours des questions si tu n'essaies pas et tu finiras par le regretter certainement.

—Oui, je sais, dit Kylie. Je voulais juste vous l'entendre dire. Merci d'être là pour moi, les filles, j'avais vraiment besoin de votre aide.

—Oh, c'est normal, voyons, déclara Chessy. Toi, tu as toujours été là quand on avait besoin de parler ou d'une épaule pour pleurer. Je crois, qu'à nous trois, on a eu plus de situations d'urgence à gérer qu'un hôpital psychiatrique.

Joss et Kylie éclatèrent de rire puis, toutes les trois, commencèrent leur déjeuner en bavardant de tout et de rien. L'atmosphère était détendue et Kylie se sentait pousser des ailes. Un nouveau chapitre de sa vie s'ouvrait. Son bonheur était à portée de main, il ne lui restait plus qu'à le saisir.

Grâce à Jensen, elle sentait pour la première fois qu'elle avait le contrôle de la situation, il avait lancé la balle dans son camp et c'était à elle de la renvoyer à présent.

Chapitre 15

Jensen se dirigea vers le bureau de Dash d'un pas décidé. Lorsqu'ils avaient discuté au téléphone la veille au soir, Jensen était resté vague sur les points qu'il comptait aborder avec son associé. Il s'était contenté de lui dire qu'il s'agissait de choses importantes qui concernaient l'avenir de leur société.

Il espérait cependant que Kylie ne constituerait pas un sujet de discorde entre Dash et lui, d'autant plus que, professionnellement parlant, ils partageaient toujours la même vision des choses. Mais, cette fois-ci, pour rien au monde il n'abandonnerait son idée et ça n'avait rien à voir avec le fait que Kylie et lui s'étaient mis ensemble. Comme il l'avait dit à Kylie, il ne mélangeait jamais le personnel et le professionnel.

Kylie était une jeune femme intelligente et pleine de ressources, et méritait un rôle beaucoup plus important au sein de la société. Le poste qu'elle occupait actuellement ne correspondait pas à ses capacités professionnelles. Certes, elle faisait un excellent travail, mais elle était capable de bien plus. Et si Dash et lui ne faisaient pas quelque chose pour remédier à la situation assez rapidement, ils risquaient de perdre un élément indispensable de la boîte. Tout comme lui, Kylie ne tarderait pas à se rendre compte qu'elle méritait bien plus, professionnellement et personnellement parlant, ce qui tombait bien parce qu'il avait l'intention de la garder auprès de lui, et ce dans les deux cas.

— Bonjour, le salua Dash lorsqu'il le vit arriver.

— Salut Dash ! Alors, cette lune de miel ? s'enquit Jensen plus par politesse que par curiosité.

— Géniale, mais trop courte à mon goût, répliqua-t-il d'un air songeur. Et sinon, tout s'est bien passé en mon absence ? Des problèmes à signaler ?

— Non, aucun. On a remporté le contrat de S&G Oil et c'est en grande partie grâce à Kylie.

Dash haussa un sourcil interrogateur.

— Elle est très douée, ajouta Jensen en prenant place dans l'un des fauteuils en face de son bureau. Je lui ai donné toutes les infos nécessaires concernant les besoins du client et c'est elle qui a rédigé la proposition finale. On l'a passée en revue ensemble la veille du rendez-vous et elle l'a présentée au directeur financier de la boîte.

Confus, Dash l'observa quelques secondes en silence.

— Je pense que j'ai dû louper un épisode, là, déclara-t-il. Avant que je parte, Kylie ne pouvait même pas te voir en peinture. Et maintenant, si j'ai bien compris, non seulement vous avez bossé ensemble, mais, en plus, tu l'as laissée en charge d'un gros contrat ?

— Je vais être honnête avec toi ; Kylie et moi sommes ensemble et peu m'importe si la nouvelle est ébruitée, je n'ai rien à cacher. Cependant, le fait que nous soyons en couple n'a absolument rien à voir avec mes projets pour elle ici, dans la société. Inutile de te dire que Kylie est quelqu'un de très intelligent et efficace, tu le sais déjà. Elle a vraiment assuré sur ce coup-là, elle s'en est tirée haut la main. J'estime qu'on devrait lui confier plus de responsabilités, quitte à embaucher une autre personne pour reprendre son poste actuel. Elle a toutes les qualités requises pour devenir associée dans la boîte.

Le regard indéchiffrable, Dash s'accouda au bureau et posa le menton sur sa main puis sembla réfléchir un moment.

— Et Kylie ? finit-il par dire. Que pense-t-elle de tout ça ?

— Tu demandes ça d'un point de vue personnel ou professionnel ?

— Personnel. Nous sommes tous très protecteurs avec elle et je ne veux pas la voir souffrir. D'ailleurs, je pense que tu es exactement le genre d'homme qu'elle devrait à tout prix éviter.

— Je ne suis pas d'accord. Elle est avec moi, un point c'est tout. Elle vit chez moi en ce moment. Elle a fait un malaise au bureau la semaine dernière parce qu'elle a travaillé d'arrache-pied pendant que j'étais à Dallas. Je l'ai donc ramenée chez moi pour m'occuper d'elle. Ça ne pouvait plus continuer comme ça, elle ne pouvait plus continuer comme ça. Mais si tu penses que je l'ai forcée à faire quoi que ce soit, tu te trompes. Elle est restée chez moi de son propre chef. Elle ne viendra pas au bureau cette semaine non plus, elle a besoin de reprendre des forces et de faire une pause. Ainsi, quand elle sera de retour, elle sera d'aplomb pour remplir les nouvelles responsabilités qu'on lui confiera. Tu as donc une semaine pour nous trouver un nouveau responsable de bureau.

—Au moins, on peut dire que tu n'y vas pas par quatre chemins quand tu as une idée en tête.

—C'est la meilleure chose à faire pour la boîte. C'est grâce à Kylie qu'on a décroché le contrat de S&G. Elle travaille dur et apprend vite. Je lui fais entièrement confiance, il faut juste qu'elle ait un peu plus confiance en elle, c'est tout.

—D'accord, tu as mon aval. Si Kylie a vraiment toutes les qualités requises, je ne vois pas d'inconvénient à ce qu'elle devienne notre associée. Par contre, je veux aussi être sûr que ce nouvel arrangement fonctionnera même si ça ne marche pas entre vous sur le plan personnel.

—Ça marchera, répliqua Jensen en soutenant son regard sans ciller. Mais, dans le cas où ça ne marcherait pas, je quitterais la boîte pour que Kylie ne se sente pas mal à l'aise. Jamais je ne ferais quoi que ce soit qui puisse la blesser, jamais.

Dash poussa un profond soupir.

—J'espère que tu sais ce que tu fais, dit-il. Kylie… Tu vas avoir du mal à briser la carapace qu'elle s'est construite.

Et puis, je pense qu'elle aura beaucoup de mal à s'habituer à ton côté dominateur.

—Je suis prêt à faire des sacrifices pour elle.

Ils s'observèrent quelques instants en silence. Pour Jensen, l'histoire était close. Il s'était senti obligé de rassurer Dash parce qu'il savait que Kylie comptait énormément pour Joss et lui. À présent que c'était fait, il n'avait plus rien à ajouter à ce sujet. Ce qui allait se passer entre Kylie et lui ne regardait personne. Il protégerait jalousement leur relation et Kylie, surtout.

—Dans ce cas, il ne me reste plus qu'à vous souhaiter tout le bonheur du monde, finit par dire Dash. Kylie mérite vraiment d'être heureuse et, qui sait, tu es peut-être l'homme qu'il lui faut, après tout. Elle a besoin de quelqu'un qui soit au moins aussi têtu qu'elle et qui ne prendra pas la poudre d'escampette à la première difficulté venue. Elle a besoin de quelqu'un qui sera à ses côtés envers et contre tout.

—Tout à fait, consentit Jensen. Bon, concernant le nouveau responsable de bureau, je suis pour qu'on fasse passer une annonce tout de suite.

Chapitre 16

Kylie avait déjà les nerfs à vif lorsqu'elle entendit la voiture de Jensen entrer dans l'allée. Son appréhension n'avait cessé de grandir depuis qu'elle était revenue du déjeuner avec Chessy et Joss et elle avait été ravie quand Jensen l'avait appelée pour lui dire qu'il serait de retour plus tôt que prévu. Par contre, elle ne savait pas trop si le fait qu'il rentre plus tôt était une bonne chose ou pas, ou si ça avait un lien quelconque avec la discussion qu'il avait eue avec Dash.

Elle l'accueillit à la porte et se jeta à son cou. Jensen la souleva contre lui, semblant à la fois surpris et ravi de sa démonstration d'affection. Poussée par une impulsion subite, elle l'embrassa avec passion et Jensen entrouvrit les lèvres, lui permettant ainsi d'approfondir leur baiser.

—Eh bien, voilà ce que j'appelle un accueil chaleureux, murmura-t-il en mettant fin à leur baiser.

— Tu m'as manqué, dit-elle sans la moindre honte.

Elle pouvait tout lui dire, absolument tout. Elle ne se sentait pas vulnérable quand elle était avec lui, au contraire, elle se sentait en sécurité et elle le lui faisait souvent remarquer, tant elle avait encore du mal à le croire. Jamais elle ne s'était sentie aussi à l'aise avec quelqu'un, encore moins avec un homme.

— Toi aussi tu m'as manqué, ma belle, déclara-t-il avant de l'embrasser à son tour.

Son baiser, bien que plus tendre et doux, lui fit l'effet d'une décharge électrique. Depuis qu'elle avait décidé qu'elle essaierait de se lancer dans une relation physique avec Jensen, elle trépignait d'impatience et d'espoir. Elle n'arrêtait pas d'y penser, c'était un pas énorme pour elle.

— Je me suis habituée à toi, chuchota-t-elle contre ses lèvres.

Un grognement sourd monta dans la gorge de Jensen.

— Ma puce, je vais devoir rapidement mettre fin à notre étreinte si tu veux qu'on sorte ce soir. Je suis à deux doigts de te soulever dans mes bras pour te porter dans la chambre avant de m'attacher moi-même au lit.

Rejetant la tête en arrière, Kylie éclata de rire. Il y avait encore quelques jours de cela, jamais elle n'aurait ri à ce sujet et elle était ravie de constater qu'elle était parvenue à développer son sens de l'humour. Et tout ça, c'était grâce à Jensen, l'homme dont elle était tombée follement amoureuse, elle en était sûre et certaine à présent.

—Moi je suis prête en tout cas, dit-elle, un grand sourire aux lèvres. Comme tu me l'as demandé ce matin, je me suis faite belle, mais pas trop non plus.

Il se dégagea de son étreinte et la détailla du regard. Jusqu'à cet instant, il ne s'était même pas aperçu de ce qu'elle portait. Comme à son habitude, il s'était uniquement concentré sur elle, sur la personne qu'elle était, avec ses défauts et ses qualités. Le reste lui importait peu, et c'était l'une des choses qu'elle appréciait le plus chez lui.

—Si « t'être faite belle, mais pas trop non plus » ça donne ça, je me demande à quoi tu ressemblerais si tu t'étais faite belle tout court, constata-t-il avec un regard admiratif.

Kylie avait opté pour une petite robe noire toute simple qui s'arrêtait au-dessus de ses genoux, soulignant le galbe de ses jambes. Le décolleté révélait la naissance de sa poitrine. Cependant, ce soir-là, elle avait décidé de tout miser sur les chaussures.

En rentrant de son déjeuner avec les filles, Kylie s'était arrêtée dans un magasin de chaussures et, portée par un courage inattendu, avait fini par acheter une paire de ravissants escarpins vernis. Oui, elle qui ne jurait que par les ballerines et les sandales, avait pour une fois décidé de porter des talons vertigineux qui, elle devait l'admettre, lui allaient à ravir. Elle espérait simplement qu'elle ne s'étalerait pas par terre comme une crêpe en marchant avec.

—Alors, comment tu me trouves ? demanda-t-elle timidement.

Doucement, il l'attira contre lui.

— Ma belle, quoi que tu portes, tu es toujours belle. Mais là, je dois avouer que tu es tout simplement magnifique. J'ai une chance inouïe de pouvoir sortir avec une si jolie femme à mon bras, ce soir. Je vais juste aller me changer et après, on y va. Tu penses que tu pourras danser avec ces ravissants escarpins ?

Voyant le regard approbateur de Jensen glisser lentement le long de son corps avant de s'arrêter sur ses pieds, Kylie se félicita d'avoir acheté ces chaussures. Son ego, dont elle ignorait l'existence jusqu'à présent, était flatté.

— Tant que tu me tiendras serrée contre toi, je ne risquerai rien.

Le regard ancré dans le sien, il se pencha vers elle.

— Jamais je ne te lâcherai, murmura-t-il à quelques millimètres de ses lèvres avant d'aller dans la chambre pour se changer.

Le cœur de Kylie se mit à tambouriner dans sa poitrine. Elle savait qu'il disait la vérité, au sens propre comme au sens figuré. Jamais il ne la lâcherait. Elle se sentait beaucoup plus forte quand elle était avec lui. Stimulée par la confiance indéfectible qu'il avait en elle, Kylie avait presque l'impression de pouvoir conquérir le monde.

Elle mourait d'envie de lui dire tout ce qu'elle avait sur le cœur, mais elle savait qu'il était encore trop tôt pour ça. Il y avait encore trop d'obstacles à franchir, néanmoins, cette fois-ci, elle était plus confiante et déterminée que jamais.

Jensen lui avait redonné de l'espoir en l'avenir, c'était lui qui lui donnait le courage d'avancer dans la vie. Elle lui devait beaucoup. S'il ne l'avait pas poussée à aller de l'avant, s'il n'avait pas été aussi déterminé, elle serait probablement encore en train de se terrer chez elle comme une ermite. Mais, au lieu de ça, elle avait un rencard, un deuxième rencard avec Jensen, et elle espérait que tout se passerait bien. Elle ne s'attendait pas non plus à un miracle, mais elle voulait essayer, elle voulait passer une bonne soirée en compagnie d'un homme remarquable. Elle n'avait pas peur d'essayer de se divertir, ce qu'elle craignait le plus, c'était de ne pas y arriver. Cela dit, qui ne tente rien n'a rien. Elle ne devait pas céder à la peur et se miner avec des soucis qui n'avaient pas lieu d'être.

Jensen réapparut dans le couloir, rompant le fil de ses pensées. Il s'était changé et portait à présent un jean et un polo qui dessinait parfaitement sa silhouette athlétique.

Quand il s'approcha d'elle pour lui ouvrir la porte, elle huma son parfum qui lui était déjà familier. Elle ignorait si c'était de l'eau de Cologne ou de l'après-rasage, mais elle adorait son odeur virile et rassurante.

Ils montèrent dans la voiture de Jensen et celui-ci démarra en direction du centre-ville. Le choix du lieu de leur rendez-vous – un petit club de jazz niché dans une rue calme – était tout à fait au goût de Kylie. Un groupe jouait de la musique jazz et l'éclairage tamisé créait une ambiance romantique et intime. Cette soirée était un prélude idéal à la nuit que Kylie espérait passer. Elle était à la fois nerveuse et impatiente de savoir où ce rendez-vous allait les mener et n'avait qu'une hâte : parler avec Jensen de la décision qu'elle avait prise concernant leur histoire. Tout d'abord, elle voulait s'assurer que Jensen était vraiment prêt à lui céder le contrôle et s'en remettre entièrement à elle. Pour sa part, elle n'avait jamais été aussi sûre de quelque chose de toute sa vie, ce qui était révélateur de ses sentiments et de son état d'esprit. Elle avait envie de Jensen, de sentir son corps contre le sien. Elle devait juste surmonter sa peur du contact physique, elle devait faire en sorte que son cœur et sa raison se retrouvent sur la même longueur d'onde.

Ils s'installèrent à une petite table et commandèrent à boire. Lorsqu'ils furent servis, ils commandèrent le dîner et trinquèrent à leur soirée en échangeant un regard langoureux. Puis, quand ils eurent fini leur verre, Jensen se leva en lui tendant la main.

— Il est temps de voir comment tu danses avec ces chaussures, lança-t-il d'un ton enjoué.

Kylie posa sa main dans la sienne et se laissa attirer dans son étreinte, sentant sa chaleur et son odeur viriles l'envelopper doucement. Jensen menait la danse, la tenant serrée contre lui et Kylie conclut rapidement que, tant qu'il la tenait ainsi, il n'y avait aucune chance qu'elle perde l'équilibre.

Lentement, ils se balançaient au rythme de la musique et, submergée par un sentiment de bien-être absolu, Kylie ferma les yeux et se laissa aller contre Jensen qui posa le menton sur sa tête tout en la serrant encore plus fort contre lui. Elle retint son souffle quand elle sentit, contre son ventre, le sexe de Jensen tendu sous son jean. D'une lenteur délibérée, il lui caressait doucement le dos de haut en bas, déclenchant en elle des frissons exquis. La tête contre son torse musclé, elle laissa échapper un petit soupir de plaisir.

—Tu me rends fou, ma belle, murmura-t-il au creux de son oreille.

Envahie par un désir grandissant, elle leva la tête et il se pencha vers elle, collant presque son oreille à ses lèvres.

—Moi aussi, tu me rends folle, chuchota-t-elle.

Il se redressa, un sourire ravi aux lèvres et une lueur prédatrice dans le regard. La Kylie d'autrefois aurait certainement eu très peur et se serait enfuie aussi vite que possible. Mais la Kylie du présent comprit, avec satisfaction, qu'elle n'était pas au bout de ses surprises.

Jensen remonta une main jusqu'à son cou et le contact de ses doigts contre sa peau nue mit tous ses sens en alerte. Elle sentit une chaleur monter en elle et ses seins lui semblèrent soudain plus lourds et sensibles. Leurs regards rivés l'un à l'autre, il se pencha vers elle et l'embrassa avec tendresse. Ses lèvres étaient chaudes et attentionnées, quoiqu'un peu plus exigeantes cette fois-ci. Son baiser déclencha chez elle des larmes de joie qu'elle tenta aussitôt de refouler.

Dans la sécurité de ses bras, elle se laissait porter par la musique, heureuse de partager avec Jensen un tel moment d'intimité. À cet instant, son bonheur ne pouvait être plus parfait et elle aurait voulu que ce moment ne se termine jamais, elle aurait voulu rester flotter dans cette bulle idyllique pour toujours.

Soudain, Jensen desserra son étreinte et s'écarta d'elle. Il avait l'air troublé et elle lui adressa un regard confus.

—Le dîner est servi, dit-il en faisant un signe de tête en direction de leur table.

—Quel dîner? s'enquit-elle avec un sourire badin.

Il eut un petit rire et l'embrassa au coin de la bouche.

—Retournons à table, je vais te nourrir, mon cœur.

«Mon cœur». Cet affectueux sobriquet lui donna des papillons dans l'estomac. Elle était à lui et à personne d'autre. Elle avait l'impression d'être une adolescente en proie à une poussée d'hormones.

Jensen la guida vers leur table où leurs plats les attendaient. Une fois qu'ils furent installés, il rapprocha sa chaise de la sienne puis fit glisser son assiette vers lui. Il coupa ensuite son entrecôte avant de piquer sa fourchette dans un morceau de viande et de la porter à sa bouche. Kylie comprit alors qu'il n'avait pas plaisanté en disant qu'il comptait la nourrir. Quelque peu embarrassée, elle jeta un coup d'œil autour d'eux et fut rassurée de constater que personne ne les regardait.

—Détends-toi Kylie, laisse-moi te donner à manger, j'adore faire ça.

Elle refoula aussitôt sa gêne, en espérant sincèrement ne pas avoir brisé le moment d'intimité qu'ils partageaient depuis leur arrivée au club. Elle ouvrit la bouche et il y glissa le morceau de viande.

—Tu vois, ce n'est pas si terrible que ça, déclara-t-il à la troisième bouchée.

Tout en mâchant, elle secoua légèrement la tête puis regarda l'assiette, encore intacte, de Jensen.

—Moi aussi j'ai le droit de te nourrir, non ? s'enquit-elle sur le ton de la plaisanterie.

—Si tu veux, répondit-il, visiblement surpris.

Elle prit ses couverts et ramena l'assiette de Jensen devant elle. Elle coupa sa viande et porta un morceau à sa bouche. Échangeant des sourires et des regards empreints de désir, ils se nourrirent mutuellement. Peu à peu, cette expérience inédite, qui lui avait semblé plus qu'étrange, se révéla très intime.

Kylie percevait clairement la tension sensuelle qui grandissait entre eux. Le jeu de regards qui s'était installé entre eux l'excitait. Elle avait envie de lui tout autant que lui avait envie d'elle. Jamais auparavant elle ne s'était sentie aussi attirée par un homme et elle était fascinée par ces nouvelles sensations. Plus que jamais, elle voulait faire table rase de son passé et aller de l'avant, s'investir corps et âme dans leur relation. Son enfance douloureuse l'avait forcée à ériger une barrière de protection autour d'elle de sorte que personne ne puisse jamais la franchir. Mais, à présent, elle voulait la détruire par elle-même, sans l'aide de Jensen. Elle voulait surmonter cet obstacle qui s'interposait entre elle et sa nouvelle vie. Elle voulait enfin devenir maîtresse d'elle-même.

— Es-tu prêt à rentrer à la maison ? murmura-t-elle.

Elle se rendit alors compte que sa question pouvait facilement prêter à confusion. Une fois de plus, elle avait montré qu'elle se sentait chez elle dans la maison de Jensen. Et puis, elle n'avait aucune envie de retourner dans son ancien appartement. Elle y avait trop de mauvais souvenirs. Peut-être que, étant donné qu'elle se sentait en sécurité chez Jensen, elle n'aurait pas de crise d'angoisse cette fois-ci. Peut-être que, chez lui, ses démons n'auraient pas de raison d'être.

— Et comment ! grommela-t-il.

Il sortit son portefeuille et jeta quelques billets sur la table, à côté des assiettes. Puis il se leva et lui tendit la main. Kylie la saisit et il l'attira contre lui avant de l'entraîner vers la sortie du club et jusqu'à la voiture.

Le trajet du retour se fit en silence et, en dépit de la tension palpable qui régnait entre eux, Kylie se sentait étrangement sereine. L'envie qu'ils avaient l'un pour l'autre était évidente, il était inutile de le nier.

Lorsque la voiture s'engagea dans l'allée de la maison, Kylie sentit une légère angoisse lui comprimer la poitrine et s'efforça de la chasser aussitôt. Non, ce n'était pas le moment de céder à la panique. Déjà, avant d'aller plus loin, elle avait quelques questions à poser à Jensen. Elle voulait être sûre d'avoir tout bien compris.

Il l'aida à descendre de la voiture et ils entrèrent dans la maison. Kylie se dirigea tout droit vers le salon et Jensen lui emboîta le pas. Elle s'installa sur le canapé puis tapota le coussin à côté d'elle pour l'inviter à la rejoindre. Il vint s'asseoir et elle rassembla le courage nécessaire pour lui faire part de ce qu'elle avait sur le cœur. Elle pouvait tout lui dire. Grâce à Jensen, elle était sur le point de tourner la page et de mener enfin la vie dont elle rêvait. Il détenait la partie d'elle-même qui lui manquait pour s'épanouir librement.

—Je voudrais, enfin… J'ai besoin de te demander quelque chose, bredouilla-t-elle.

Il porta la main à son visage et lui caressa tendrement la joue. Elle pressa son visage contre sa paume ; le contact de ses doigts contre sa peau était à la fois brûlant et apaisant.

—Tu peux me demander tout ce que tu veux, mon amour, absolument tout.

Elle sourit, encouragée par sa réaction.

—Je veux…

Kylie prit une profonde inspiration avant de se lancer.

—Je veux essayer de nouveau. Avec toi, je veux dire. Mais, avant, je voudrais savoir de quelle façon tu comptes me laisser prendre le contrôle.

Une lueur intense passa dans ses beaux yeux, si bien qu'elle tressaillit. Elle pouvait sentir la chaleur qui émanait de son corps puissant, son désir, mais aussi son soulagement.

—C'est très simple, dit-il. Si tu te sens vraiment prête, il te suffira de m'attacher les deux mains à la tête du lit ; je serai donc entièrement à ta merci. Tu pourras faire de moi ce que tu voudras, quitte à ne rien faire du tout. Tout dépendra de toi. Prends ton temps, je ne veux pas que tu te mettes la pression ou que tu sois déçue si tu n'y arrives pas du premier coup. On a tout le temps devant nous. Le plus important c'est que tu te sentes à l'aise dans ce que tu fais.

Kylie relâcha les épaules, subitement libérée de la tension qui la rongeait. Il avait l'air si sincère, comment ne pas lui faire confiance ?

— Je veux essayer, chuchota-t-elle, je me sens prête. Je ne veux pas te faire de fausses promesses. Voyons déjà comment vont se passer les choses ce soir.

Il lui sourit avec une tendresse qui la fit fondre.

— Je suis tout à toi, Kylie. Et ce ne sont pas des paroles en l'air. Je suis très sérieux, je suis prêt à tout pour toi.

— Et qu'est-ce qu'on fait maintenant ? s'enquit-elle, troublée, après quelques instants de silence.

Jensen se leva du canapé puis se tourna vers elle.

— Je te propose qu'on aille dans la chambre. Je vais sortir la corde pour que tu puisses m'attacher au lit et après… Ce sera à toi de jouer, mon cœur.

Chapitre 17

Comme hypnotisée, Kylie observa Jensen en train de se déshabiller, ôtant lentement ses vêtements un à un, avant d'ouvrir un des tiroirs pour en sortir une corde.

Il était magnifique. Il émanait de lui une virilité presque animale. Il était beau comme un dieu grec et ne semblait pas du tout gêné par sa nudité ni par son érection persistante. Kylie ne pouvait s'empêcher de le détailler du regard encore et encore, fascinée par la preuve évidente de son désir pour elle. Étrangement, elle n'était pas du tout effrayée par le spectacle qu'il offrait, bien au contraire. Elle était fascinée par la beauté de son sexe magistralement dressé. Ses pensées brûlantes la firent rougir. Voilà qu'elle admirait le pénis de Jensen comme on admirait une œuvre d'art dans un musée! C'était idiot, certes, mais elle ne pouvait s'en empêcher, le corps de cet homme était parfait en tout point.

Jensen referma le tiroir et se tourna vers elle. Il lui tendit la corde et elle la prit d'une main tremblante, ne sachant pas trop quoi faire avec. C'était elle qui était censée prendre les choses en main, mais elle attendait tout de même un coup de pouce de sa part. Comme s'il avait lu dans ses pensées, il se glissa sur le lit d'un geste souple et s'allongea sur le dos en s'étirant tel un félin. Il leva ensuite les bras au-dessus de sa tête et noua ses mains autour de l'une des barres de la tête de lit.

—Attache-moi, ma belle, dit-il d'une voix rauque qui la fit délicieusement frissonner. Je suis tout à toi, fais de moi ce que tu veux.

Kylie avait devant elle un homme magnifique et entiè-rement nu qui était prêt à se plier à sa moindre volonté. Dieu seul savait à quel point elle avait envie de lui. Elle avait tellement envie de Jensen que c'en était presque douloureux.

Elle grimpa sur le lit et lui attacha les deux mains avec la corde avant de vérifier que le nœud était bien serré. Elle savait qu'il ne lui ferait pas le moindre mal, mais son subconscient la poussait à agir ainsi afin de s'assurer qu'elle était vraiment en sécurité. Elle tira sur la corde encore une fois puis se redressa et s'assit sur ses talons, parcourant lentement le corps de Jensen du regard. Il était si beau… Elle aurait pu passer des heures et des heures à l'admirer. Il était le rêve de toute femme. Elle avait envie de le toucher, le caresser, le goûter. Elle brûlait d'envie pour lui.

Timidement, elle commença par lui caresser le torse. Elle pouvait sentir ses muscles se contracter sous ses doigts et s'attarda quelques instants sur la fine toison qui recouvrait ses pectoraux avant de descendre plus bas en suivant la ligne de ses abdominaux, parfaitement dessinés. Jensen émit un long soupir et elle retira brusquement sa main, persuadée d'avoir fait quelque chose qu'il ne fallait pas.

—Non, ne t'arrête pas, murmura-t-il. Tu n'imagines pas combien de fois j'ai rêvé de ce moment… Continue, tu peux faire ce que tu veux de mon corps, l'explorer à ta guise. J'aime tout ce que tu me fais.

Encouragée par cet aveu, Kylie posa les mains à plat sur ses épaules et les laissa lentement glisser le long de son torse et de son ventre, le regard déviant sans cesse vers l'endroit qu'elle voulait toucher le plus.

Son sexe tendu, dressé contre son abdomen, était désormais à quelques millimètres de ses doigts. Un petit geste et elle le toucherait. Sans rompre le contact de ses mains sur son ventre, elle s'installa de façon à pouvoir voir son visage, lire ses réactions dans son regard. Puis, elle referma une main autour de son érection et suivit du pouce la veine qui descendait jusqu'à la base de son sexe.

Avançant ses hanches vers elle, Jensen poussa un gémissement. Avide de continuer son exploration, Kylie descendit sa main le long de son érection puis la remonta lentement. Un liquide clair apparut alors sur le gland et quelques gouttes coulèrent sur sa main.

—Tu es tellement beau, chuchota-t-elle. J'adore te toucher.

—Et moi j'adore que tu me touches, marmonna-t-il d'une voix rauque. Tu es si belle quand tu fais ça. J'ai l'impression d'être au paradis, je ne sais pas ce que j'ai fait pour mériter ça… Tu es telle une déesse du plaisir… Et j'aimerais tant t'en donner, du plaisir, moi aussi.

—Tu le feras, du moins, je l'espère, dit-elle en souriant.

Le regard de Jensen devint sérieux.

—Ne t'en fais pas, mon amour, chaque chose en son temps. Ne te mets pas la pression pour ça. Ça arrivera quand ça arrivera, je suis prêt à attendre le temps qu'il faudra.

Le cœur de Kylie se gonfla d'espoir. Il trouvait toujours les bons mots pour la rassurer. Il avait raison, elle avait juste besoin de temps, ce qui tombait bien parce que Jensen était prêt à attendre indéfiniment s'il le fallait. Cette compréhension sans limites qu'il lui offrait était un cadeau très précieux à ses yeux.

Elle se pencha vers lui et pressa ses lèvres contre son ventre, juste au-dessus de son érection. Il tressaillit aussitôt, exhalant un long soupir, ce qui poussa Kylie à aller encore plus loin. Doucement elle déposa un baiser sur son gland avant de l'effleurer avec sa langue.

—Putain, lâcha-t-il. Ça me tue, ce que tu me fais là…

Consciente de son nouveau pouvoir, elle le prit dans sa bouche et le caressa avec sa langue un long moment, léchant le liquide chaud qui gouttait de son gland. Elle le prit ensuite de plus en plus profond, le suçant et l'enveloppant de sa langue en même temps. Entendre le souffle saccadé et les gémissements de Jensen l'excitait de plus en plus. Elle n'avait aucune expérience de ce genre de choses et se laissait guider par son instinct.

Laissant ses mains errer sur son corps, elle accéléra le mouvement de sa bouche. Elle entendit Jensen émettre un son guttural et il souleva les hanches du matelas, s'enfonçant ainsi profondément dans sa bouche. Kylie leva le regard vers lui et s'aperçut qu'il tirait sur la corde qui lui nouait les mains, une expression de pur plaisir sur son visage.

— Prends-moi dans tes mains, je ne vais pas tarder à jouir, bafouilla-t-il.

Elle referma ses doigts autour de son sexe, dur comme de l'acier et, en même temps, doux comme du velours. Elle entreprit un mouvement de va-et-vient avec ses doigts tout en penchant sa tête plus bas encore pour taquiner ses testicules avec sa langue.

Soudain, le cri de Jensen déchira le silence qui les enveloppait et il éjacula, le sperme giclant abondamment par saccades sur la peau hâlée de son ventre. Kylie le regarda jouir avec fascination tout en continuant à le caresser et ne le relâcha qu'une fois qu'elle le sentit se détendre dans sa main.

Elle venait de vivre là l'expérience la plus belle et intense de toute sa vie. Elle avait été profondément troublée de voir Jensen prendre autant de plaisir. Tout à coup, elle se sentit vide et… agitée. Ses seins étaient plus tendus que jamais, et son sexe se contractait entre ses cuisses. Une étrange pression ne cessait de croître au creux de son ventre et elle ignorait comment s'en délester. Elle ne savait pas quoi faire et encore moins quelle était l'origine de ce besoin aussi intense qu'inassouvi.

—Déshabille-toi, ma belle, entendit-elle Jensen lui dire.

Elle leva vers lui un regard surpris.

—Tu as toujours le contrôle de la situation, la rassura-t-il aussitôt. Mais tu as besoin de te débarrasser de cette tension que tu éprouves. Et puis, je veux voir ton corps de déesse.

Comme elle ne bougeait pas, il poursuivit :

—Regarde, je suis toujours attaché. Allez, enlève tes vêtements et viens à côté de moi. Je veux te voir jouir.

Tremblante, elle se leva du lit et commença à se déshabiller. Le regard fuyant, elle fit glisser sa robe le long de son corps. Elle était désormais presque nue, en soutien-gorge et petite culotte. Rien d'autre. Sentant la panique la gagner, elle fit un effort pour garder son calme. Un à un, les souvenirs du passé resurgissaient à sa mémoire et elle tenta de les chasser. Elle se sentait vulnérable, mais, en même temps, elle voulait faire plaisir à Jensen et aller jusqu'au bout.

Rapidement, elle croisa son regard et fut rassurée d'y lire de la compréhension. S'il n'avait pas été aussi bienveillant, elle se serait probablement dégonflée sur-le-champ. Il lisait en elle et savait à quel point il lui était difficile d'affronter et de surmonter ses peurs. Mais il avait confiance en elle et elle ne voulait pas le décevoir. Elle ne voulait pas se décevoir elle-même. Non, cette fois-ci, elle ne se laisserait pas submerger par ses craintes.

Forte de cette décision, elle dégrafa son soutien-gorge et le retira puis enleva sa petite culotte qui alla rejoindre sa robe au sol. Elle monta sur le lit et vint s'agenouiller à côté de Jensen, plongeant son regard dans le sien.

—Caresse-toi, ma belle, murmura-t-il. Donne-toi du plaisir, fais-toi jouir… Je veux te voir jouir.

Elle écarquilla les yeux, complètement perdue.

—Prends tes seins en coupe et caresse-toi les tétons. Vois si ça te fait du bien. Si oui, continue.

Comme envoûtée par sa voix rauque, Kylie s'exécuta. Elle fit remonter ses mains sur son ventre, vers sa poitrine, puis couvrit ses seins et frissonna de plaisir quand elle effleura ses mamelons de ses pouces.

—Voilà, c'est ça… Maintenant, imagine que je les titille avec ma langue, dit Jensen. Imagine que je les suce.

Elle ferma les yeux et laissa échapper un petit gémissement, entrant petit à petit dans son jeu sensuel.

—Glisse une main entre tes cuisses tout en continuant de te caresser le téton avec l'autre, lui ordonna-t-il. Écarte les replis de ta jolie petite chatte ; laisse-moi la voir, Kylie.

Les yeux toujours fermés, elle se laissa entraîner dans un tourbillon sensuel et descendit une main le long de son ventre et la posa sur son intimité. Elle frôla son clitoris du bout des doigts puis, comme Jensen le lui avait demandé, elle écarta les replis de son sexe tout en se redressant.

—Magnifique. Caresse-toi, ma belle. Fais-toi plaisir. Jouis, jouis pour moi.

Elle gémit de plaisir et commença à se caresser, cherchant à adapter son rythme à celui de l'autre main. Elle arqua son corps sous ses propres caresses tout en continuant de jouer avec le bouton enflé de son clitoris.

—C'est ça, fais-toi du bien. Mon Dieu que tu es belle, Kylie, tu es magnifique.

Elle se sentait divinement bien. Une tension délicieuse montait en elle. Ses seins étaient gonflés et ses mamelons durcis par le plaisir. Chacune de ses caresses et chaque encouragement de Jensen accentuaient la chaleur qui s'était nichée au creux de son ventre. Sa vulve pulsait de plus en plus fort.

Poussant un long soupir, elle rejeta la tête en arrière. Elle ne se reconnaissait plus, elle était devenue une créature sauvage, une femme sensuellement désinhibée. Elle se sentait… libre. Rassurée. Elle se sentait en sécurité. Dans cette chambre, personne ne pouvait lui faire du mal. Il n'y avait que Jensen et elle, consumés par un désir intense.

—Putain, tu es magnifique, Kylie.

À ces mots, elle ouvrit les yeux et ancra son regard dans le sien. Elle n'avait plus honte d'elle-même, de son corps. Elle voulait partager ce moment magique avec lui.

—Jouis, ma belle, jouis pour moi, laisse-moi te goûter.

Elle introduisit un doigt en elle puis le porta à la bouche de Jensen pour lui faire goûter la moiteur de sa chair intime, la preuve de son plaisir. Il captura son doigt entre ses lèvres et le suça en émettant un son de satisfaction.

Sentant l'orgasme monter en elle, Kylie replaça sa main entre ses cuisses et caressa fébrilement son sexe. Elle n'allait pas tarder à jouir. Augmentant la pression et la friction de son doigt contre son clitoris, elle renversa de nouveau la tête en arrière, terrassée par une vague de plaisir qui déferla brusquement en elle.

Son orgasme lui arracha un cri et elle tressaillit, traversée par plusieurs spasmes d'affilée. Haletante, elle se pencha en avant, posant les mains à plat devant elle. Jensen… Elle avait besoin de Jensen, elle voulait sentir ses bras autour d'elle, le contact de sa peau contre la sienne. Elle avait besoin de s'imprégner de lui, de sa force. Elle avait besoin de se sentir en sécurité.

Abruptement, elle se redressa et tira maladroitement sur la corde pour le détacher. Elle parvint à lui libérer une main et il se hâta de détacher l'autre. Sans attendre, elle se jeta sur lui et sentit rapidement les bras de Jensen se resserrer autour d'elle. Elle était pleinement consciente de leur nudité, mais cela ne lui importait guère. Jamais il ne lui ferait le moindre mal, il venait de le lui prouver. Pour elle, il avait consenti à l'ultime sacrifice.

—S'il te plaît, serre-moi fort contre toi, chuchota-t-elle. Ne me lâche pas, j'ai besoin de toi…

—Je suis là, Kylie, jamais je ne te lâcherai, jamais… Je suis là et je ne compte aller nulle part.

Chapitre 18

Allongé dans le lit, Jensen resserra son bras autour de Kylie qui était lovée contre lui. Jamais auparavant il n'avait été aussi heureux et détendu. Il était encore sous l'émotion de ce qui s'était passé plus tôt dans la soirée. Kylie était à lui et il sentit le sang s'affoler dans ses veines à cette idée. Bien sûr, il était conscient que le chemin vers leur bonheur était encore long et semé d'embûches, mais le plus dur était passé. Un élan d'espoir le traversa et son cœur se gonfla de joie.

Du bout des doigts, il caressa le dos de Kylie de haut en bas, savourant la chaleur de son corps nu et rassasié pressé contre le sien. Elle était si belle…

—Merci pour le cadeau que tu m'as donné cette nuit, chuchota-t-elle. Je sais que ça a dû être difficile pour toi, mais jamais je n'oublierai ce que tu as fait pour moi. Je ne trouve pas les mots pour t'exprimer ce que je ressens.

La gorge de Jensen se serra d'émotion.

—Au contraire, c'était l'une des choses les plus faciles que j'aie jamais eu à faire, répliqua-t-il.

Et c'était la vérité. Il ne regrettait pas le moins du monde de l'avoir laissée prendre l'ascendant sur lui, ça en avait largement valu la peine.

—Te laisser prendre les choses en main s'est imposé comme une évidence. Et comme je te l'ai déjà dit, je suis prêt à te laisser le contrôle le temps qu'il faudra, pour toujours s'il le faut. Je suis prêt à tout pour pouvoir te tenir dans mes bras, comme en ce moment.

—Je t'aime, dit-elle et il faillit en perdre le souffle. Je sais qu'on n'est ensemble que depuis très peu de temps et qu'il est trop tôt pour faire des déclarations de ce genre, mais je t'aime. Ça fait déjà plusieurs jours que j'essaie d'y voir plus clair dans ma tête. J'ai passé ma vie à m'interdire d'éprouver le moindre sentiment par peur d'être blessée. Mais c'est fini tout ça. Ce que je ressens pour toi, c'est de l'amour, j'en suis sûre et certaine. Et c'est la plus belle sensation qui puisse exister. Je n'ai jamais aimé personne d'autre avant toi, enfin, pas de cette manière. Bien sûr, j'aimais mon frère et j'aime beaucoup Chessy et Joss, mais ce n'est pas comparable à ce que j'éprouve pour toi. Et je ne te cache pas que cette idée me terrifie au moins autant qu'elle m'excite.

Jensen la serra plus fort contre lui et ferma les yeux pour savourer l'effet produit par ses mots. Il lui avait sans doute fallu un courage surhumain pour lui avouer tout ça.

Elle s'était livrée à lui non seulement physiquement, mais émotionnellement aussi. Cette pensée le laissa abasourdi. Il tenait dans ses bras une femme… extraordinaire et courageuse. Une femme qui l'aimait. Il savait que Kylie méritait beaucoup mieux que lui, mais il était prêt à tout pour être digne de sa confiance et de son amour. Elle était sa raison d'être. Elle faisait partie de lui et il l'aimait. Il l'aimait comme jamais il n'avait aimé personne.

Lentement, il remonta la main le long de son dos et lui caressa les cheveux. Il devait se ressaisir. Il ne voulait pas gâcher ce moment important. Elle s'était livrée avec confiance entre ses mains et il ne devait pas la décevoir.

—Moi aussi je t'aime, mon amour. Je t'aime et je ne veux pas que tu en doutes un seul instant. Je crois même que je t'ai aimée dès l'instant où j'ai posé les yeux sur toi.

À ces mots, Kylie se redressa et croisa son regard, les yeux pleins de larmes.

—Comment va-t-on faire maintenant, Jensen? Notre relation a franchi un cap important ce soir, mais nous allons encore devoir faire face à de nombreuses difficultés, et je refuse qu'il y ait des problèmes entre nous. Je veux juste ton amour, j'en ai besoin… C'est devenu une nécessité vitale pour moi. Tu es entré dans ma vie comme une tornade, quand je m'y attendais le moins, et maintenant, tu es également entré dans mon cœur.

Tout en prononçant sa dernière phrase, elle pressa une main contre sa poitrine.

—Je ne veux pas gâcher ce que nous avons, ajouta-t-elle, une expression soucieuse sur son visage.

Il lui embrassa le front, tentant, par ce geste, d'apaiser son inquiétude. Elle avait peur et c'était la dernière chose au monde qu'il souhaitait. Il ne voulait pas qu'elle se sente vulnérable, surtout lorsqu'elle était avec lui, dans ses bras. Mais, malheureusement, il y avait certaines choses qu'il ne pouvait pas contrôler et celle-ci en faisait partie. Dès qu'il s'agissait de Kylie, il ne contrôlait plus rien.

—Je ne te cache pas que ça ne va pas être facile, annonça-t-il. Mais, ensemble, on y arrivera. Ensemble, on peut tout surmonter. J'y crois dur comme fer, j'espère que toi aussi. Tu n'es plus toute seule, Kylie, je suis là et je ne compte aller nulle part. Je sais qu'on aura des moments difficiles à passer et on le fera, main dans la main. Jamais je ne renoncerai à toi et à notre couple, je te le promets.

Les larmes qui perlaient aux cils de Kylie se mirent à couler sur ses joues. Il porta la main à son visage et en essuya une du pouce, gagné par un mélange d'inquiétude et d'incertitude.

—Moi non plus je ne renoncerai pas, promit-elle d'une petite voix. Ne me laisse pas m'enfuir au premier obstacle, ne me laisse pas renoncer à toi, à nous. Je sais que, tôt ou tard, je me dégonflerai et que je voudrai tout arrêter parce que je suis comme ça, c'est dans ma nature. Mais il faudra que tu m'empêches de faire cette bêtise, Jensen, je compte sur toi, ne renonce pas à moi. Sache que je ne ferai jamais rien qui puisse te blesser, tu dois me croire. Je veux être avec toi, je veux croire en nous.

Il sourit, sentant la joie le gagner de nouveau.

—Je ne te laisserai pas t'enfuir, quitte à me transformer en un véritable pot de colle s'il le faut. En revanche, si un jour tu as vraiment l'impression que toi et moi, ça ne marche pas, je te laisserai partir. Je veux être avec toi, mais je veux avant tout que tu sois heureuse et que tu te sentes en sécurité, c'est ce qui compte le plus.

Elle ferma les yeux, comme pour se remettre de ses émotions, puis les rouvrit, une lueur dansant dans ses prunelles.

—Je t'aime, souffla-t-elle.

En l'entendant prononcer ces trois petits mots, Jensen crut que son cœur allait bondir hors de sa poitrine. Il se sentit submergé par l'amour qu'elle lui portait et se fit, une fois encore, la remarque qu'il n'était pas digne d'elle. Cela dit, la confiance qu'elle lui offrait était un cadeau précieux et il se montrerait à la hauteur, il devait le faire. Il la serra contre lui, appréciant le contact de ses courbes délicates contre son corps.

—Moi aussi je t'aime, Kylie. Et on va y arriver, j'en suis sûr. Il faut juste du temps et de la patience.

Une ombre voila le regard de Kylie et elle baissa la tête.

—Je ne peux pas m'empêcher de me sentir mal, admit-elle. J'ai confiance en toi et pourtant, je n'arrive pas à partager ton intimité physique sans t'attacher. Ce n'est pas normal. Je suis là, en train de te dire que je t'aime et que je te fais confiance, pourtant, je ne t'ai pas laissé me toucher ; on n'a même pas fait l'amour. C'est très hypocrite de ma part.

Il perçut de la résignation dans sa voix. Doucement, il lui releva le menton, la forçant à le regarder droit dans les yeux.

—Mon cœur, tu as déjà fait un grand pas en avant. On n'est pas pressés, ne te tourmente pas avec ça. Pour le moment on est bien, là, tous les deux, c'est tout ce qui compte. Laisse le temps au temps. Une fois que tu auras absolument confiance en moi, et en toi surtout, on fera l'amour. En attendant, tu m'attacheras au lit, comme ce soir. Tu verras, ça viendra tout seul.

Kylie fit une moue sceptique.

—Si seulement je pouvais être aussi confiante que toi, murmura-t-elle.

—Ne t'en fais pas, je le suis assez pour nous deux. Tu y arriveras, après tout, Rome ne s'est pas faite en un jour. Ce n'est pas quelque chose qu'il faut prendre à la légère. Il ne faut pas précipiter les choses, ça risque de nous causer plus de mal que de bien. Laissons les choses comme elles sont pour le moment et on verra bien où ça nous mène. Je ne veux plus t'entendre t'excuser ou te justifier de quoi que ce soit. Je t'aime et ton bien-être passe avant tout.

Kylie se redressa et l'embrassa.

—Je t'aime tellement, chuchota-t-elle contre ses lèvres. Je ne te mérite pas. J'ai beaucoup de chance de t'avoir. Jamais je n'aurais cru ressentir une telle chose pour quelqu'un. C'est un sentiment à la fois magnifique et effrayant.

Il l'embrassa avec passion, mêlant sa langue à la sienne puis s'écarta et la serra contre lui, galvanisé par ce contact, peau contre peau. Plus aucune barrière ne les séparait et il aurait voulu que cet instant de perfection ne s'arrête jamais. Leur histoire était encore très fragile et il aurait tant aimé rester ainsi pour toujours, isolé dans leur cocon avec elle, comme s'ils étaient seuls au monde.

—Bon, changeons de sujet… Je ne t'ai toujours pas fait part de ma conversation avec Dash et je pense que c'est le moment idéal pour le faire, tant que tu es encore dans mes bras.

—Figure-toi que ça m'était complètement sorti de la tête, avoua-t-elle, un sourire aux lèvres.

—Eh bien, au risque de passer pour un sale égoïste, je suis ravi de te l'entendre dire parce que c'est moi et moi seul qui devrais occuper tes pensées quand on est ensemble.

Elle l'embrassa encore une fois puis s'installa de manière à pouvoir voir son visage, ses longs cheveux soyeux étalés sur l'oreiller. Leurs jambes étaient entrelacées et Jensen sentit une nouvelle érection le gagner, mais décida de ne rien faire pour la cacher. Il voulait qu'elle constate à quel point il la trouvait belle et désirable.

—Alors, comment ça s'est passé ? s'enquit Kylie.

Il la serra encore plus fort contre lui et se mit à lui caresser le bras. Même une discussion concernant le travail ne pouvait diminuer le caractère intime de la situation. Si seulement ils pouvaient rester enlacés ainsi pour l'éternité…

—Déjà, je lui ai dit de commencer à chercher un nouveau responsable de bureau parce que ce poste n'était pas pour toi et que tes capacités professionnelles n'y étaient pas pleinement exploitées. Je l'ai aussi prévenu que tu ne viendrais pas travailler de la semaine parce que tu as besoin de repos. J'avoue que c'est aussi une bonne excuse pour te garder un peu plus longtemps pour moi tout seul.

Il fut soulagé qu'elle n'ait pas l'air contrariée par ses dernières paroles. En effet, il ne savait pas trop comment elle réagirait en apprenant qu'il avait décidé sans la consulter qu'elle n'irait pas au bureau de la semaine et que ce n'était pas négociable. Il devrait se montrer très prudent dans ce genre de choses même si elle se doutait bien que, en dehors du lit, sa nature autoritaire prendrait aussitôt le dessus.

—Je lui ai également dit que c'était grâce à toi que nous avions eu le contrat de S&G, que nous devrions te confier plus de responsabilités, et que tu avais tout ce qu'il fallait pour devenir un jour notre associée.

Elle fronça les sourcils même si ses beaux yeux pétillaient de plaisir.

—Et il pense quoi de tout ça, alors ? demanda-t-elle d'une voix hésitante.

—Il a plutôt bien pris la chose. Il est d'accord pour commencer à chercher quelqu'un pour reprendre ton poste. Je lui ai fait comprendre que tu auras déjà assez de travail comme ça et que tu ne pourras donc plus t'occuper de la partie administrative. Donc, en gros, le nouveau responsable de bureau travaillera pour nous trois, pas uniquement pour Dash et moi.

—Je suis très touchée par tout ce que tu fais pour moi, Jensen. J'espère vraiment que je finirai par prendre confiance en moi. J'y travaille, mais, comme tu l'as dit, Rome ne s'est pas faite en un jour.

—Oui, il m'arrive d'avoir des moments de sagesse, ma belle, plaisanta-t-il.

Elle poussa un soupir et il devina sa prochaine question à l'expression de son visage.

—Et… Est-ce qu'il sait… Pour nous ?

—Oui, répondit-il en hochant la tête. Je lui ai dit la vérité, que tu étais à moi.

Elle cilla, visiblement surprise par la franchise de sa déclaration, puis un sourire se dessina sur ses lèvres.

—J'aime bien la façon dont tu le dis, commenta-t-elle, les yeux brillants. Je n'ai jamais eu l'impression d'appartenir à quelqu'un avant. Si on m'avait dit que j'allais tomber sous le charme d'un homme aussi possessif, je n'y aurais pas cru une seule seconde. Et jamais je n'aurais pensé que ça me plairait autant.

—Tu es à moi, repartit-il, n'en doute jamais. Et moi, je protège coûte que coûte ce qui m'appartient. Tu dois savoir une chose ; je t'ai laissée et je te laisserai toujours prendre le contrôle lorsque nous ferons l'amour, avec grand plaisir même. Mais, en dehors du lit, mon côté dominateur, faute d'un meilleur mot, prendra toujours le dessus. Et il y aura sans doute des choses qui ne te plairont pas ou auxquelles tu ne t'attendras pas. Je ne te dis pas ça pour te faire peur, je préfère juste être honnête avec toi et te préparer à cette éventualité.

Kylie se mordit la lèvre inférieure et sembla réfléchir un instant.

— Je sais que ça n'a pas été facile pour toi de me laisser prendre le contrôle des choses et je sais que c'est contre ta nature. Je le sais très bien. Je ne veux pas que tu penses que je n'apprécie pas ce grand sacrifice que tu as fait pour moi. Je crois en nous, je sais qu'on peut y arriver, mais je sais aussi qu'il y aura des moments où l'on entrera inévitablement en conflit. Tu commences à me connaître maintenant, tu sais que je suis têtue et que j'ai besoin de faire les choses à ma façon. Je veux vraiment que ça marche entre nous et le fait que tu aies besoin d'affirmer ton côté dominant en dehors du lit ne me dérange pas, du moins, pas pour le moment.

Jensen prit son visage en coupe entre ses mains et écarta de son pouce une mèche qui lui tombait sur le visage. Elle approcha son visage du sien, si bien que leurs nez se touchèrent presque. La sincérité qu'il pouvait lire dans son regard l'émut au plus profond de son être.

— Jensen, je ne veux pas que tu changes pour moi. Tu sais, jusqu'à présent, je n'ai jamais compris pourquoi Joss disait qu'elle aimait Carson beaucoup trop pour lui demander quelque chose qu'il n'était pas en mesure de lui donner. Mais, je comprends maintenant ce qu'elle voulait dire par là. Je t'aime comme tu es.

Les mots de Kylie lui allèrent droit au cœur. Il prit ses lèvres en un baiser passionné qui les laissa tous les deux pantelants.

— Et moi non plus je ne veux pas que tu changes pour moi, je t'aime telle que tu es.

— Dans ce cas, je crois qu'on va devoir trouver un moyen de coexister pour assurer la paix des ménages, conclut-elle en riant.

— Oh, que oui, confirma-t-il.

Elle bâilla et il l'attira aussitôt contre lui, nichant doucement sa tête contre son épaule.

— Allez, dors, ma chérie. Demain, j'irai plus tard au bureau, comme ça, on pourra prendre le petit déjeuner ensemble.

— Oh oui, ça serait super, marmonna-t-elle. Et, demain soir, je nous cuisinerai un bon dîner quand tu rentreras.

Il déposa un baiser sur son front, se laissant aller à la joie qui l'envahissait.

Non, ça n'allait pas toujours être aussi facile que ça. Pourtant, il était optimiste. Kylie était à lui et rien ne pouvait plus les séparer. Leur amour était plus fort que tout. Grâce à lui, ils traverseraient toutes les épreuves qui les attendaient.

Chapitre 19

Tout en fredonnant, Kylie finissait de se maquiller. Le reste de la semaine s'était écoulé rapidement et elle n'était pas du tout pressée de reprendre le travail. Elle avait adoré ces quelques jours passés avec Jensen. Ils étaient restés toute la semaine rien que tous les deux et avaient fini par s'installer dans une routine agréable, dont elle ne pouvait plus se passer. Tous les matins, Jensen partait au travail après avoir pris son petit déjeuner avec elle et rentrait à la maison à 17 heures tapantes.

Même si elle ne les avait pas vues depuis leur déjeuner au *Lux Café*, Kylie avait eu Chessy et Joss au téléphone, mais s'était gardée de leur raconter tout ce qui s'était passé entre Jensen et elle parce qu'elle estimait que c'était trop intime. Personne d'autre n'avait besoin de savoir ce qui se passait dans leur chambre à coucher.

Jensen était quelqu'un de très fier et elle regrettait d'ailleurs d'avoir révélé à ses deux amies la proposition qu'il lui avait faite concernant leur vie sexuelle. Elle avait l'impression, en quelque sorte, d'avoir trahi sa confiance. Cela dit, à l'époque, elle avait vraiment besoin de connaître leur avis et, surtout, de se sentir rassurée.

Elle était en train de se coiffer quand elle entendit la porte d'entrée s'ouvrir. Rapidement, elle posa la brosse et jeta un dernier coup d'œil dans le miroir avant de se précipiter vers le salon. Jensen l'avait appelée plus tôt dans la journée pour lui dire qu'il l'emmenait dîner au *Cattleman's*, un pub très réputé pour sa cuisine. Kylie y avait déjà mangé plusieurs fois avec Chessy et Joss, avant qu'elles ne décident de faire du *Lux Café* leur lieu de prédilection.

Kylie était ravie de passer encore une soirée en tête-à-tête avec Jensen. Ils n'avaient pas couché ensemble depuis leur première fois et, ni lui ni elle n'avait fait ou dit quoi que ce soit à ce sujet. Pour sa part, elle avait toujours cette peur absurde d'avoir une crise d'angoisse qui réduirait à néant tous les progrès qu'elle avait faits jusque-là. Et puis, elle savait que le manque de relation sexuelle ne changeait en rien les sentiments qu'elle éprouvait pour lui. Tout allait pour le mieux dans le meilleur des mondes.

Elle arriva dans le couloir et s'arrêta net en le voyant. Leurs regards se croisèrent et le visage de Jensen s'illumina aussitôt. Tous les soirs, elle avait droit à ce même regard, plein de tendresse et d'enthousiasme, comme s'il avait attendu le moment de la retrouver toute la journée. Il lui traversa alors l'esprit qu'elle avait hâte de retourner au bureau d'ici quelques jours parce qu'elle allait passer toute la journée avec Jensen. Et, en plus, ils feraient le trajet ensemble, à l'aller comme au retour. Que pouvait-elle rêver de mieux?

— Qu'est-ce qui t'arrive? demanda Jensen, l'air perplexe.

En entendant sa voix, Kylie sortit de sa rêverie et se jeta dans ses bras.

— Désolée, j'étais en train de changer d'avis par rapport à un truc auquel j'ai pensé tout à l'heure.

Le rire de Jensen résonna contre sa joue tandis qu'elle nouait ses bras autour de lui. Elle ferma les yeux, savourant la chaleur qui émanait de son corps. Ils étaient tellement bien ensemble et, comme lui, elle était tout aussi impatiente de le retrouver tous les soirs.

— Ce que tu viens de dire n'a aucun sens, commenta-t-il avec amusement.

Elle s'écarta de lui et plongea les yeux dans les siens. Il était extraordinairement beau et viril et elle frissonna sous l'intensité de son regard pénétrant. Allaient-ils faire l'amour en rentrant? Cela ne dépendait que d'elle. Il suffisait qu'elle lui dise qu'elle avait envie de lui, Jensen serait certainement ravi de l'apprendre et de satisfaire son désir.

— Je me disais, tout à l'heure, que je n'avais pas du tout envie de retourner au travail lundi matin, expliqua-t-elle. Cette semaine est passée trop vite à mon goût. Mais, après, je me suis rendu compte que, quand je reprendrai le travail, je passerai encore plus de temps avec toi. Du coup, maintenant j'ai hâte de retourner travailler. Avec toi.

Jensen sourit et ses yeux s'illuminèrent. Kylie se surprit alors à vouloir sentir ses lèvres sur elle. Qu'éprouverait-elle s'il la touchait, la caressait? Serait-elle capable de le supporter? Elle en avait tellement envie, son corps brûlait de désir pour lui, mais il fallait que sa raison le veuille aussi.

—Eh bien, je suis ravi de l'apprendre. Moi aussi j'ai passé une semaine extraordinaire avec toi et, pour être tout à fait honnête, je ne suis toujours pas prêt à te partager avec les autres. Mais bon, je t'ai quand même eue pour moi tout seul assez longtemps. Il est temps que tu reprennes le travail et que tu montres ce que tu vaux. Tu vas tout déchirer, je le sais. Je suis content qu'on bosse ensemble.

—Quel flatteur! plaisanta-t-elle en riant. Bon, et si tu allais te changer? J'ai faim. Ça fait longtemps que je ne suis pas allée chez *Cattleman's* et je compte bien me goinfrer ce soir.

—Aussitôt dit, aussitôt fait! Je ne voudrais surtout pas faire attendre ma nana!

Sur ces mots, Jensen déposa un baiser rapide sur ses lèvres et se dirigea vers la chambre à coucher. Kylie le suivit du regard, les yeux attirés comme un aimant sur ses fesses fermes et musclées.

Il l'avait appelée «sa nana». Elle esquissa un sourire niais à cette idée. Oui, elle était sa nana. Et il était tellement beau! Et ses fesses, alors… Un régal pour les yeux! Ses hormones s'affolaient de plus belle. Sans pouvoir se départir de son sourire, elle décida, sur une impulsion, de le suivre dans la chambre, en espérant pouvoir l'espionner tandis qu'il se changeait. Voilà qu'elle s'adonnait au voyeurisme à présent!

Elle s'arrêta sur le pas de la porte, émerveillée par la vision qui s'offrait à elle. Le dos tourné et vêtu uniquement d'un boxer, Jensen était en train d'enfiler un pull, les muscles de son dos jouant sous sa peau. Il se tourna légèrement vers elle, mais ne sembla pas la voir. Le regard de Kylie glissa alors sur son corps et s'attarda sur son entrejambe. À en croire la bosse qui déformait son boxer, lui aussi était très, très heureux de l'avoir retrouvée.

Aussitôt, un doute l'envahit. Jensen était-il frustré de ne pas pouvoir lui faire l'amour? Avait-il espéré recommencer rapidement après leur première fois? Lui avait-elle donné de faux espoirs? Elle espérait que non. Elle ne voulait pas le savoir frustré.

Jensen se retourna vers elle et leva un sourcil amusé en la voyant. Puis, il baissa le regard vers son boxer et attrapa son jean.

—Comme tu peux le constater, il y a des choses que je ne contrôle pas, déclara-t-il, un sourire malicieux aux lèvres.

—Oh oui…, bredouilla-t-elle. Enfin, ne t'en fais pas pour ça. Je suis heureuse de voir que… que tu as envie de moi.

Elle leva le regard vers lui et répondit à son sourire.

—À moins que… C'est peut-être une autre femme qui te fait cet effet, déclara-t-elle innocemment.

Il éclata de rire et ferma la braguette de son jean.

—Comme si c'était possible! Je ne vois qu'une seule femme aussi belle que désirable dans cette pièce. Et toi, tu en vois une autre? s'enquit-il en regardant autour de lui.

—Non, répondit-elle en sentant ses joues rougir, gênée par son compliment. Moi je n'en vois même aucune.

Jensen émit un petit grognement puis se dirigea vers elle. Il la prit dans ses bras et elle se cambra instinctivement contre lui. Il souleva alors son menton d'un doigt et l'embrassa avec ardeur.

Sentant son érection contre son ventre, Kylie glissa une main vers son entrejambe et le caressa à travers son jean. Un son guttural s'échappa de la gorge de Jensen, preuve irréfutable de l'envie qu'il avait d'elle et Kylie décida alors que cette nuit-là, elle allait repousser ses limites. Oui, cette nuit-là, tous les deux assouviraient ce besoin féroce qui les démangeait.

Chapitre 20

Installée en face de Jensen à une table à côté de la fenêtre, Kylie était en train de grignoter des nachos lorsque son attention fut attirée par un homme – extrêmement séduisant – qui s'avançait vers eux, accompagné d'une ravissante femme aux yeux bleus et cheveux noirs. Ils allaient très bien ensemble et semblaient tout droit sortis d'un magazine glamour. Tous deux portaient des vêtements de marque et, de toute évidence, l'homme était issu d'un milieu aisé, même s'il n'avait pas l'air de faire partie de ces gens qui étalaient leur richesse aux yeux de tous. Cependant, il émanait de lui une sophistication innée.

Kylie remarqua aussi un énorme diamant à l'annulaire de la main gauche de la jeune femme. Oh oui, ce couple était plein aux as. C'était exactement le genre de personnes que Carson avait pour habitude de côtoyer. Son frère tenait toujours à ce qu'elle l'accompagne partout où il allait et, avec le temps, elle avait fini par apprendre à différencier les vrais riches de ceux qui prétendaient l'être en vivant au-dessus de leurs moyens.

—Jensen! s'exclama soudain l'homme. Quel plaisir de vous revoir!

Le couple s'arrêta à hauteur de leur table et l'homme, qui avait son bras autour de la taille de la jeune femme, l'attira encore plus vers lui en un geste prompt. Son langage corporel et son regard trahissaient la possessivité qu'il éprouvait pour elle.

Visiblement contrarié, Jensen se tourna vers eux et ses traits se détendirent aussitôt. Il leur sourit chaleureusement et se leva. Un peu perdue, Kylie observait la scène depuis sa chaise, ne sachant trop si elle devait l'imiter ou pas. Puis, Jensen lui tendit la main pour l'inciter à se lever. Se sentant déjà plus à l'aise, elle la lui saisit et il l'attira doucement vers lui une fois qu'elle fut debout, comme s'il avait perçu son trouble. Il la connaissait si bien…

—Damon, Serena, les salua-t-il en leur adressant un signe de la tête.

Il porta ensuite son attention sur elle et Kylie remarqua la lueur intense qui brillait dans ses yeux.

Elle est à moi, disait son regard.

—Je vous présente Kylie, ma compagne, dit-il.

Le cœur de Kylie s'emballa en l'entendant dire cela. Elle avait l'impression que leur relation prenait un nouveau tournant.

—Kylie, poursuivit-il en se tournant de nouveau vers elle, voici Damon Roche et sa femme, Serena.

—Ravi de faire votre connaissance, Kylie, dit Damon d'une voix suave avec un hochement de la tête.

À présent qu'elle le voyait de plus près, la première impression de Kylie ne fit que se renforcer ; Damon était, en effet, un très bel homme. Mais, il y avait également quelque chose en lui qui la gênait. Oui, il y avait une certaine autorité, à la fois fascinante et déconcertante, qui se dégageait de lui. Soudain, une idée lui vint à l'esprit. Bien sûr, comment ne s'en était-elle pas aperçue plus tôt ? Cet homme était un dominant. Se faisait-elle des films ou alors absolument tout le monde autour d'elle était plus que familier avec l'univers BDSM ?

—Bonsoir Kylie, la salua Serena en la gratifiant d'un beau sourire.

—Bonsoir, ravie de faire votre connaissance, répliqua-t-elle d'une petite voix.

—On ne va pas vous déranger plus longtemps, dit Damon en s'adressant à Jensen. Mais, comme ça fait longtemps qu'on ne s'est pas vus, je voulais venir vous saluer.

Jensen lui sourit et lui serra la main avant d'embrasser Serena sur la joue. Kylie leur fit un petit signe de la main et les regarda s'éloigner en se rasseyant sur sa chaise.

—C'est qui ? s'enquit-elle quand Jensen se fut rassis lui aussi.

—Des connaissances. Je ne les connais pas très bien. C'est Dash qui nous a présentés.

Kylie se raidit sur sa chaise et un frisson glacé courut sur sa nuque. Elle savait bien que le nom de Damon ne lui était pas inconnu. Joss l'avait mentionné au cours de l'une de leurs innombrables discussions. Damon Roche n'était autre que le propriétaire de l'endroit où Joss s'était rendue pour assouvir son besoin de soumission. Et, si Jensen le connaissait aussi, cela voulait dire que…

—Tu es membre de cet endroit? demanda-t-elle du bout des lèvres.

Il la regarda droit dans les yeux. Elle savait qu'il ne lui mentirait pas et qu'il n'irait pas par quatre chemins pour lui répondre. Il s'était toujours montré honnête avec elle jusqu'à présent, mais elle dut reconnaître que son besoin de dominer faisait naître petit à petit, du moins pour elle, un malaise entre eux. Son estomac se noua en repensant au sacrifice qu'il était prêt à consentir pour elle. À cause d'elle, il était obligé de renier une partie de lui-même.

—Oui, mais je n'ai jamais participé à aucune de leurs soirées.

—Chessy et Tate et Joss et Dash vont souvent là-bas, murmura-t-elle.

—Oui, je sais. Cela dit, je ne les y ai jamais croisés. En fait, je n'y suis allé que deux fois. La première pour l'inscription et la seconde pour visiter l'établissement avec un des membres du personnel.

Kylie fit une moue, essayant de formuler sa prochaine question dont elle redoutait la réponse. Chessy et Joss parlaient souvent de cet endroit. Elle avait donc une vague idée de ce qui s'y passait, mais ne connaissait pas les détails. D'ailleurs, d'où lui venait cette soudaine curiosité?

—Qu'est-ce qui se passe exactement là-bas? finit-elle par demander. Il arrive à Chessy et Joss d'en parler devant moi, mais j'essaie de ne pas les écouter quand c'est le cas. J'ai été très inquiète lorsque Joss m'a dit qu'elle s'était inscrite dans cet établissement.

—Et pourquoi tu veux le savoir maintenant?

—Je suis curieuse, c'est tout, dit-elle en haussant les épaules. Non pas que je veuille y aller, bien sûr que non. Oh, et puis, oublie ma question. Je préfère ne pas savoir ce à quoi tu as dû renoncer pour moi.

—Kylie… Regarde-moi, mon cœur.

Elle leva les yeux vers lui. Le regard rivé sur elle, Jensen avait l'air très sérieux.

—Je n'ai renoncé à rien, tu m'entends? déclara-t-il. J'ai fait un choix, un choix que je ne regrette pas le moins du monde. Je me fiche de cet endroit. Tout ce dont j'ai besoin et tout ce dont j'ai envie, c'est toi.

Kylie savait qu'il disait vrai, mais fut malgré tout envahie par un soulagement si intense qu'il en était presque douloureux.

—Tu me crois, ma belle, n'est-ce pas?

—Oui, répondit-elle en hochant lentement la tête. Je te crois. Mais, c'est plus fort que moi. Je sais que tu as tout de même dû renoncer à une partie de toi, de qui tu es.

—Imaginons que tu aies raison, mais regarde ce que j'ai gagné en contrepartie, lui fit-il remarquer. Je suis plus heureux que jamais.

Elle lui sourit, rassurée par ce qu'elle venait d'entendre.

—Néanmoins, je suis quand même curieuse de savoir ce qui se passe là-bas, avoua-t-elle.

Oui, c'était vraiment de la curiosité, rien de plus. Elle n'était pas intéressée par ce genre d'endroit. Elle voulait simplement en apprendre un peu plus sur le style de vie de ses deux meilleures amies.

—Les gens se rendent au *Manoir* pour assouvir leurs fantasmes sexuels, et pas uniquement ceux orientés vers la domination et la soumission. Il s'y passe pas mal de choses, dans la limite du raisonnable, bien sûr. C'est un endroit où hommes et femmes peuvent se laisser aller à leurs désirs librement et en toute sécurité.

—Mais, ils le font à la vue de tous? Je veux dire, les gens peuvent regarder ce que font les autres?

Kylie fut mal à l'aise à l'idée que ses amies puissent faire ce qu'elles avaient l'habitude de faire là-bas devant d'autres personnes et se dépêcha d'effacer de son esprit cette image troublante.

—Certains oui, mais ce n'est pas une obligation, expliqua-t-il. Il y a une pièce commune, mais il y a aussi des chambres privées. Ces dernières sont surveillées par des caméras au cas où il y aurait un problème.

—Ça me paraît… bizarre.

Que pouvait-elle dire d'autre sur ce sujet dont elle ignorait tout ? La seule pensée de faire l'amour devant d'autres personnes lui donnait la nausée. Elle avait déjà du mal à le faire dans l'intimité de sa chambre…

Jensen eut un petit éclat de rire.

—Ça peut te sembler bizarre, mais tout le monde ne pense pas forcément comme toi. Les gens vont au *Manoir* pour vivre leur sexualité comme ils l'entendent. Du moment que les rapports sont protégés et consentis, qu'ils fassent comme bon leur semble.

Tu l'as bien cherché, ma vieille, pensa Kylie.

Elle ne devait pas porter des jugements sur tout et tout le monde. Elle était bien la dernière personne à pouvoir critiquer le style de vie des autres. Elle était l'anormalité incarnée et était donc vraiment très mal placée pour juger les autres.

—Tu n'as pas à t'en faire, dit-il. Jamais de la vie je ne t'emmènerai là-bas. Et puis, je n'ai pas du tout envie d'y retourner. Quand Dash m'en a parlé, je t'avoue que ça m'a intrigué. C'est pour ça que j'ai fait une demande d'adhésion. Et puis, je t'ai rencontrée. Non, en fait je te connaissais déjà quand j'ai fait la demande. Mais, une fois que j'ai vu ce que c'était, je n'ai pas eu envie d'y retourner. Tout ce que je voulais, c'était toi.

—Je me demande toujours comment tu peux vouloir de moi, admit-elle. Quoi qu'il en soit, je suis contente que tu n'aies plus envie de retourner dans cet endroit et que tu préfères être avec moi, en dépit de mes problèmes. Tu me donnes de l'espoir, Jensen. Grâce à toi, je me dis qu'il n'est pas trop tard pour avoir une relation normale avec un homme. Enfin, plus ou moins normale…

Elle réprima un soupir de dépit.

—«Normal» est synonyme de chiant, déclara-t-il en riant. Et puis même, en ce qui concerne notre couple, nous sommes les seuls aptes à juger ce qui est normal et ce qui ne l'est pas. Alors, oui, nous n'avons certainement pas la même vision du «normal» que la majorité des gens, mais je préfère de loin être anormal avec toi plutôt que normal tout seul.

Elle sourit, sentant son humeur s'alléger. Elle avait parfois l'art d'être rabat-joie. Elle avait failli gâcher la soirée avec son comportement. Surtout que, si tout se passait comme elle l'imaginait, la soirée était loin d'être terminée.

Un serveur leur apporta leurs plats et ils mangèrent en silence. Même si elle n'avait pas du tout faim, Kylie avala rapidement le dîner. Elle avait les nerfs en boule et ne pensait plus qu'à une chose : ce qui se passerait une fois qu'ils seraient de retour à la maison.

Posant ses couverts dans son assiette vide, elle leva la tête et constata que Jensen avait également fini de manger. Elle décida de se jeter à l'eau.

—On rentre ? demanda-t-elle en tâchant de garder son sang-froid.

Elle vit une étincelle dans les yeux de Jensen. Il savait. Ça se voyait donc tant que ça ? Avait-il perçu son empressement ? Elle réprima un sourire à cette idée. Avant Jensen, jamais elle n'aurait cru pouvoir être aussi impatiente de se retrouver nue, peau contre peau, avec un homme. Avec Jensen, elle ne pensait plus qu'à ça à présent.

Un vacarme soudain la tira de ses réflexions. Elle leva la tête vers l'origine du bruit et vit une femme qui entraînait un homme, visiblement éméché, vers la sortie du restaurant. Ils étaient en train de se quereller et Kylie secoua tristement la tête en reportant son attention sur Jensen, bien décidée à ne rien laisser ruiner cette soirée qu'elle voulait unique.

Jensen paya l'addition puis se leva et lui tendit la main pour l'aider à en faire autant. Il passa son bras autour de sa taille et l'escorta vers la porte. Ils sortirent du restaurant et se dirigèrent vers la voiture lorsqu'elle sentit Jensen se raidir. L'instant d'après, il poussa un grognement et s'arrêta net. Blottie dans ses bras, elle fit de même et leva la tête en suivant son regard.

Le couple qu'elle avait vu se quereller dans le pub poursuivait leur dispute sur le parking sauf que, cette fois, il ne s'agissait plus d'une simple joute verbale. L'homme avait empoigné la femme par les cheveux et vociférait des insultes et des obscénités. Puis, à sa plus grande horreur, il porta un coup au visage de la femme et celle-ci tomba par terre.

Aussitôt, Jensen relâcha son étreinte et se rua sur l'homme. Il lui assena un coup de poing dans la mâchoire qui envoya l'homme rouler au sol. Pétrifiée, Kylie assistait à cette scène épouvantable. Son cœur battait comme un tambour et la sueur perlait à son front. Péniblement, elle déglutit pour repousser la bile qui lui montait dans la gorge. Comme clouée sur place, elle regardait Jensen se pencher au-dessus de la femme et l'aider à se relever.

— Vous allez bien ? s'enquit-il d'une voix douce, une fois que la femme fut sur pied. Laissez-moi vous aider, je vais appeler la police pour qu'ils embarquent ce salaud.

D'un air paniqué, la femme agrippa le bras de Jensen et le secoua.

— Non ! hurla-t-elle en lui jetant un regard apeuré. Ça ne fera qu'empirer les choses. Laissez-nous, je vous en supplie.

Manifestement troublé par sa réaction, Jensen la regarda quelques secondes puis reporta son attention sur l'homme qui gisait encore au sol.

— Comment pouvez-vous me dire ça après ce qu'il vous a fait ? demanda-t-il, le visage blême.

— S'il vous plaît, laissez-nous, l'implora-t-elle. Je vais le ramener à la maison. Il ne voulait pas me frapper. Il est ivre, il ne l'a pas fait exprès. Il ne s'en souviendra même pas demain matin.

— Et les contusions sur votre visage ? Il vous a fait mal, dit Jensen.

La femme regarda nerveusement son compagnon qui commençait à reprendre connaissance.

— Écoutez, ce n'est pas grave, chuchota-t-elle. Partez, s'il vous plaît. Laissez-nous. Je m'occupe de lui. Il ne voulait pas me faire mal. Je vous en supplie, partez. Si vous restez, ça ne fera qu'envenimer les choses.

Reprenant possession de ses moyens, Kylie s'avança vers Jensen et lui saisit la main. Il se retourna vers elle et lui adressa un regard surpris, comme s'il avait oublié qu'elle était là. Il avait les traits tirés et une lueur de colère brillait dans ses yeux.

— Viens, Jensen, on y va, murmura-t-elle en serrant sa main dans la sienne. Tu vois bien qu'elle préfère qu'on les laisse tranquilles. Il va lui faire encore plus mal si on reste.

— Écoutez-la, marmonna la femme. Ce n'est pas la première fois que ça arrive, je vais m'occuper de lui. Il n'est pas conscient de ce qu'il a fait, il le regrettera demain.

— Ce n'est pas une excuse, repartit Jensen sèchement. Vous devriez porter plainte contre ce connard et demander une injonction lui interdisant de s'approcher de vous.

Kylie le tira par le bras, voulant à tout prix partir avant que la situation dégénère. L'homme était en train de se relever en appelant sa compagne. La femme leur lança un regard implorant puis se retourna vers son compagnon. Elle lui fit passer un bras autour de ses épaules, l'enlaça et l'aida à se remettre debout.

Jensen lâcha un juron et ce ne fut qu'à ce moment-là que Kylie se rendit compte qu'il lui serrait la main avec une telle force qu'elle ne sentait pratiquement plus ses doigts. Il était évident qu'il luttait de toutes ses forces pour garder son calme. Craignant qu'il ne change d'avis et se lance à la poursuite de l'homme, elle le tira de nouveau par le bras et, cette fois, il la suivit.

Tandis qu'ils se dirigeaient vers la voiture, Jensen se retourna plusieurs fois, cherchant manifestement le couple d'un regard inquiet.

—Putain, ça me rend malade ce genre de choses, dit-il tout en ouvrant la portière côté passager.

Kylie monta dans la voiture et il referma la portière. Il s'installa au volant et démarra. Par la fenêtre, elle aperçut la femme qui aidait son compagnon à entrer dans leur voiture. Son cœur se serra en imaginant la vie que devait mener cette pauvre femme qui en était réduite à chercher des excuses à son mari ou son petit ami pour son comportement abusif et violent.

Soupirant, elle ferma les yeux et essaya de chasser les images des événements de la soirée qui se bousculaient devant ses yeux. La soirée était définitivement ruinée à présent.

Le trajet du retour se déroula dans un silence tendu. Kylie observa Jensen plusieurs fois du coin de l'œil. Une expression grave sur le visage, il tenait fermement le volant, les yeux rivés sur la route devant lui et à aucun moment il ne tourna la tête vers elle. Une tension palpable régnait dans la voiture, à tel point qu'elle lui noua la gorge. La colère – non, la rage, plutôt –, qu'elle avait pu lire dans le regard de Jensen, l'avait profondément troublée. Et là, elle n'avait même pas besoin de voir ses yeux parce qu'elle les savait vides de toute émotion.

Sa réaction avait-elle un lien avec son passé ? Il lui avait avoué que, lui aussi avait ses démons intérieurs, mais quand elle lui avait demandé de lui en parler, il avait rapidement changé de sujet en lui disant qu'ils y reviendraient une autre fois.

Kylie fut aussitôt prise d'une envie d'aborder le sujet tout de suite. Elle avait besoin de savoir. Elle avait été tellement préoccupée par ses propres problèmes, qu'elle en avait oublié ceux de Jensen. Mais elle était bien décidée à remédier à la situation. Elle espérait juste qu'il accepterait de se confier à elle cette fois-ci.

Elle sourcilla à cette pensée. Était-ce vraiment une bonne idée? Elle comptait lui demander quelque chose qu'elle-même ne pouvait toujours pas se résoudre à faire. Mais, d'un autre côté, il connaissait beaucoup plus de choses sur elle qu'elle sur lui. En fait, elle ne connaissait rien de son passé et, s'ils voulaient vraiment que leur couple fonctionne, elle n'était pas la seule à devoir combattre – et vaincre – ses démons; lui aussi devait le faire. D'ailleurs, ils s'y mettraient ensemble le soir même.

Chapitre 21

JENSEN TOURNA LA CLÉ DANS LA SERRURE DE LA PORTE d'entrée et s'effaça pour laisser Kylie entrer dans la maison. D'un regard furtif, il vit qu'elle était pâle et avait les traits tendus. Visiblement perturbée, elle se frottait les bras avec nervosité et il réprima un juron.

La soirée était gâchée. Une fois au pub, il avait rapidement deviné l'idée que Kylie avait derrière la tête ainsi que l'effort qu'elle avait dû faire pour prendre sur elle et ne pas se laisser envahir par la peur. Mais, à cause du comportement de cet enfoiré sur le parking, Dieu seul savait ce qui pouvait se passer dans la tête de Kylie à présent.

Il était allé contre ses principes en laissant la femme se débrouiller toute seule avec son compagnon. Il savait qu'il cognerait de nouveau et qu'il ne s'arrêterait pas tant qu'elle n'aurait pas décidé de faire quelque chose pour y mettre un terme. Tout cela le rendait malade. Il ne pouvait pas faire comme si de rien n'était. Pas après ce qu'il avait vécu dans son enfance. Il s'était retrouvé confronté à ses démons du passé qu'il avait eu tant de mal à refouler dans un coin de son esprit, et, désormais, ces démons se bousculaient dans sa tête pour remonter à la surface.

— Jensen ?

La voix de Kylie le tira de ses réflexions. Il leva le regard vers elle et constata qu'elle l'observait, le visage fermé.

— Oui, mon cœur ?

— Il faut qu'on parle, dit-elle d'une petite voix.

Il hocha la tête, incapable d'articuler une réponse.

Elle lui prit la main et il fut surpris par son geste, auquel il ne s'attendait pas. Voilà qu'elle semblait essayer de le réconforter alors que c'était elle qui en avait le plus besoin. Tout comme lui, elle aussi avait vu l'enfer de son passé réapparaître sous ses yeux. Sauf que son passé était bien plus lourd. Se prendre une droite dans la figure était sûrement loin d'être la pire chose qu'elle avait vécue.

— Viens dans la chambre, murmura-t-elle. Allons nous mettre au lit, nous pourrons parler ensuite.

Il l'attira contre lui et la serra fort dans ses bras, voulant à tout prix lui faire comprendre qu'elle était en sécurité et qu'il ne pouvait rien lui arriver parce qu'il était là pour la protéger. Il lui embrassa les cheveux et respira leur parfum délicat. À son tour, elle passa ses bras autour de sa taille et le serra contre elle, et Jensen déchiffra dans ce geste un message silencieux. Essayait-elle de le réconforter ?

— Oui, allons-y, dit-il enfin.

Elle s'écarta de lui et le tira par la main vers la chambre. Elle ne le relâcha qu'une fois qu'ils furent dans la chambre et se dirigea vers la commode où la plupart de ses vêtements étaient rangés. Elle sortit un pyjama d'un des tiroirs puis commença à se déshabiller, sa présence ne lui occasionnant vraisemblablement aucune gêne.

Jensen la regarda faire, rassuré de constater qu'elle ne semblait pas plus traumatisée que ça par les événements de la soirée. Peut-être que c'était vraiment lui qui avait été le plus affecté des deux par ce qui s'était passé. Le fait d'avoir vu cette pauvre femme se faire malmener par son compagnon avait fait resurgir de douloureux souvenirs. Il s'était senti impuissant lorsque la femme l'avait imploré de ne pas appeler la police et il détestait par-dessus tout ce sentiment d'impuissance. Jamais plus il ne se laisserait gagner par ce sentiment. Jamais.

Il constata alors que ses mains tremblaient. Kylie s'approcha de lui et les prit dans les siennes, les serra puis les caressa doucement de ses pouces.

— Toi aussi tu dois te déshabiller avant de te mettre au lit, dit-elle.

Sur ces mots, elle entreprit de lui ôter ses vêtements un à un et il resta immobile, la laissant faire. Elle le déshabillait lentement. Chacun de ses gestes se voulait réconfortant. D'habitude, c'était lui qui était censé la rassurer et s'occuper d'elle, pas le contraire. Mais il ne dit rien, savourant cette nouvelle sensation agréable. Il se trouvait dans un état de vulnérabilité et il était bon de savoir qu'il pouvait compter sur quelqu'un, sur Kylie, pour s'occuper de lui.

Cette femme était la seule qui avait le droit de voir son côté fragile. Il n'avait jamais eu autant confiance en une personne qu'en elle et il n'avait jamais cédé le contrôle à une autre personne qu'elle.

Quand il fut en boxer, elle le guida jusqu'au lit et tira les draps. Ils se glissèrent en dessous, et elle vint se blottir contre lui en posant sa tête sur son épaule.

— Qu'est-ce qui s'est passé ce soir, Jensen ? demanda-t-elle d'une voix douce. J'ai vu l'expression de ton visage, j'ai vu la rage et la colère dans tes yeux, mais j'ai également vu de la douleur et du désespoir. Tu m'as dit que toi aussi tu étais hanté par ton passé. Est-ce que tu veux qu'on en parle ?

Jensen ferma les yeux en se demandant si c'était vraiment une bonne idée de tout lui révéler. Non pas qu'il refuse de le faire, il avait une confiance absolue en elle, mais il craignait que son histoire ne la bouleverse encore plus.

Soudain, Kylie se redressa et croisa son regard. Elle lui caressa doucement la joue en lui adressant un sourire réconfortant.

— Ne t'en fais pas pour moi, murmura-t-elle comme si elle avait lu dans ses pensées. Ce soir, c'est à mon tour de t'écouter et d'être forte pour toi, pour nous deux. Je suis là pour toi et tout ce que tu pourras me dire restera entre nous, je ne le dirai à personne. Tu peux me faire confiance.

Il tourna légèrement la tête et déposa un baiser dans la paume de sa main.

— Kylie, j'ai une confiance aveugle en toi. Sache que jamais je n'ai eu autant confiance en quelqu'un. C'est juste que je ne veux pas raviver chez toi des souvenirs pénibles.

— Ça n'arrivera pas, pas ce soir, déclara-t-elle d'un ton sérieux. Ce soir, c'est à moi de t'écouter et d'être là pour toi, comme toi tu l'as été pour moi.

Il l'observa en silence quelques instants. Il aimait cette femme à la folie et ne pouvait plus imaginer sa vie sans elle. Ils étaient enfin ensemble et il ne comptait pas la laisser filer. Kylie était sienne pour toujours.

— Je t'aime, ne l'oublie jamais. Et rien que tu puisses dire ne changera ça, murmura-t-elle en lui caressant la joue.

Il ferma de nouveau les yeux. Il était l'homme le plus chanceux de la terre. Qui aurait pu croire qu'il allait trouver l'amour aux côtés d'une femme qu'il ne pouvait pas dominer sexuellement ? D'un autre côté, il était sûr que Kylie n'avait certainement jamais cru pouvoir tomber amoureuse d'un homme dominant, et pourtant…

— Je l'espère sincèrement, marmonna-t-il.

Elle acquiesça, son regard brillant de sincérité. Il prit une profonde inspiration. Raconter son histoire à Kylie serait un peu comme arracher un pansement : plus vite ce serait fait, mieux ce serait.

—Tout comme toi, commença-t-il, moi aussi je viens d'une famille au sein de laquelle la violence était omniprésente. Mon père…

Il déglutit avec effort, ayant du mal à qualifier de « père » cet être ignoble. Il croisa le regard de Kylie. Elle comprenait exactement ce qu'il ressentait, mais ne dit rien, l'encourageant silencieusement à poursuivre.

—Ce n'est pas à moi qu'il s'en prenait, même si, crois-moi, j'aurais préféré que ce soit le cas. Il faisait passer ses nerfs sur ma mère et je ne pouvais rien faire pour l'en empêcher. J'assistais à la scène, impuissant. Je me suis juré de ne plus jamais revivre ce que j'ai éprouvé à l'époque. Je déteste ce sentiment d'impuissance.

Une larme roula sur la joue de Kylie. Il savait qu'elle le comprenait parfaitement. Elle ne connaissait que trop bien la douleur et le désarroi qu'il éprouvait. Il sentit sa main trembler contre sa joue, mais elle ne l'enleva pas.

—A-t-il quand même fini par arrêter ? s'enquit-elle du bout des lèvres.

Jensen ferma les yeux une fois de plus, sentant son cœur se déchirer de douleur. Cela faisait bien trop longtemps qu'il n'avait pas pensé à tout ça. C'était une partie de son passé qu'il avait essayé d'effacer, ou du moins, de refouler, mais, à présent, les souvenirs lui revenaient en force et il ne savait pas comment les contrôler. Les images qui défilaient dans son esprit étaient tellement vives qu'il en eut le tournis.

— Non, répondit-il d'une voix à peine audible. Non…
C'est resté un salopard jusqu'à son dernier souffle. J'ai ouvert
une bouteille de champagne le jour où on lui a diagnostiqué
un cancer au stade terminal. J'étais ravi de savoir qu'il allait
crever dans d'atroces souffrances. Je priais pour ça tous les
jours ; il faut croire que Dieu a entendu mes prières. Tu te
rends compte à quel point c'est tordu ?

— Non, ça ne l'est pas, répliqua-t-elle. Il n'a eu que ce
qu'il méritait, c'est tout.

— Et ma mère, poursuivit-il, ma mère est restée à ses côtés
jusqu'à la fin. Je n'ai jamais compris pourquoi. Et quand mon
père a enfin rendu l'âme, elle a vidé leur compte en banque,
m'a donné l'argent et m'a dit d'aller me construire une vie
meilleure, ailleurs. Comme si c'était facile ! Elle voulait que
je parte et que je la laisse toute seule, que je fasse comme si de
rien n'était, comme si l'autre enfoiré n'avait jamais existé et
ne l'avait jamais frappée.

— Et tu l'as fait ? demanda Kylie en fronçant les sourcils.

Il secoua la tête.

— Je ne pouvais pas. Je lui en voulais d'être restée avec
lui jusqu'au bout, mais je ne pouvais pas juste m'en aller,
comme ça. Je n'ai jamais compris pourquoi elle ne s'est pas
barrée quand elle en a eu l'occasion, je ne le comprendrai
sans doute jamais.

— Qu'est-ce qui s'est passé après ?

Bien sûr, elle avait compris que l'histoire n'était pas encore
terminée.

Il posa sa tête sur l'oreiller, le regard rivé au plafond. Il sentait une colère familière se ranimer en lui, de la colère, oui, mais aussi un sentiment de trahison. C'était d'ailleurs la première fois qu'il se l'avouait. Oui, il se sentait trahi par sa propre mère, mais ne pouvait s'empêcher de se demander si elle n'avait pas fait le bon choix, après tout.

— Elle est partie, lâcha-t-il en essayant de contenir sa rancœur. Elle a fait ce que je n'ai pas eu le courage de faire.

Kylie écarquilla les yeux. Une lueur de colère passa dans son regard et disparut aussitôt.

— Elle est partie ? Comme ça ? D'un coup ?

Il hocha la tête.

— Elle n'a plus jamais donné signe de vie. J'ai essayé de la retrouver après avoir fini mes études, quand j'ai commencé à travailler. Je voulais savoir ce qu'elle était devenue et lui rendre ce qu'elle m'avait laissé : quand elle est partie, elle n'a rien pris avec elle, ni argent ni rien. Je me suis toujours demandé comment elle avait fait pour survivre. Quoi qu'il en soit, je ne l'ai pas retrouvée. Je ne sais même pas si elle est toujours en vie. Peut-être qu'elle est morte, peut-être qu'elle s'est suicidée et qu'elle a préféré partir pour ne pas m'accabler davantage, qui sait. Pour moi en tout cas, c'est la seule explication plausible.

— Oh, Jensen, dit-elle d'une voix tremblante d'émotion. Je suis vraiment désolée. Ça doit être horrible de vivre dans l'ignorance et de vouloir tourner la page, mais être dans l'incapacité de le faire.

— Je voulais juste m'assurer qu'elle allait bien. Parfois, je me surprends à penser qu'elle a peut-être refait sa vie et qu'elle est enfin heureuse. Il y a des jours où j'arrive même à me faire à cette idée, mais l'incertitude finit toujours par reprendre le dessus. L'incertitude et la rancœur.

— Oui, c'est compréhensible.

— Souvent, je me demande si elle m'en voulait de ne pas avoir su la protéger, de ne pas avoir pu empêcher ce monstre de lui faire du mal. Peut-être qu'elle me détestait à cause de ça, à cause de ma faiblesse.

— Non, Jensen, ne dis pas ça! s'exclama Kylie en se redressant. Tu n'étais qu'un enfant. Ce sont les parents qui sont censés protéger leurs enfants, pas l'inverse. Tu ne pouvais rien faire, ce n'était pas ta faute.

— J'aimerais tant pouvoir y croire, admit-il. J'aimerais tant pouvoir lui dire à quel point je suis désolé. C'était quelqu'un de bien, mais elle a subi trop de violence et ça a fini par la briser, tout simplement. Elle est devenue amère, elle a perdu ses illusions. C'est peut-être pour cette raison qu'elle voulait que je m'en aille, pour que je n'aie pas à la voir dans un tel état. Et comme j'ai refusé de la laisser, c'est elle qui est partie. Pourquoi? Je ne le saurai jamais.

Kylie noua ses bras autour de son cou et se serra contre lui. Il pouvait sentir sa joue humide contre son torse. Elle pleurait et c'était sa faute. L'attrister était bien la dernière chose qu'il souhaitait. Il resserra un bras autour d'elle et glissa l'autre main dans ses cheveux, savourant leur proximité.

—Nous sommes deux âmes meurtries qui tentent de s'en sortir tant bien que mal, murmura-t-elle, blottie dans son cou. Nous avons besoin l'un de l'autre, Jensen. On se complète et on se comprend.

—J'ai trop besoin de toi, mon cœur, affirma-t-il. Tu es tout pour moi, Kylie, et je n'arrive même pas à m'expliquer que je ne puisse déjà plus me passer de toi. Je ne croyais pas au destin, mais pourtant, c'est lui qui t'a envoyée à moi, j'en suis persuadé. Tu es la femme de ma vie.

—Et toi tu es l'homme de ma vie, déclara-t-elle en se redressant, les pointes de ses longs cheveux caressant son cou et son torse.

Lentement, elle se pencha vers lui et l'embrassa. Leurs langues s'enlacèrent et ils se goûtèrent passionnément avant qu'elle ne mette fin au baiser. Quand leurs regards se croisèrent de nouveau, il lut de la tristesse dans ses yeux.

—Je vais chercher la corde, dit-elle au bout de quelques secondes.

Jensen perçut sa déclaration plus comme une justification qu'autre chose. Elle semblait mortifiée à l'idée de devoir utiliser cette fichue corde et ne pas pouvoir faire autrement. N'avait-elle donc toujours pas compris qu'il s'en fichait éperdument ? Qu'il était prêt à s'attacher lui-même au lit si ça pouvait la rassurer ?

—Dans le tiroir, dit-il en lui adressant un regard par lequel il voulait lui faire comprendre qu'elle n'avait aucune raison de s'en vouloir.

Elle se leva et revint quelques secondes plus tard. Elle s'agenouilla sur le matelas à côté de lui et lui attacha les mains à la tête du lit avec douceur, veillant toutefois à ne pas croiser son regard.

—Kylie, regarde-moi, ma belle.

Elle finit de serrer le dernier nœud puis s'assit sur ses talons, levant lentement la tête pour, enfin, soutenir son regard.

—Ça ne me dérange pas du tout d'être attaché et, toi non plus, ça ne devrait pas te déranger. Et puis, tu sais, on n'est pas obligés de faire quoi que ce soit. La soirée a été riche en émotions, te tenir dans mes bras me suffit amplement.

Elle secoua la tête, ses yeux débordant de tendresse, puis se pencha vers lui et l'embrassa de nouveau en lui mordillant la lèvre inférieure.

—J'ai envie de te faire l'amour tout de suite, chuchota-t-elle contre sa bouche. J'en ai assez de te dire ce que je ressens pour toi, j'ai envie de te le montrer. Tu as été tellement fort pour moi et, maintenant, c'est à mon tour de l'être pour toi, c'est à mon tour d'être ton roc. Laisse-moi être là pour toi, fais-le pour nous.

Jensen émit un grognement, se sentant soudain extrêmement à l'étroit dans son boxer. Il avait tellement envie d'elle. Il avait envie de sentir ses caresses sur sa peau, sa tendresse et sa douceur. Il avait désespérément besoin d'elle, ce soir-là plus que jamais.

Elle embrassa son menton et traça une ligne de baisers le long de son cou, son torse puis son ventre. Lorsqu'il sentit la pointe de sa langue sur ses abdominaux, ses muscles se tendirent instinctivement. Il y avait une douceur dans ses gestes qui le rendait fou de désir. Jamais il n'avait eu envie d'une femme comme il avait envie d'elle.

Elle glissa ses doigts sous l'élastique de son boxer et tira dessus, libérant son sexe dur et dressé. Quelques gouttes de liquide perlaient déjà sur son gland. Il n'avait apparemment plus aucun contrôle sur lui-même quand il était avec elle.

De sa langue, Kylie caressa toute la longueur de sa verge, de la base vers le gland, tout en malaxant légèrement ses testicules. En proie à d'intenses émotions, il tira sur les cordes, voulant la toucher, la caresser, même s'il était pleinement conscient que cela lui était impossible. Un jour ; un jour il pourrait la toucher… Un jour, ses caresses feraient naître en elle cette chaleur ardente qui se propageait dans ses veines.

Elle enroula la langue autour de son gland avant de le prendre tout entier dans sa bouche. Il renversa la tête en arrière sur l'oreiller, éprouvant un plaisir extrême. Elle le suça quelques instants puis se redressa, une lueur de détermination dans les yeux. Elle fit passer le haut de son pyjama par-dessus sa tête, dévoilant ses seins nus et il retint son souffle lorsqu'elle enleva le bas. Elle se débarrassa également de sa petite culotte et Jensen promena son regard avide sur elle, sur chacune de ses courbes voluptueuses, luttant contre son envie de la goûter et de la toucher.

—Tu n'es pas obligée de faire ça, ma belle, dit-il.

— J'ai envie de le faire, j'ai besoin de le faire, annonça-t-elle avec une expression résolue.

— Prends ton temps, nous avons toute la nuit devant nous.

— Dis-moi ce que je dois faire maintenant.

Le cœur de Jensen se gonfla d'émotion. Il aimait cette femme plus qu'il ne l'aurait cru possible. Elle voulait tellement bien faire pour lui donner du plaisir.

— Assieds-toi à califourchon sur moi et mets mon sexe entre tes cuisses, intima-t-il d'une voix rauque. On va y aller doucement.

Soudain, il se souvint d'une chose très importante et réprima un juron.

La capote!

Il s'était laissé emporter par son désir et avait complètement oublié de prendre une capote! Pourtant, il mourait d'envie de s'enfoncer en elle peau contre peau, mais était pleinement conscient des conséquences que cela pourrait entraîner.

— Kylie, ma belle, tu prends la pilule? J'ai des capotes dans le tiroir où je range la corde sinon.

— Je suis sous contraception, répliqua-t-elle en hochant la tête. Je ne veux pas utiliser de préservatif, sauf si toi tu préfères que j'aille en chercher un, je ne sais pas…

Une vague de soulagement le submergea.

— Non, je n'en veux pas. Et puis, tu sais, ça fait longtemps que je n'ai rien fait avec personne.

—Moi je ne l'ai encore jamais fait, dit-elle avec un petit sourire en coin.

Elle n'était peut-être pas vierge, mais, pour lui, c'était tout comme. Certes, sa virginité lui avait été dérobée de la pire façon qui soit, mais elle conservait encore son innocence. Il aurait tant aimé que les circonstances soient différentes pour sa première fois. Il aurait aimé lui montrer à quel point l'acte sexuel pouvait être un moment tendre et magique lorsqu'il était partagé avec la bonne personne. Il ne regrettait pas de lui avoir laissé le contrôle, mais il était déçu de ne pas pouvoir lui procurer la même jouissance que celle qu'elle était en train de lui offrir.

—Caresse-toi, murmura-t-il d'une voix qu'il espérait rassurante. Je veux que tu sois bien prête pour moi ; je ne veux pas te faire mal.

Jensen décela l'hésitation dans son regard, mais elle finit quand même par glisser une main entre ses cuisses. Il tressaillit légèrement lorsqu'il sentit le dos de sa main effleurer sa queue. Fermant les yeux, elle commença à se caresser et émit un petit gémissement de plaisir. Si seulement c'était sa main au lieu de la sienne ! Sa peau était en feu et tout son corps tremblait de désir. La simple idée de la pénétrer risquait de le faire jouir.

Il inspira profondément, déterminé à recouvrer un semblant de sang-froid. C'était la première fois pour Kylie et il voulait que tout soit parfait pour elle. Son plaisir passait avant le sien.

—Regarde-moi…, chuchota-t-il.

Elle ouvrit les yeux et rencontra son regard. Tout comme lui, elle était ivre de désir et de passion. Tout comme lui, elle avait envie d'aller jusqu'au bout.

Lentement, elle remonta sa main le long de son ventre. Ses doigts étaient humides, preuve irréfutable de son excitation, de son envie pour lui. Comme si elle avait lu dans ses pensées, elle tendit la main vers lui et glissa un doigt dans sa bouche. Il lécha le bout avant de l'engouffrer tout entier entre ses lèvres. Il le mordilla tendrement puis le relâcha.

—Tu es prête, ma belle?

—Oui, souffla-t-elle. Dis-moi quoi faire, je veux que ce soit parfait.

—Et ça le sera. Avec toi, ça ne peut pas être autrement que parfait. Soulève tes hanches et guide-moi. Mais, vas-y doucement, prends le temps de t'habituer à ma présence en toi.

Elle se mordit la lèvre inférieure en se redressant, puis empoigna la base de sa verge. Lentement, elle pressa son gland contre son sexe et il sentit sa chaleur humide l'envelopper petit à petit. C'était une sensation incroyable, la meilleure qu'il ait jamais ressentie.

—Oui, voilà… Continue, doucement…

Elle le fit glisser lentement en elle, centimètre par centimètre. Elle était si étroite et humide autour de sa queue… C'était exquis. Il était déjà à moitié en elle lorsqu'elle baissa le regard. Une expression consternée se peignit aussitôt sur son visage.

—Je ne vais jamais y arriver, balbutia-t-elle.

Il lui sourit, combattant à grand-peine l'envie irrépressible de s'enfoncer en elle d'un coup de reins. Il inspira puis relâcha son souffle, essayant de rester immobile, le temps que Kylie s'adapte à cette invasion de son intimité.

—Mais si, doucement… Caresse-toi, tu ne mouilles pas assez. Tu es si étroite, c'est parfait.

Elle s'exécuta et se redressa légèrement avant de commencer à se caresser le clitoris. Elle ferma les yeux et un gémissement s'échappa de ses lèvres. Aussitôt, il sentit une chaleur intense autour de sa queue tandis qu'elle l'accueillait en elle. Ils gémirent ensemble. Il l'avait presque pénétrée de toute sa longueur.

Quand elle se fut enfin assise sur lui, elle ouvrit grand les yeux en émettant un soupir de surprise. Il était entièrement en elle et un sentiment exaltant l'envahit. Sentant la jouissance monter en lui, il serra la mâchoire.

—Chevauche-moi, mon amour. Fais ce que tu veux… Je veux te voir jouir. Continue de te caresser si tu en as envie… Tu es si belle, un vrai régal pour les yeux.

Elle se mit à bouger maladroitement, montant et descendant plusieurs fois sur son pénis, jusqu'à ce qu'elle finisse par trouver son rythme. Elle imprima alors à ses hanches un mouvement de va-et-vient et il la regarda faire, fasciné par le spectacle qu'elle lui offrait.

Sa queue était lubrifiée de mouille, l'humidité de leurs sexes facilitant les mouvements de Kylie. Elle était tellement chaude et étroite qu'il craignait de perdre la raison chaque fois qu'elle l'accueillait au plus profond d'elle.

Kylie allait et venait sur lui et Jensen se rendit alors compte à quel point elle était petite et menue par rapport à lui. Ses longs cheveux dansaient autour d'elle, recouvrant ses épaules et, ici et là, ses seins. Il était son premier amant, le premier homme à qui elle avait décidé de s'offrir entièrement, aussi bien émotionnellement que physiquement, et cette pensée le frappa de plein fouet. Elle lui avait fait le plus beau cadeau qui soit : sa confiance.

—Je vais jouir, lâcha-t-elle. Je vais jouir…

—Je suis là, mon amour. Laisse-toi aller, jouis pour moi. Je suis là.

Elle se pencha en avant et plaqua les paumes contre son torse puis accéléra le mouvement de ses hanches. Sa respiration était de plus en plus saccadée, ses pupilles dilatées et ses joues rosies par le plaisir et l'excitation.

Il avait de plus en plus de mal à se retenir. Son orgasme montait dangereusement en lui, comme une tempête sur le point d'éclater. Un cri de plaisir déchira le silence et dès qu'il sentit Kylie contracter ses muscles autour de lui, il se laissa aller à sa jouissance. Libérant son plaisir, il se cambra contre elle et se déversa abondamment en elle. Sa vue se brouilla. Il ne voyait plus que Kylie. Il ne sentait plus rien hormis Kylie. Il n'avait plus conscience de rien hormis de Kylie, à califourchon sur lui. Il tira sur la corde autour de ses mains, ressentant un besoin aussi urgent qu'incontrôlable de la prendre dans ses bras, de la toucher, la caresser.

Kylie s'allongea sur lui et il perçut les battements de son cœur ainsi que les mouvements accélérés de sa poitrine contre son torse. Il était encore dur, profondément logé en elle, dans sa chaleur moite et fut comme électrifié par ce contact intime de leurs corps.

Même si sa patience commençait à être mise à rude épreuve, il attendit qu'elle le détache sans rien dire. Il mourait d'envie de la serrer dans ses bras. Il voulait qu'elle se fonde dans son étreinte et qu'ils partagent, ensemble, les sensations délicieuses provoquées par ce contact physique.

Après ce qui lui parut une éternité, Kylie se redressa enfin et commença à le détacher, la poitrine à quelques centimètres de son visage. Ses seins étaient d'une rondeur parfaite, les mamelons rose clair toujours dressés sous l'effet du plaisir. Il avait envie de les lécher, de les titiller avec sa langue.

Dès qu'elle le libéra, il l'attira dans son étreinte, ignorant les fourmillements qui engourdirent aussitôt ses bras. Il roula sur le côté, l'entraînant avec lui. Il était toujours en elle, ne pouvant se résoudre à se retirer et briser le lien qui les unissait. Il n'était pas encore prêt à quitter le cocon d'intimité qui s'était tissé autour d'eux.

Il s'empara de sa bouche dans un baiser ardent, ses hanches allant et venant contre les siennes. Puis, il se rendit compte de ce qu'il était en train de faire et se figea. Il lui adressa un regard mortifié, consterné par son propre manque de tact.

Elle leva la main et posa un doigt sur ses lèvres.

—Ne t'en fais pas, dit-elle, comme si elle avait deviné ses pensées, je sais que tu ne me feras pas de mal.

Il ferma les yeux et la serra contre lui, veillant à ne pas bouger en elle. C'était elle qui avait le contrôle absolu de la situation et ce serait donc à elle de prendre les devants lorsqu'elle serait prête à faire l'amour sans l'attacher préalablement.

—Je t'aime, lui murmura-t-il à l'oreille. Je n'ai jamais autant aimé quelqu'un comme je t'aime, toi.

Elle se plaqua contre lui et pressa ses lèvres contre son cou.

—Moi aussi je t'aime, Jensen, chuchota-t-elle. Merci de m'avoir fait confiance et de t'être livré à moi à propos de ton passé.

Il voulut l'encourager à se confier à lui, à parler de ses démons à elle, mais se retint. Ce n'était guère le moment. Et puis, ce qu'elle lui avait donné ce soir-là était bien plus précieux que n'importe quelle confidence. Elle s'était livrée à lui corps et âme et rien, absolument rien, ne pouvait gâcher ce moment de bonheur.

Chapitre 22

Au beau milieu de la nuit, Jensen se réveilla en sursaut. Son cœur battait à tout rompre et la sueur ruisselait sur son front. Il tourna aussitôt la tête vers Kylie et fut soulagé en constatant qu'elle dormait à poings fermés.

Il se laissa retomber sur l'oreiller, combattant la nausée qui montait dans son estomac. Il inspira profondément puis expira par le nez avant de bloquer sa respiration et ferma les yeux, espérant pouvoir refouler les horribles images qui envahissaient son esprit. Il pouvait pratiquement revivre les moments de terreur qui avaient rythmé toute son enfance. Il revoyait son père battre sa mère et les cris d'agonie de celle-ci résonnaient encore à ses oreilles. Il secoua la tête, incapable d'en supporter davantage. Il voulait oublier toutes ces horreurs, ne plus avoir à penser à cette partie de sa vie. Il ne voulait plus se rappeler le petit garçon terrifié qu'il avait été, incapable de protéger sa mère.

Pourquoi diable en avait-il parlé à Kylie ? Pourquoi n'avait-il pas éludé le sujet et laissé le passé là où il était, enfoui au fond de lui-même ? Il serra les poings, s'efforçant de recouvrer son sang-froid puis se détendit, maîtrisant la tension qui montait en lui.

Si seulement il pouvait définitivement effacer de sa mémoire ce vécu douloureux. Mais c'était peine perdue, surtout à présent qu'il avait rouvert les portes du passé. La cicatrisation émotionnelle prendrait du temps. Il devrait réapprendre à dompter ses souvenirs et atténuer le chagrin qui les accompagnait. Il n'était pas à la hauteur de ce que Kylie méritait. Oui, elle méritait un homme meilleur. Comment pouvait-il lui demander de lui faire confiance alors qu'il n'avait même pas été capable de protéger sa mère ? Comment pouvait-elle se sentir en sécurité à ses côtés après un tel aveu ?

Il posa son regard sur elle et observa quelques instants sa poitrine se soulever au gré de sa respiration. Il voulut la caresser, mais y renonça. Il était encore perturbé par son cauchemar et ne voulait pas l'effrayer et la tirer de son sommeil qu'il espérait paisible.

Repliant un bras en dessous de sa tête, il regarda le plafond, conscient qu'il ne fermerait plus l'œil de la nuit. La douleur intense qui s'était installée dans son cœur refusait de se dissiper. C'était une sensation qu'il avait cru oublier depuis bien longtemps et ne pensait plus jamais éprouver. Confier ses troubles à quelqu'un était censé apporter un soulagement ; pourquoi le vivait-il plus comme un fardeau alors ?

Chapitre 23

LE LUNDI MATIN, ASSISE SUR LE SIÈGE PASSAGER DE LA voiture de Jensen, Kylie avait l'impression de flotter sur un petit nuage. Ils allaient au bureau ensemble et pourtant, elle était à mille lieues de penser au travail.

Elle était enthousiaste en repensant à ce qui s'était passé entre elle et Jensen ; enthousiaste et optimiste, un sentiment qui, jusqu'à présent, lui était complètement étranger. Ils avaient fait l'amour ! Elle avait fait l'amour à Jensen. Certes, elle avait dû l'attacher avant, mais ça n'en était pas moins un exploit pour elle.

Pour la première fois de sa vie, elle était heureuse. Vraiment heureuse. Et dire qu'avant, sa perception du bonheur était tout autre et complètement erronée, surtout ! Elle était persuadée qu'elle ne pouvait pas vivre autrement qu'isolée dans un cocon, coupée du monde entier et elle aurait vécu ainsi encore longtemps si Jensen n'avait pas fait irruption dans son monde.

Ces derniers jours qu'ils avaient passés ensemble, plongés dans leur propre univers, avaient été plus que merveilleux. Préférant éviter de brusquer les choses, ils n'avaient pas refait l'amour depuis la dernière fois, mais Kylie était persuadée qu'ils recommenceraient très vite. Et, peut-être que, cette fois-ci, elle trouverait le courage de ne pas attacher Jensen. Elle avait appréhendé le contrecoup des émotions provoquées par les confidences de Jensen, d'autant plus qu'elle savait que ça n'avait pas dû être facile pour lui d'aborder le sujet de son passé. D'ailleurs, le lendemain de leur discussion, il avait semblé un peu distant, mais elle s'était abstenue de lui en demander la cause ; elle n'avait pas voulu remuer le couteau dans la plaie, c'était inutile. Au lieu de ça, elle avait préféré faire comme si de rien n'était en se laissant aller à des démonstrations affectueuses. Rien que ces derniers jours, elle avait dû lui dire « je t'aime » au moins mille fois !

Plusieurs fois, elle avait hésité à lui dévoiler un peu de son passé. Chaque fois, elle s'était ravisée au dernier moment. Non pas qu'elle ne voulait pas lui en parler, elle estimait simplement qu'il était trop tôt pour laisser sortir ses démons, surtout alors que ceux de Jensen semblaient toujours rôder autour d'eux. Elle lui en parlerait tôt ou tard. Ce n'était clairement pas quelque chose qu'elle avait hâte de faire, certes, mais elle ne pourrait pas éviter le sujet éternellement.

Elle savait qu'elle devrait bientôt affronter son passé afin de pouvoir se concentrer pleinement sur le présent, puis se tourner vers le futur. Et elle y arriverait, avec l'aide de Jensen, avec son soutien et son amour. Que pouvait-elle demander de plus ?

La matinée passa en un éclair. Vers midi, Kylie était à son bureau en train de passer en revue des dossiers, lorsque Dash glissa la tête dans l'entrebâillement de la porte.

— Je peux entrer ? s'enquit-il.

— Oui, bien sûr, dit-elle en lui faisant un signe de la main. Qu'y a-t-il ?

Dash vint s'asseoir sur la même chaise où s'était installé Jensen lorsqu'il lui avait proposé de l'aider à préparer les conclusions pour S&G Oil. Elle réprima un sourire, repensant à quel point les choses avaient changé depuis. À présent, elle n'avait plus du tout envie de se débarrasser de ces sièges et espérait même que Jensen viendrait s'y asseoir aussi souvent que possible.

— Tu as bonne mine, Kylie, tu as l'air heureuse, fit remarquer Dash, la tirant de ses rêveries.

Elle cilla, embarrassée et surprise par sa réflexion. Elle était persuadée qu'il était venu pour lui parler du travail, pas de choses personnelles. Cependant, il y avait sur son beau visage l'expression d'une sincérité indéniable et elle se détendit aussitôt. La Kylie d'autrefois se serait sans doute déjà braquée. Heureusement que la Kylie du présent voyait les choses sous un autre angle et avait décidé de se montrer plus ouverte envers ses amis. Envers tout le monde, en fait. Elle ne serait certainement jamais aussi pleine d'entrain que Chessy ou encore aussi chaleureuse que Joss, mais elle serait beaucoup plus détendue en la compagnie de ses amis. Elle baisserait sa garde, elle ne se cacherait plus derrière un mécanisme de défense. Elle ne voulait plus être perçue comme quelqu'un de froid et distant.

—Oui, je suis heureuse, dit-elle simplement.

—Joss m'a chargé de vous inviter à dîner, Jensen et toi, ce vendredi, histoire de tous nous retrouver autour d'un bon repas. Tu connais Joss, elle est impatiente de vous revoir et vous préparer de bons petits plats. Chessy et Tate seront là aussi.

Le cœur de Kylie se serra et elle baissa le regard, en repensant à sa conduite inadmissible, la dernière fois qu'elle avait été invitée chez eux.

—Il me tarde d'y être. Jensen sera sans doute ravi, lui aussi.

Elle leva légèrement la tête.

—Dash, je me suis déjà excusée auprès de Joss, mais je n'ai pas eu l'occasion de le faire auprès de toi. Je suis sincèrement navrée pour la réaction que j'ai eue en apprenant que Jensen allait remplacer Carson.

—Ne t'en fais pas, c'est oublié, déclara-t-il d'un ton chaleureux. Je sais très bien que tu as réagi sous le coup de la colère et que jamais tu ne blesserais Joss intentionnellement. C'est de l'histoire ancienne.

—Je tenais à faire amende honorable auprès de toi. J'essaie d'être une amie digne de ce nom, de devenir une personne meilleure. Et je sais que je ne suis pas toujours facile à vivre.

Kylie sourit, elle-même étonnée de sa faculté à l'autocritique.

—Eh bien, on est deux. Mon caractère de cochon n'est un secret pour personne. D'ailleurs, tant qu'on y est, moi aussi je te dois des excuses.

—Pourquoi ça? s'enquit-elle en fronçant les sourcils.

—Parce que j'ai tendance à profiter de toi.

—Pardon?

—Tu travailles dur et tu fais un boulot remarquable. Jensen a raison quand il dit que tu es un atout précieux pour la boîte et que le poste que tu occupes actuellement n'est pas à la hauteur de tes capacités. J'ai lu tes conclusions concernant l'affaire S&G Oil et je dois dire que j'ai été très impressionné.

Son compliment la fit rougir et la remplit d'une immense satisfaction.

—Tu sais, ce sont aussi les idées de Jensen, je ne peux pas m'en attribuer tout le mérite.

—Oui, mais Jensen, c'est son travail, répliqua Dash. Je n'en attends pas moins de lui. Je suis désolé de ne pas avoir pris conscience plus tôt de tes qualités professionnelles. D'ailleurs, sans Jensen, je ne sais même pas si j'aurais fini par me rendre compte que tu as tout ce qu'il faut pour devenir associée de la boîte.

—Ce n'est pas grave, Dash, dit-elle en souriant. De toute façon, je ne me sens toujours pas prête pour ça. Je n'ai pas encore assez confiance en moi, mais ça viendra ; j'y travaille en tout cas. Il est hors de question que je laisse filer une opportunité pareille. Je veux faire mes preuves et je travaillerai dur pour gagner votre confiance et, pourquoi pas, devenir votre associée un jour.

—Tu as déjà toute ma confiance, Kylie, depuis longtemps déjà. Et tu as certainement celle de Jensen. Il a tout de suite su reconnaître tes capacités professionnelles, chose que je n'ai pas été capable de faire alors qu'on se connaît depuis bien plus longtemps.

—Il est très bon pour ce genre de choses, déclara-t-elle en sentant une chaleur se diffuser en elle.

Jensen, son ange gardien qui l'avait aidée à reprendre confiance en elle quand son moral était au plus bas.

—Je suis content de te voir heureuse, Kylie. Je sais que ces derniers mois n'ont pas été faciles pour toi. Tu sais, Carson me manque terriblement aussi, c'était mon meilleur ami. Je vous considère comme ma famille.

Kylie déglutit péniblement en entendant le prénom de son frère. Un chagrin mêlé à de l'amertume monta en elle, mais elle réussit à le refouler. Grâce à Jensen, elle parvenait désormais à contrôler ses émotions, chose qu'elle n'aurait jamais cru possible à peine quelques jours auparavant.

Jensen lui avait ouvert les yeux sur pas mal de choses, mais c'était avant tout grâce à elle-même qu'elle avançait dans la vie d'un pas décidé. C'était elle qui avait pris la décision de changer. Oui, Jensen l'avait forcée à sortir de sa zone de confort et lui avait indiqué la route à suivre. Le reste ne dépendait que d'elle. Enfin, elle était l'actrice principale de sa propre vie.

—Il me manque tellement, avoua-t-elle en passant outre le pincement de douleur dans sa poitrine. Mais, tout comme Joss, il est temps pour moi d'aller de l'avant. Je dois arrêter de vivre dans le passé. On ne peut pas remonter le temps, ce qui est fait est fait.

—Je suis ravi de te l'entendre dire. Carson aurait souhaité que tu sois heureuse.

—Je sais et je finirai par l'être, il me faut encore un peu de temps.

Un bruit à la porte attira leur attention, et ils se retournèrent pour voir Jensen qui les observait, les sourcils froncés.

—J'ai loupé un truc? demanda-t-il en entrant. Qu'est-ce que tu fais dans le bureau de Kylie?

Dash ne put réprimer une expression moqueuse.

—On discute, c'est tout. Ne t'en fais pas, tu n'as rien à craindre, répondit-il.

Jensen lui jeta un regard suspicieux et Kylie ne put contenir un sourire amusé face à cette démonstration de possessivité. Celle-ci était d'autant plus malvenue que Dash était très heureux en ménage avec Joss qui se trouvait être sa meilleure amie. Mais, malgré cela, elle fut quand même ravie de sa réaction.

—Je disais à Kylie que vous êtes tous les deux invités à dîner chez nous, vendredi soir, expliqua Dash.

Jensen s'avança vers le bureau puis le contourna et vint se placer à côté d'elle. Il couvrit sa main de la sienne et, au contact de ses doigts, une chaleur se propagea aussitôt le long de son bras. Il fut une époque où elle lui aurait certainement flanqué un coup de pied bien placé pour un tel comportement.

Bon sang, elle était en train de devenir accro à Jensen. Il était l'objet de toutes ses pensées et elle réprima une grimace à cette réflexion. Il lui apportait un soutien inconditionnel, certes, mais elle ne voulait pas devenir une de ces femmes qui ne vivent qu'à travers leurs compagnons. Cependant, elle n'imaginait plus sa vie sans lui, son amour et son soutien. Le fait qu'elle ait tant besoin de lui ne voulait en aucun cas dire qu'elle était dépendante de lui, non. Ça voulait simplement dire qu'il faisait ressortir le meilleur en elle.

Jensen était sa moitié et elle était la sienne et, tant qu'ils étaient ensemble, rien de mal ne pourrait leur arriver. Ils étaient un couple uni envers et contre tout. Du moins, c'était comme ça qu'elle voyait les choses. Étant donné qu'elle avait passé la majeure partie de sa vie à fuir les hommes et, par conséquent, les relations amoureuses, elle ne savait pas trop comment percevoir son histoire avec Jensen.

—Chessy et Tate seront de la partie aussi, poursuivit Dash. Joss meurt d'envie de jouer les hôtesses. Il y aurait donc nous six, de la bonne bouffe et du bon vin.

Jensen sourit puis se tourna vers Kylie.

—Alors, on y va ? lui demanda-t-il.

Sa question la toucha en plein cœur et elle fut submergée par l'émotion. Il n'avait pas accepté l'invitation d'office et avait préféré lui demander son avis avant. Lorsqu'il était avec elle, il faisait beaucoup d'efforts pour refouler son côté dominateur, une partie essentielle de sa personne. Il veillait à ne pas lui imposer ses choix et ne pas prendre de décisions à sa place, ce qui, selon Kylie, était une preuve évidente de son amour. Pour elle, il avait renoncé à une partie de lui et jamais elle n'aurait soupçonné que l'amour pouvait pousser les gens à faire un tel sacrifice.

—Oui, je serais ravie d'y aller, répondit-elle en lui adressant un grand sourire.

—Eh bien, dans ce cas, tu peux compter sur nous, dit Jensen en tournant la tête vers Dash. Tu me diras pour quelle heure tu veux qu'on soit là et aussi si Joss veut qu'on ramène quelque chose.

Dash se leva et une étrange sensation envahit Kylie. Peut-être qu'il se sentait de trop et qu'il voulait les laisser seuls. C'était là une situation quelque peu embarrassante, même si elle n'était pas vraiment gênée. Serait-elle vraiment en train de devenir une personne… décontractée ? Tous les deux étaient ses patrons, et sa relation avec Jensen ne changerait strictement rien à ça. Pour elle, la frontière entre le travail et la vie privée était évidente.

—Connaissant Joss, vous n'aurez rien à ramener, elle va faire à manger pour un régiment. Elle a déjà préparé le menu donc, à votre place, je ferais même un jour de jeûne la veille du repas.

Sur ces mots, il quitta la pièce.

Une fois qu'ils furent seuls, Jensen se retourna vers elle et s'appuya contre le bureau.

— Viens par ici, murmura-t-il en la tirant de sa chaise vers lui.

Elle se plaça entre ses jambes et il passa ses bras autour d'elle, l'attirant contre lui. Puis il pencha la tête et l'embrassa avec fougue. Quand il mit fin au baiser, Kylie avait le souffle court.

— Tu m'as manqué, chuchota-t-il.

— Mais, on s'est vus il n'y a même pas une demi-heure, quand tu es venu me proposer de déjeuner ensemble ce midi, objecta-t-elle en riant.

Jensen prit une expression sérieuse.

— Cette demi-heure a été la plus longue de toute ma vie.

Elle poussa un petit soupir d'exaspération et appuya le front contre son torse. Elle se sentait tellement bien avec lui ! Son passé ne la tourmentait plus comme avant et ses cauchemars ne venaient plus hanter ses nuits depuis qu'elle dormait avec Jensen. Chaque jour qui passait faisait grandir ses sentiments et renforçait leur couple. Elle avait l'impression d'être devenue quelqu'un d'autre. Enfin, il n'y avait plus aucun nuage à l'horizon : elle avait un petit ami qui l'aimait, des amis fantastiques et une opportunité de carrière formidable.

Oui, le destin lui souriait.

Chapitre 24

Kylie et Jensen descendirent de la voiture qu'il avait garée devant la maison de Dash et Joss puis, main dans la main, avancèrent le long de la petite allée.

Kylie avait beau essayer, elle ne pouvait pas se départir de son sourire béat. Elle se sentait presque euphorique. Peut-être que Chessy commençait à déteindre sur elle. Ou alors peut-être qu'elle était heureuse, tout simplement.

— Tu es ravissante, la complimenta Jensen après avoir appuyé sur la sonnette.

Il l'enveloppa d'un regard chaleureux, aussi tendre qu'une caresse.

— Si tu le dis, lança-t-elle d'un air taquin. Mais, tu n'as rien remarqué ?

— Non, quoi ?

— Je suis heureuse, déclara-t-elle d'un ton confiant.

Kylie ne se reconnaissait plus. Qui était cette jeune femme radieuse et sûre d'elle qui avait pris possession de son corps ? Était-ce vraiment elle ?

Jensen lui sourit puis se pencha vers elle et effleura ses lèvres d'un baiser au moment où la porte s'ouvrit.

— Bonsoir ! les salua Joss, une expression de joie sur le visage. Entrez, entrez ! On vous attendait.

En voyant sa belle-sœur, Kylie se demanda si elle aussi avait ce même air de bonheur depuis qu'elle était avec Jensen. Elle entra dans la maison en premier et serra son amie dans ses bras. Joss sembla à la fois surprise et touchée par son geste spontané. La Kylie d'avant n'aurait jamais envisagé de faire une chose pareille, mais celle du présent était bien décidée à montrer plus souvent à ses amis qu'ils occupaient une place importante dans son cœur.

— Tu as l'air radieuse, Joss, le mariage te réussit, commenta-t-elle en desserrant son étreinte.

À son tour, Jensen l'embrassa avant de dire :

— Je suis d'accord avec Kylie, tu es rayonnante et il n'y a rien de plus beau qu'une femme qui respire le bonheur.

Joss rougit, manifestement flattée par le compliment de Jensen.

— Tu l'as dit ! s'exclama Dash en s'avançant vers eux depuis le fond du couloir.

Quand il arriva à leur hauteur, il passa un bras autour de la taille de Joss et l'attira contre lui. Ils avaient l'air tellement heureux ! Avant Jensen, Kylie aurait sans doute été mal à l'aise de les voir ainsi. Mais, depuis qu'elle aussi connaissait les sensations merveilleuses qu'apportait l'amour, les gestes de tendresse comme celui-là ne la dérangeaient plus.

—Ma femme est belle et je suis un sacré veinard de l'avoir, déclara Dash, un grand sourire aux lèvres.

Ils rirent en chœur puis se dirigèrent vers le salon où Chessy et Tate étaient assis sur le canapé. Chessy se leva aussitôt et se précipita vers Kylie.

—Tu es resplendissante, Kylie! fit-elle remarquer en la prenant dans ses bras.

Puis, son amie se dégagea légèrement d'elle et la détailla de la tête aux pieds.

—Mon Dieu, dites-moi que je rêve! Vite, vite, que quelqu'un prenne une photo! Kylie porte des talons! s'écria-t-elle en regardant tour à tour les autres.

Les convives éclatèrent de rire et Jensen vint se mettre à côté de la jeune femme. Il passa son bras autour de ses épaules et lui caressa tendrement le bras. Kylie était persuadée d'être un peu trop habillée pour l'occasion —après tout, il ne s'agissait que d'un simple dîner entre amis—, mais ne regrettait pas son choix vestimentaire pour la soirée. Elle se sentait belle. Elle avait même fini par s'habituer aux talons hauts et arrivait à marcher avec correctement.

—J'adore tes chaussures, dit Joss. Tu les as achetées où?

—Comme si tu n'en avais pas déjà assez, grommela Dash. Merci Kylie, maintenant, je parie qu'elle ne me laissera pas en paix tant qu'elle n'aura pas les mêmes.

L'air renfrognée, Joss lui décrocha un coup de coude dans les côtes, ce qui fit rire Kylie. Son amie n'était pas financièrement dépendante de Dash. Carson lui avait laissé une grosse somme d'argent à sa mort et, tout comme elle, Joss avait également hérité de ses parts dans la société.

Kylie, elle, avait préféré investir l'argent que lui avait laissé son frère dans des placements. Elle gagnait correctement sa vie et n'avait donc jamais touché à l'argent qu'elle avait investi. Mais, à présent, elle se disait qu'elle pourrait peut-être récupérer une partie de la somme et… Et, partir quelque part en voyage avec Jensen, pourquoi pas. Il y avait tellement de choses qu'elle voulait faire depuis qu'elle était avec lui ! Elle voulait croquer la vie à pleines dents et avait l'impression que le monde lui appartenait.

— Bon, mes amis, je vous invite à passer à table, déclara Joss en faisant un geste de la main vers la salle à manger. Je vais commencer à servir le dîner.

— Je vais t'aider, ma chérie, dit Dash en lui emboîtant le pas vers la cuisine.

Kylie prit place à la somptueuse table qui pouvait accueillir jusqu'à douze personnes. Chessy et Tate étaient installés en face d'elle et Jensen, et deux autres couverts avaient été dressés en tête de table pour les hôtes de la soirée.

Il fallut plusieurs allers et retours à Dash et Joss pour servir le dîner. Tout avait l'air succulent, une fois de plus, Joss s'était surpassée en cuisine. Tandis que les autres observaient et commentaient les plats, Kylie jeta un regard circulaire autour de la table. Elle aimait tant ses amis, ses amis qu'elle considérait comme sa propre famille. Elle avait longtemps pensé, à tort, qu'elle n'avait que Carson et qu'elle ne pouvait compter sur personne d'autre, mis à part lui. Mais, à présent, elle n'osait même pas imaginer ce que serait sa vie sans Joss, Dash, Chessy, Tate et Jensen, bien évidemment.

La gorge soudain nouée par l'émotion, Kylie cligna des yeux et reporta son attention sur le dîner. Joss avait préparé des coquelets marinés et avait fait plusieurs accompagnements, parmi lesquels de la purée et des légumes. Tout sentait divinement bon et avait l'air délicieux. Posé sur un coin de la table, il y avait également un autre plat, couvert.

—Oh, miam! fit Kylie lorsque Joss ôta le couvercle du plat, révélant des macaronis aux quatre fromages faits maison.

—Attention Jensen, l'avertit Dash en ouvrant une bouteille de vin, n'essaie même pas d'approcher ta fourchette de ce plat. Kylie devient un vrai pitbull quand il s'agit des macaronis au fromage préparés par Joss. Tu peux t'estimer heureux si tu arrives à en goûter un.

Tous rirent et Kylie fit une grimace.

—Ne t'en fais pas, les restes seront pour toi, Kylie, la rassura Joss.

—Oui… S'il en reste, répliqua-t-elle, ne pouvant réprimer une moue de déception. Je suis sûre qu'ils vont tout manger exprès.

—Il y a un deuxième plat de macaronis dans la cuisine, lui chuchota Joss en se penchant vers elle.

— Eh ! J'ai entendu ! protesta Chessy de l'autre côté de la table. Et moi, alors ? Je compte pour du beurre ?

— J'ai fait un dessert spécialement pour toi, l'informa Joss en se tournant vers elle.

Le visage de Chessy s'illumina aussitôt.

— Ah, s'il te plaît, dis-moi que c'est bien ce à quoi je pense.

— Oui, c'est une tarte caramel. Il y en a une pour le dessert et une que tu pourras ramener chez toi.

— Uniquement si elle accepte de la partager avec moi, intervint Tate.

— Uniquement si tu le mérites, repartit Chessy en lui décochant un regard moqueur.

— Mon Dieu, Joss, quand as-tu trouvé le temps pour préparer tout ça ? demanda Kylie tout en désignant la table de la main. Non seulement il y en a assez pour toute une armée, mais, en plus, tu as fait deux plats pour Chessy et moi.

Joss sourit puis tous se servirent.

— C'est vraiment délicieux, déclara Jensen après quelques bouchées. Un plaisir pour les papilles.

Chessy et Tate la complimentèrent également et Joss se mit à rougir.

— Tout est parfait, chérie, félicitations, dit Dash en lui adressant un regard plein de tendresse qui provoqua un léger frisson chez Kylie.

À présent que Kylie était en couple, la relation de Dash et Joss lui apparaissait sous un tout autre jour. Elle n'éprouvait plus de l'envie en les regardant ; comme eux, elle avait enfin trouvé l'amour et bien plus encore.

Émue par cette pensée, elle posa la main sur la cuisse de Jensen sous la table. Aussitôt, il prit la fourchette de l'autre main et noua les doigts aux siens. À cet instant, Kylie crut qu'elle allait exploser de bonheur. Tout semblait lui sourire. On disait que l'amour devenait plus fort avec l'âge. Si c'était vraiment le cas, elle avait hâte de voir ce que l'avenir leur réservait, même si elle se demandait comment les choses pouvaient être meilleures qu'elles ne l'étaient déjà.

Le repas se déroula dans une atmosphère joviale et Kylie remarqua avec soulagement que Chessy paraissait avoir recouvré sa bonne humeur. Son regard pétillait de joie et son visage était illuminé par un sourire permanent. Puis, le portable de Tate sonna. Il sortit le téléphone de sa poche et l'expression de Chessy se fit aussitôt grave. Elle tourna la tête, mais Kylie devina son désarroi. Elle essaya de faire abstraction de la conversation de Tate mais, à en croire sa mine déconfite, il allait probablement devoir quitter la soirée plus tôt que prévu, ce qui ne manquerait pas de gâcher celle de Chessy.

Kylie ne comprenait pas trop en quoi consistait le travail de Tate. Elle savait qu'il était consultant financier et elle pensait que cette activité ne requérait pas de travailler au-delà des heures de bureau habituelles. Qu'est-ce qui pouvait donc être aussi urgent un vendredi soir, d'autant plus que ce n'était malheureusement pas la première fois qu'il laissait

Chessy en plan. Elle jeta un coup d'œil à son amie qui avait l'air résignée.

Le doute commença à s'immiscer dans son esprit. Les soupçons de Chessy étaient bien fondés, après tout. Et si Tate avait vraiment une aventure extraconjugale ? Il aurait très bien pu demander à sa maîtresse de l'appeler en se faisant passer pour un client, ce qui lui aurait permis de filer la rejoindre en prétextant un problème au bureau. Kylie secoua la tête en se reprochant son imagination débordante. Chessy avait besoin de soutien, pas que l'on renforce ses soupçons.

Avec une grimace d'excuse, Tate raccrocha puis se leva de table.

— Peux-tu ramener Chessy chez nous ? demanda-t-il à Dash. Je ne sais pas pour combien de temps j'en ai.

Les yeux de Chessy s'emplirent de larmes et le cœur de Kylie se serra. Tate ne voyait-il donc pas qu'il la faisait souffrir ? Tout le monde l'avait remarqué, sauf lui. Du coin de l'œil, Kylie vit que Jensen était en train d'observer Tate, les sourcils froncés. Puis son regard se posa sur Chessy et son expression changea. Lui aussi semblait désolé pour elle.

— Ne t'en fais pas, répondit Dash froidement. Joss et moi la ramènerons.

— Merci.

Tate se pencha vers Chessy et l'embrassa sur le front.

— Ne m'attends pas ce soir, chérie, dit-il en lui caressant la joue.

Il tourna les talons puis quitta la salle à manger et Chessy baissa les yeux sur son assiette. Un silence pesant s'abattit sur la tablée et, lorsque Chessy releva la tête, Kylie vit de la tristesse dans ses yeux.

Jensen et Dash échangèrent un regard perplexe tandis que Joss observait Chessy avec inquiétude. Kylie se dit alors qu'il fallait à tout prix trouver un sujet de conversation pour accaparer l'attention de tous et laisser ainsi le temps à Chessy de se remettre de ses émotions. Cependant, ce n'était pas chose aisée pour elle qui ne prenait jamais d'initiatives.

— Bon, alors, votre lune de miel, racontez-nous… C'était comment ? s'enquit-elle soudain en se tournant vers Dash et Joss.

Le visage fermé, Chessy la remercia du regard, un faible sourire aux lèvres.

— C'était tout simplement parfait, répondit Joss avant de reporter son attention sur Chessy.

L'instant d'après, Joss tourna le regard vers elle en haussant un sourcil interrogateur. Kylie haussa les épaules en faisant une moue dubitative. Que pouvaient-ils bien dire ou faire pour lui remonter le moral ? Rien, absolument rien ; la seule personne capable de lui rendre le sourire était Tate.

— La plage était magnifique, poursuivit Joss, et la nourriture excellente. Nous avions un balcon qui donnait sur l'océan et, tous les soirs, on s'endormait avec le bruit des vagues en fond sonore. D'ailleurs, ça faisait très longtemps que je n'avais pas aussi bien dormi.

—Tu as eu le temps de dormir? demanda Kylie d'un air moqueur. Tu me déçois, Joss.

Jensen eut un petit rire et Dash faillit s'étouffer avec son vin. Joss, quant à elle, la regarda, les yeux ronds, puis éclata de rire.

—Bah, j'ai dormi… un peu, quoi, murmura-t-elle, les joues rouges.

Dash sourit et lui prit la main.

—N'empêche, tu te rappelles pas mal de choses, déclara-t-il. Moi, je ne me souviens quasiment de rien d'autre que toi.

—Roo, chuut! fit Joss.

—J'aimerais bien aller à la mer, déclara Kylie d'un ton rêveur.

L'idée de partir quelque part était de plus en plus tentante. Après tout, n'avait-elle pas décidé de croquer la vie à pleines dents et de profiter de l'argent qu'elle avait investi? Elle pourrait partir en vacances; visiter un autre pays, découvrir une nouvelle culture. Et elle pourrait le faire avec Jensen.

—Qu'est-ce que tu attends? s'enquit Joss. À quand remontent tes dernières vacances?

—À jamais, lança Dash avant qu'elle n'ait eu le temps de répondre.

Jensen se tourna vers elle, affichant une expression pensive.

—On pourrait prendre des vacances tous les deux, proposa-t-il.

—Oui, j'adorerais ça, répliqua-t-elle, sentant ses joues s'empourprer.

Chessy poussa un léger soupir et tourna la tête en s'essuyant les yeux de sa main.

—Chessy, pourquoi ne prendriez-vous pas un peu de vacances aussi avec Tate ? lui demanda Kylie.

Il fallait bien crever l'abcès. Chessy était entourée de ses amis les plus proches et tous avaient remarqué son chagrin et sa déception. Inutile de faire comme si de rien n'était.

—Jamais il ne voudra, répondit Chessy.

—Peut-être que tu pourrais le kidnapper, comme ça, il n'aura pas d'autre choix que de te suivre, avança Dash.

—Il me tuerait, dit-elle avec un petit sourire en coin. Il travaille tellement dur en ce moment. Son associé a quitté la boîte précipitamment et Tate doit jongler entre plusieurs clients parce qu'il ne veut pas courir le risque d'en perdre un seul. Je dois prendre mon mal en patience et attendre que ça passe en espérant que ça ne durera pas trop longtemps, non plus.

Jensen s'éclaircit la gorge, comme s'il était sur le point de dire quelque chose. Il leva la tête vers Chessy et lui adressa un regard compréhensif.

—Est-ce que tu lui as fait part de ce que tu ressens ? demanda-t-il. Si ma femme me disait qu'elle était malheureuse, je ferais tout mon possible pour remédier à la situation.

Un sourire teinté de tristesse passa sur le visage de Chessy et ses yeux s'embuèrent de nouveau de larmes, mais, cette fois, elle ne tourna pas la tête.

—Franchement, merci à tous d'être là pour moi, ça me touche beaucoup, murmura-t-elle, évitant ainsi la question de Jensen. Je dramatise, c'est tout. Je ne veux pas embêter Tate pour rien, surtout en ce moment. Je dois faire preuve de patience et le soutenir. En plus, on va bientôt fêter notre anniversaire de mariage et il m'a promis une soirée en tête-à-tête, sans boulot ni rien.

Dash et Jensen semblèrent perplexes, Joss aussi. Elle qui était très sensible lorsqu'il s'agissait de ses proches, avait clairement du mal à voir Chessy souffrir sans pouvoir faire quoi que ce soit pour lui remonter le moral.

Comprenant que Chessy ne voulait plus parler de Tate et de leurs problèmes de couple, Kylie se leva.

— Je vais t'aider à débarrasser, Joss, dit-elle en rassemblant les assiettes et les couverts. On peut prendre le dessert dans le salon, n'est-ce pas ?

— Oui, bien sûr, répondit Joss en se levant à son tour. Dash, chéri, occupe-toi du vin pendant que je sers la tarte.

Kylie contourna la table et s'arrêta à côté de Chessy puis se pencha vers elle et l'embrassa sur la joue.

— Ça finira par s'arranger, lui chuchota-t-elle à l'oreille. Et puis, tu sais que moi je suis là si tu as besoin de parler.

— Merci Kylie, murmura-t-elle en croisant son regard. Mais, tout ira bien, ne t'en fais pas.

Kylie se redressa et rapporta la vaisselle dans la cuisine. Joss arriva quelques instants plus tard, visiblement soucieuse.

— Je n'aime pas la voir comme ça. J'aimerais tant pouvoir l'aider.

—Mis à part avoir une petite conversation avec Tate en lui demandant pourquoi il se comporte comme un con, il n'y a rien à faire, déclara Kylie.

Joss eut un soupir de dégoût.

—Tu sais, je l'apprécie beaucoup, mais là, je dois avouer qu'il me déçoit, déclara-t-elle. Chessy est toujours gaie et extravertie, comment fait-il pour ne pas se rendre compte qu'elle ne va pas bien ? Ça crève les yeux. Son visage reflète ses émotions, elle est incapable de les cacher, ce n'est pas dans sa nature. Et, que je sache, Tate n'a pas de problème de vue, donc bon…

—Peut-être qu'il s'en est rendu compte, mais préfère faire comme si de rien n'était. S'il s'avoue qu'elle est vraiment malheureuse, il devra admettre que c'est sa faute. Je pense qu'il est dans le déni. Quelque part au fond de lui, il doit savoir que quelque chose ne va pas, mais préfère l'ignorer, sûrement pour éviter de se sentir coupable.

—Dans ce cas, ce n'est qu'une poule mouillée, souffla Joss. Je sais qu'il l'aime, mais il n'est pas lui-même en ce moment. Je ne l'ai jamais vu comme ça et encore moins faire passer son travail avant Chessy. Depuis toujours, et étant donné la relation qu'ils ont, elle était le centre de sa vie et rien, absolument rien d'autre n'avait d'importance.

—Je ne sais pas grand-chose de leur relation, mais, d'après ce que j'ai cru comprendre, je dirais qu'il ne s'implique pas assez dans son rôle de dominant. Vous dites toujours que le dominant doit subvenir aux besoins du soumis, de le placer avant tout le reste. Le fait que le soumis s'en remette corps et âme au dominant n'est-il pas censé être un truc super important ? Genre, le plus beau cadeau que puisse faire le soumis au dominant ?

— Si, absolument, se fit entendre la voix de Jensen depuis le seuil de la cuisine.

Kylie leva le regard vers lui. Elle était si absorbée par sa conversation avec Joss qu'elle ne l'avait même pas vu arriver. Jensen s'avança vers elles et déposa les assiettes qu'il portait sur le plan de travail puis vint se placer à côté d'elle.

— Tu as raison Kylie, dit-il en lui prenant la main et déposant un baiser sur sa paume, mais il semble que Tate est en train d'échouer dans son rôle.

— Donc, Joss et moi ne sommes pas les seules à nous en être rendu compte, murmura Kylie.

— Vous connaissez bien Chessy et Tate. Moi, je ne les côtoie que depuis peu, mais, après ce qui vient de se passer ce soir, il est évident que Chessy est très malheureuse.

— Si seulement je pouvais faire quelque chose, se lamenta Joss en fermant les yeux.

— Tu ne peux rien faire, à part être là pour elle et la soutenir dans cette épreuve, répliqua Jensen gentiment. Chessy et Tate sont les deux seules personnes capables de régler ce problème. Personne ne peut le faire à leur place.

— Tu as besoin d'aide avec la tarte ? demanda Kylie.

—Non, merci, répondit-elle en secouant la tête. Retourne auprès de Chessy. Je m'occupe du reste. Tiens, je vais couper une plus grosse part pour Chessy.

—T'es la meilleure, Joss. Et, je sais que je ne te le dis pas assez souvent, mais je t'aime.

En proie à une émotion visible, les lèvres de Joss tressaillirent légèrement et Kylie éprouva une vive culpabilité. Elle devait vraiment mieux entretenir ses amitiés. Chessy et Joss étaient très importantes pour elle et elle devait le leur montrer plus souvent.

—Moi aussi je t'aime, ma Kylie. Et tu n'imagines même pas à quel point je suis contente de te voir aussi heureuse ; de vous voir heureux tous les deux, dit-elle en se tournant vers Jensen.

—Merci, Joss, dit Jensen. Oui, Kylie me rend très heureux, j'ai de la chance de l'avoir.

La sincérité de sa déclaration frappa Kylie en plein cœur. Elle était aux anges ! Elle retourna dans le salon en sautillant à moitié avant de s'arrêter sur le pas de la porte lorsqu'elle vit Chessy. Elle se sentit soudain coupable d'être ridiculement heureuse alors que son amie traversait une période difficile.

—Ne culpabilise pas, ma puce, lui murmura Jensen à l'oreille.

—Mais comment tu fais ça, bon sang ? lui demanda-t-elle en tournant la tête vers lui.

Il eut un petit rire.

—Comment je fais quoi? Lire dans tes pensées? Je n'ai pas besoin d'avoir une perception extrasensorielle pour deviner à quoi tu penses. Tu étais radieuse jusqu'au moment où tu as vu Chessy. Tu n'as pas à te sentir coupable. S'il y a bien quelqu'un qui mérite d'être heureux, c'est toi. Et ça, Chessy le sait très bien. Jamais elle ne t'en voudra pour ça.

—Tu es tout simplement fantastique!

—Oh, je suis flatté, repartit-il avec un sourire.

Kylie alla s'installer sur le canapé à côté de Chessy. Elle passa un bras autour de ses épaules et la serra contre elle.

—Allez, ma belle, garde le moral. C'est ce que tu me dis souvent quand c'est moi qui ne vais pas bien et là, c'est à mon tour de te donner ce conseil. Ne te laisse pas abattre par ça. Tu auras une conversation avec Tate, il comprendra son erreur, implorera ton pardon et toi, fidèle à toi-même, tu lui pardonneras. Tout ceci ne sera plus qu'un mauvais souvenir et vous vivrez heureux jusqu'à la fin de vos jours.

Chessy croisa son regard et lui sourit. Kylie fut rassurée de constater que les larmes avaient disparu de ses yeux. Chessy était toujours joyeuse et il était aussi étrange que troublant de la voir triste. Tate était vraiment un imbécile!

—Dis donc, l'amour fait des miracles sur toi. J'adore! déclara Chessy en souriant.

—C'est la nouvelle moi, répliqua Kylie. L'ancienne moi ne me plaisait pas trop, en fait.

—Eh bien, moi, je vous aime toutes les deux. L'ancienne Kylie était très bien, sauf qu'elle n'était pas heureuse.

—Tu as tort, mais ça me fait quand même plaisir de te l'entendre dire.

Dash leur servit un verre de vin chacune. L'instant d'après, Joss arriva et tendit une assiette à Chessy. Elle n'avait pas menti, la part de tarte qu'elle lui avait servie était énorme. Kylie et Chessy trinquèrent.

—En espérant que ta prédiction se réalise, annonça Chessy avant de boire une gorgée.

—Amen, répliqua Kylie.

Chapitre 25

Malgré sa bonne humeur, Kylie ne put s'empêcher de penser à Chessy durant le trajet de retour. Elle était inquiète pour son amie, mais, même cela n'avait pas entaché son optimisme.

Elle couvrit la main que Jensen avait sur le levier de vitesse de la sienne et la serra en concentrant son attention sur la route qui les ramènerait chez eux.

Chez eux.

Voilà qui était nouveau. Depuis quand considérait-elle la maison de Jensen comme la sienne ? Comme la leur ? Il était vrai qu'elle n'était retournée chez elle que deux ou trois fois depuis que Jensen l'avait ramenée chez lui. Et elle n'y serait sans doute même pas allée si elle n'avait pas eu besoin de récupérer quelques affaires. En y repensant, elle ne savait pas trop comment les choses allaient évoluer. Allait-elle bientôt devoir retourner vivre chez elle ? Après tout, à aucun moment il n'avait été question qu'elle emménage dans son appartement. Jensen l'avait simplement ramenée chez lui en lui disant qu'elle y resterait le temps qu'il faudra.

Elle réprima un sourire. Il y a encore quelques semaines, elle aurait sans doute bien ri si on lui avait dit qu'elle et Jensen finiraient par sortir ensemble et qu'elle passerait le plus clair de son temps chez lui. Et pourtant…

Elle était bel et bien avec Jensen. Elle était amoureuse de lui et elle couchait avec lui. Enfin, coucher n'était peut-être pas le terme le plus approprié pour définir la nature de leurs relations intimes. Jusqu'à présent, elle ne s'était jamais vraiment demandé quelle différence il y avait entre coucher et faire l'amour avec quelqu'un. Jamais elle n'aurait cru s'embarquer un jour dans une relation – encore moins dans une relation sexuelle – avec un homme. Même si elle n'avait pas beaucoup d'expérience dans ce domaine, elle savait que coucher et faire l'amour étaient deux choses très différentes. Mais pourquoi pensait-elle à tout ça ? La Kylie d'avant ne se prenait pas autant la tête. Cela dit, la Kylie d'avant n'avait pas de relations sexuelles.

Pourtant, de son point de vue, les relations sexuelles qu'elle avait eues avec Jensen lui semblaient assez intimes. L'acte sexuel n'était qu'un acte sexuel, ni plus ni moins. Faire l'amour avec quelqu'un demandait plus de confiance, d'émotion, de respect. Et d'amour, bien évidemment.

—Tu es bien silencieuse, mon cœur, commenta Jensen.

Kylie tourna la tête vers lui au moment où il tourna la sienne vers elle.

—Ça va? demanda-t-il en s'engageant dans leur rue.

—Oui, oui, très bien, s'empressa-t-elle de le rassurer. J'étais en train de me demander quelle était la différence entre coucher et faire l'amour avec quelqu'un.

—Tu piques ma curiosité, là, dit-il en haussant un sourcil. Éclaire ma lanterne, je te prie.

Elle éclata de rire.

—Oh, c'est des bêtises, j'abordais la question sous un angle philosophique.

—Et donc? J'attends.

Elle rit et serra sa main encore plus fort. Elle adorait passer du temps avec lui. Elle était tellement heureuse!

—Je pense que ce qui s'est passé entre nous, physiquement je veux dire, est bien plus qu'une simple relation sexuelle, expliqua-t-elle, un peu confuse.

Jensen croirait certainement qu'elle était en train de dire des sottises. Mais, étrangement, son expression se fit sérieuse. À son tour, il lui serra la main et caressa son poignet du pouce.

—Pour la première fois de ma vie, je comprends la diffé-rence entre coucher et faire l'amour, ajouta-t-elle.

Aussitôt, elle regretta d'avoir dit tout haut ce qu'elle pensait. Comment pouvait-il être d'accord avec elle alors que, les deux fois où ils avaient fait l'amour, il avait été attaché à la tête du lit? Un sentiment de honte la gagna soudain. Elle avait dit à Jensen qu'elle l'aimait alors qu'elle n'était même pas capable de lui faire entièrement confiance quand ils étaient au lit.

— Hey, mon cœur, qu'y a-t-il ? lui demanda-t-il en garant la voiture dans leur allée.

— J'aurais dû ne rien te dire, répondit-elle honnêtement.

— Pourquoi ? s'enquit-il avec une note d'incrédulité en se tournant vers elle.

Elle ferma les yeux, ne pouvant se résoudre à soutenir son regard.

— Parce que je te dis que je t'aime et que j'ai confiance en toi et, pourtant, quand on « fait l'amour » je dois t'attacher au lit avant, ça n'a pas de sens. Et, tu sais ce qu'on dit, les actes sont plus éloquents que les mots.

— Alors là, par contre, oui, tu racontes des bêtises et ça me met en pétard.

Stupéfaite par sa réaction, elle ouvrit les yeux et chercha son regard. Jamais auparavant il ne lui avait répondu aussi sèchement. C'était inévitable ; tous les couples passaient par des hauts et des bas et se disputaient. Et, pour le coup, Jensen semblait vraiment… en pétard. Auraient-ils leur première dispute de couple ?

— Je n'ai pas l'intention de discuter de ça dans la voiture, déclara-t-il en ouvrant la portière. On va en discuter à la maison.

Kylie sentit s'accélérer les battements de son cœur. D'un geste hésitant, elle ouvrit sa portière, l'angoisse lui nouant l'estomac. Elle descendit de la voiture et avala la boule qui s'était formée dans sa gorge.

Elle était stupide! Même s'il était en colère, Jensen ne lui ferait jamais le moindre mal. Il en était incapable, elle le savait bien. Pourtant, en ayant vu Jensen se mettre en colère, son premier réflexe avait été de se braquer. Pour elle, la colère était synonyme de violence.

Elle alla rejoindre Jensen qui l'attendait devant la voiture. Serrant les poings pour garder son calme, elle se demanda si elle devait lui donner la main ou pas. C'était devenu une sorte de petit jeu entre eux. Chaque fois qu'ils sortaient de la voiture pour rentrer dans la maison, ils le faisaient main dans la main. Mais, cette fois, elle ne savait pas quelle attitude adopter.

Quand elle arriva à la hauteur de Jensen, il posa une main sur son épaule.

—Ne me dis pas que tu as peur de moi, marmonna-t-il en plongeant son regard dans le sien.

Il semblait bouleversé et elle tressaillit. Son comportement ne faisait qu'empirer la situation.

—Non… Oui. Non, merde, non! Je n'ai pas peur de toi, répliqua-t-elle en secouant la tête.

Jensen l'observa, les sourcils froncés. Il ne la croyait pas, c'était évident, et elle ne pouvait pas lui en tenir rigueur. Le fait qu'elle se soit contredite dans sa réponse n'arrangeait pas les choses.

Elle ferma les yeux et poussa un profond soupir.

—Ce n'est pas toi qui me fais peur, Jensen, c'est la colère et les conséquences de la colère. J'ai été prise de court par ta réaction, d'autant plus que c'est la première fois que je te vois comme ça, je ne m'y attendais pas, c'est tout. La peur et la méfiance, mon mécanisme de défense, ont pris le dessus. Je déteste me disputer et entrer en conflit avec quelqu'un même si je sais que tôt ou tard, on finira par se disputer et se prendre la tête, c'est normal. Je… je ne sais pas pourquoi j'ai réagi comme ça. Enfin, si, je sais…

—Viens Kylie, rentrons à l'intérieur.

Sa voix était si douce et rassurante. Elle leva le regard vers lui et perçut de la tendresse dans ses yeux. De la tendresse, de la sincérité et de l'amour aussi. Il lui prit la main et la guida vers la maison. Il ouvrit la porte puis s'effaça pour la laisser entrer.

—Va te préparer pour aller au lit, dit-il. On discutera une fois que tu seras en sécurité, dans mes bras.

Une vague de soulagement submergea Kylie. Tout allait bien entre eux. Elle enfila son pyjama tandis qu'il se déshabilla. Quand il fut en boxer, il s'allongea sur le lit et lui fit signe de le rejoindre. Elle vint se blottir contre lui. Elle devait lui prouver qu'elle avait entièrement confiance en lui. Comme elle l'avait dit, les actes sont plus éloquents que les mots.

—Bon, maintenant, je veux que tu écoutes attentivement ce que j'ai à te dire, déclara-t-il d'un ton sérieux. Le fait que tu m'aies attaché au lit n'est pas une raison pour déprécier ce qui s'est passé entre nous. Les deux fois où nous avons fait l'amour, car, oui, nous avons bien fait l'amour, tu m'as donné quelque chose de très précieux : ta confiance.

En parlant, il caressait lascivement son bras, faisant naître de légers frissons sur sa peau.

—Comment peux-tu dire ça alors que j'ai dû, justement, t'attacher au lit? s'enquit-elle du bout des lèvres.

Il la serra plus fort contre lui.

—Parce qu'on est allés jusqu'au bout. Nous avons fait l'amour et c'était merveilleux. J'ai joui en toi, mon cœur.

Elle huma son odeur masculine et rassurante, sentant peu à peu son angoisse s'atténuer. Il lui embrassa tendrement le front.

—Je t'aime, Kylie, et le fait qu'on fasse l'amour ou pas ne changera rien à ce que je ressens pour toi.

—Ça me rassure de te l'entendre dire, murmura-t-elle contre son torse. J'ai tellement envie d'être normale et d'avoir une vie normale aussi. C'est juste que je ne sais pas comment m'y prendre.

Il eut un petit rire.

—Ne t'obstine pas à vouloir être une personne normale. On a déjà eu une discussion à propos de ça et tu connais mon opinion sur le sujet.

Kylie ferma les yeux. Elle était si bien, là, enveloppée dans la chaleur de ses bras. Il était son roc, son plus grand soutien. Ils restèrent ainsi un long moment, à savourer le silence qui s'était installé. Puis, elle sentit Jensen se raidir contre elle, comme s'il se préparait à dire quelque chose. Elle leva les yeux vers son visage et croisa son regard.

—Mon cœur, est-ce que tu te sens prête à me parler de ton passé?

Il arborait une expression grave et attendait certainement de voir la réaction que susciterait sa question. Kylie sentit son pouls et sa respiration s'accélérer. Elle ne devait pas se mettre dans un état pareil, c'était stupide. Le passé était le passé, il ne pouvait plus rien lui arriver à présent, elle était en sécurité. Elle comprit alors que les douloureux souvenirs de son enfance étaient, en quelque sorte, la dernière barrière qui la séparait de Jensen, la clé de la confiance dans leur couple.

— Oui, chuchota-t-elle. Je suis prête.

Il resserra son étreinte et embrassa ses cheveux.

— Prends ton temps, je suis là et je reste à tes côtés.

Elle se colla à lui, plaquant les mains contre son torse. Elle fut étonnée de constater que, même si elle était sur le point de lui confier une partie de sa vie qu'elle n'avait jamais racontée à personne, elle n'était nullement paniquée à cette idée. Au contraire, elle était rassurée. Enfin, elle allait ôter un poids énorme de sa poitrine.

— Je… je ne sais même pas par où commencer, balbutia-t-elle.

Elle sentit les larmes lui monter aux yeux et déglutit, la gorge nouée.

— Prends ton temps, je suis là.

— Il a toujours été violent, commença-t-elle son récit d'une voix tremblante. Ma mère, par contre, je n'ai que de vagues souvenirs d'elle. Je ne sais pas comment elle était, mais le fait qu'elle nous ait abandonnés, Carson et moi, en dit long sur sa personnalité. Comment une mère peut-elle laisser tomber ses enfants comme ça ?

Jensen bougea légèrement et Kylie regretta aussitôt son dernier commentaire. C'était déplacé de sa part de dire une telle chose, surtout à présent qu'elle connaissait le passé de Jensen. Il avait raison quand il avait dit qu'ils avaient tous les deux bien plus de choses en commun qu'elle ne le croyait. Ils étaient les deux moitiés d'un tout que le destin avait fini par réunir.

— Je suis désolée d'avoir dit ça, s'excusa-t-elle.

Elle n'avait pas envie de replonger Jensen dans son triste passé. Ce qu'il était sur le point de découvrir du sien était déjà assez horrible.

— Non, ma puce, tu n'as pas à t'excuser. Tu as besoin de vider ton sac. Tu as besoin que quelqu'un t'écoute et je suis là pour ça.

Elle hocha la tête et ferma les yeux pour refouler ses larmes. Le plus dur était à venir. La honte la submergea tandis qu'elle se préparait à lui raconter la suite.

— J'avais treize ans quand il m'a violée pour la première fois.

Elle sentit le corps de Jensen se raidir contre le sien. Elle appuya les doigts sur son torse musclé et il recouvrit ses mains des siennes.

— Il était animé par une violence extrême, poursuivit-elle. On avait beau essayer, rien de ce qu'on faisait n'était assez bien pour lui. Quand il était ivre, il s'en prenait à Carson et il dirigeait sa colère contre moi lorsqu'il était sobre. À la limite, j'aurais pu comprendre qu'il passe sa colère sur nous deux à cause de l'alcool, mais le fait qu'il se défoule sur moi alors qu'il était en pleine possession de ses moyens, j'ai du mal à le concevoir. J'ai l'impression qu'il m'en voulait vraiment pour une raison bien précise.

Elle marqua une pause pour reprendre ses esprits.

—Carson… En fait, Carson se trouvait toujours au mauvais endroit au mauvais moment. C'est horrible à dire, mais les seuls moments où je me sentais un peu plus en sécurité, c'était quand mon père était bourré.

Jensen lui embrassa les cheveux puis pressa les lèvres contre son front.

—Ce que je vais te dire, je ne l'ai jamais révélé à personne, dit-elle en un murmure à peine audible.

Elle avait commencé à trembler. Ses souvenirs l'assaillaient et elle ne pouvait plus rien faire pour les refouler tandis qu'une douleur familière surgie du passé lui enserrait le cœur.

—Que n'as-tu jamais dit à personne? demanda Jensen d'une voix douce et apaisante.

—J'ai failli me suicider, lâcha-t-elle.

Jensen prit une profonde inspiration et expira lentement.

—Je ne sais pas quoi dire, mon cœur. C'est un lourd secret à porter toute seule. Pourquoi tu as gardé ça pour toi?

—Parce que ça ne fait que prouver à quel point je suis faible. La seule raison pour laquelle je ne suis pas allée au bout de mon idée, c'était Carson. Je ne voulais pas le laisser seul.

Mais, à une époque, je voulais vraiment mourir, mettre un terme à tout ce qui m'arrivait. C'était la solution de facilité. J'en voulais à ma mère de nous avoir abandonnés et, pourtant, j'ai failli faire la même chose à Carson.

—Tu n'es pas faible, Kylie. Il t'a fallu beaucoup de courage pour résister à l'envie de mettre fin à tes jours. Tu as décidé de ne pas renoncer à la vie, même si tu pensais qu'elle ne valait pas la peine d'être vécue. Tu n'étais qu'une enfant désemparée qui voulait mettre un terme au cauchemar quotidien qu'elle vivait. Honnêtement, en quelque sorte, je peux concevoir que tu aies eu de telles pensées noires.

—Carson était anéanti quand il a compris ce que mon père me faisait. Je pense qu'il a dû ressentir la même chose que toi avec ta mère : de l'impuissance.

—Oui, sûrement, murmura-t-il.

Kylie se garda de lui raconter les détails sordides. Il n'avait pas besoin de les entendre et elle n'avait ni le courage ni l'envie de lui en parler. Il savait le plus important.

—Quand et comment ça s'est arrêté ? s'enquit Jensen après un silence.

—Carson faisait des petits boulots par-ci, par-là et, quand il a mis assez d'argent de côté, on s'est enfuis. Ce soir-là, notre père avait tellement bu qu'il avait fini par perdre conscience. En plus, j'étais très inquiète pour Carson, parce que ce monstre l'avait cogné plus fort que d'habitude. Il avait des bleus partout, des côtes cassées… Mais bon, on a réussi à déguerpir.

—Et où êtes-vous allés après ? demanda-t-il d'une voix douce. Comment... Comment avez-vous fait pour vous en sortir, pour vivre ?

—Ça n'a pas été facile les premiers temps. On vivait dans la rue. On avait un peu d'argent, mais, qui louerait un appartement ou un studio à des enfants ? Et puis, on devait manger aussi. Carson a continué de faire des petits boulots pour pouvoir payer ses études et moi j'aidais autant que je pouvais. Quand il a commencé à travailler, je me suis inscrite à la fac à mon tour et il a payé mes études.

—Et tu oses dire que tu es faible ? s'étonna Jensen. Je n'imagine même pas à quel point ça a dû être difficile. Je connais peu de gens qui auraient survécu aux épreuves que vous avez dû traverser.

—J'aimerais tellement que tu aies raison, chuchota-t-elle.

—Tu es quelqu'un de courageux, Kylie, n'en doute jamais.

—Je t'aime, Jensen.

—Moi aussi je t'aime, mon cœur. Et... Vous l'avez revu, votre père, depuis ?

—Non, répondit Kylie en secouant la tête. Carson a essayé de le retrouver à un moment. Je pense qu'il voulait se venger.

—Je peux comprendre ça. Il l'a retrouvé ?

—Il n'a jamais voulu me le dire. D'ailleurs, je ne l'aurais sans doute jamais su si je n'étais pas tombée sur le dossier qu'il avait laissé ouvert sur son bureau. Tu imagines ma réaction en voyant ça. Et, quand je lui ai demandé une explication, il a éludé la question. Il a sans doute dû se dire que moins j'en saurais, mieux je me porterais. Je pense qu'il avait peur que je fasse une connerie. Et qui sait, peut-être qu'il n'avait pas tort.

Elle poussa un léger soupir.

— Cela dit, reprit-elle, je ne pense pas qu'il voulait le tabasser ou le tuer parce que ça aurait clairement mis en péril son mariage avec Joss. Il voulait voir ce qu'il était devenu, le détruire psychologiquement, lui prendre tout ce qu'il avait.

— Je pense que ton frère a eu tort de ne t'avoir rien dit à ce sujet, commenta Jensen. Tu avais le droit de savoir et je ne crois pas que tu aurais fait une connerie. Ça t'aurait peut-être même aidée à tourner la page bien plus tôt.

— Je n'avais jamais vu les choses sous cet angle, en effet. Ça fait des années que je vis dans l'incertitude, j'ai peur qu'il me retrouve, qu'il fasse irruption dans ma vie, alors qu'il est peut-être mort en fait, qui sait.

— Si tu veux vraiment le savoir, je pourrais éventuellement me renseigner, murmura Jensen.

Kylie se raidit dans ses bras, une peur panique oppressant sa poitrine.

— Un jour, peut-être, marmonna-t-elle. Ou alors, peut-être même jamais. Une chose est sûre en tout cas, je ne veux pas le savoir, pas maintenant.

— Si un jour tu changes d'avis, sache que je peux t'aider dans tes recherches, voir si Carson a mis sa vengeance à exécution. En tout cas, quoi qu'il arrive, ton père ne t'approchera plus jamais, tu as ma parole.

—Merci, Jensen.

Kylie se sentit soudain plus légère, comme si on venait de lui ôter un énorme poids de la poitrine et qu'elle pouvait de nouveau respirer. Il y avait encore pas mal de choses que Jensen ignorait, mais il savait le principal et c'était le plus important. Peut-être qu'un jour elle aurait le courage de lui raconter toute son histoire, d'expulser ce poison qui la rongeait de l'intérieur à petit feu.

—De rien, ma puce. Je t'aime. Je suis très fier de toi et tu devrais l'être aussi d'ailleurs. Tu commences à tirer un trait sur ton passé et tu te tournes vers l'avenir ; c'est un pas énorme.

—Pourtant, il m'a fallu du temps pour le faire, bougonna-t-elle en esquissant une moue de dépit.

—Tu es trop dure avec toi-même. Ces choses-là prennent du temps. Il faut que tu apprennes à te voir telle que les autres te voient : une femme courageuse et persévérante.

—Une femme courageuse, répéta-t-elle pensivement. J'aime bien. Jusqu'à présent, jamais je n'aurais utilisé ce mot pour me décrire.

—Il est temps que tu mettes à jour la liste de tes qualités en commençant par rayer tous les adjectifs dénigrants.

Kylie se mit à rire, puis, envahie par une soudaine fatigue, bâilla.

—On le fera ensemble alors, marmonna-t-elle. En tout cas, je sais déjà quel est le premier mot que je vais mettre tout en haut de la liste : aimée.

— Très bien. Je t'aime, Kylie, et je ne suis pas le seul. Tu as également des amis formidables qui, eux aussi, t'aiment beaucoup.

— Je sais, j'ai vraiment beaucoup de chance, dit-elle en se lovant contre lui.

— Tu penses que tu vas pouvoir dormir cette nuit? s'enquit-il d'un ton inquiet. J'ai peur que notre discussion ait éveillé tes fantômes du passé et que tu fasses des cauchemars.

— Tant que je suis dans tes bras, rien ne peut m'arriver.

— Alors endors-toi, mon cœur, murmura-t-il dans ses cheveux. Je suis là et jamais je ne te quitterai. Jamais.

Chapitre 26

Jensen eut beaucoup de mal à trouver le sommeil cette nuit-là. Même si Kylie s'était rapidement endormie, blottie contre lui, il n'arrivait pas à chasser la peur qui l'habitait. Il espérait sincèrement que ses fantômes du passé ne viendraient pas la hanter cette fois. Ce qu'il n'avait pas prévu en revanche, c'était que ses démons à lui étaient à l'affût et attendaient qu'il s'endorme pour refaire surface dans son esprit.

Il se tenait debout, comme paralysé, et regardait, impuissant, son père frapper Kylie encore et encore. Que diable faisait Kylie ici ? Où était donc sa mère ? Il avait l'impression d'être le petit garçon impuissant qu'il avait été autrefois, sauf qu'il était emprisonné dans un corps d'adulte. Que se passait-il ? Pourquoi ?

— Non ! s'écria-t-il. Arrête, s'il te plaît ! Laisse-la tranquille.

Son père leva les yeux vers lui et ses lèvres s'incurvèrent en un sourire cruel.

—Tu n'es qu'un bon à rien. Tu n'as pas pu protéger ton idiote de mère et maintenant tu ne peux même pas protéger ta dulcinée.

D'une voix faible et cassée par l'émotion, Kylie l'appela plusieurs fois par son prénom, ce qui eut un effet immédiat sur lui. Il hurla et se jeta sur son père. Il était adulte à présent, son père ne lui faisait plus peur. Il lui assena un coup de poing au visage et son père tomba à terre. Il se plaça à califourchon au-dessus de lui et posa les mains sur son cou, bien décidé à l'étrangler. Plus jamais il ne ferait de mal à qui que ce soit. Il n'avait plus peur de son père et il comptait bien en finir avec lui une bonne fois pour toutes.

Jensen était guidé par une colère aveugle. Il était déterminé à mettre ce monstre hors d'état de nuire. Cette fois-ci, il ne décevrait pas sa mère et il ne décevrait pas Kylie, non plus. Le visage de son père était rouge, comme sur le point d'exploser, et il resserra la pression de ses mains sur son cou.

Soudain, il entendit Kylie l'appeler d'une voix implorante. Elle lui disait… Elle lui disait d'arrêter. Pourquoi lui demandait-elle ça? Et… Pourquoi pleurait-elle? Elle était en sécurité pourtant. Il sentit alors un frisson le traverser de part en part et il sortit brusquement du sommeil. Ce n'était qu'un cauchemar.

L'instant d'après, il se rendit compte de ce qui se passait. Il était en train d'étrangler Kylie qui, tout en lui serrant les poignets, pleurait en se débattant pour se libérer. Une violente nausée le prit et il relâcha immédiatement Kylie. La jeune femme roula sur le côté en tentant de reprendre son souffle. Le visage dissimulé par des mèches de cheveux désordonnés, elle toussa et se recroquevilla sur elle-même. Puis elle se redressa et se réfugia à l'autre extrémité du lit. Elle ramena ses genoux devant elle et les enserra de ses bras, puis elle se mit à se bercer en sanglotant. Jensen fut très attristé de la voir ainsi.

—Kylie! s'exclama-t-il, la gorge nouée.

Qu'avait-il fait? Comment avait-il pu faire une chose pareille? Tout comme son père et celui de Kylie, il était un monstre. Un vrai monstre.

—Kylie, mon Dieu, Kylie… Tu vas bien, mon cœur? s'enquit-il d'une voix étranglée par le chagrin.

L'esprit toujours embrumé par son cauchemar, il tendit la main vers elle et se rapprocha légèrement. Il voulait la prendre dans ses bras et la réconforter. Doucement, il l'attira contre lui et resserra son étreinte. Il la berça contre lui, des larmes coulant le long des joues.

—Je suis désolé, Kylie, murmura-t-il. Pardonne-moi, mon cœur, pardonne-moi…

Un désespoir sans fond l'envahit. La culpabilité et les remords qui montaient en lui étaient des fardeaux accablants dont il ne pourrait jamais se débarrasser. Il n'avait pas tenu parole. Il lui avait juré qu'elle était en sécurité avec lui et qu'il ne lui ferait jamais le moindre mal. Et pourtant…

Il croyait, à tort, avoir laissé son passé derrière lui, cependant, les démons et ses fantômes étaient bien plus forts que lui. Son passé l'avait non seulement rattrapé, mais avait également mis Kylie en danger.

Jensen ferma les yeux, prenant conscience de l'énormité de son acte et de ses conséquences inévitables. Une terrible pensée surgit alors dans son esprit et de nouvelles larmes emplirent ses yeux.

Ils ne pouvaient pas rester ensemble.

Il devait la laisser partir, la quitter.

Kylie demeurait figée et silencieuse dans ses bras. Il se demanda si elle était capable de parler étant donné la force avec laquelle il lui avait serré le cou. Elle aurait certainement des bleus et une douleur vive l'étreignit à cette idée. Qu'avait-il fait ?

— Je… je vais bien, chuchota Kylie, ramenant ainsi Jensen à l'instant présent.

Il relâcha aussitôt son étreinte et recula, évitant de rencontrer son regard. Il n'avait pas le courage de la regarder dans les yeux. Il n'avait aucune excuse, absolument aucune. Rien ne pouvait justifier son comportement. Et c'est pourquoi…

— Je vais rassembler tes affaires et je te ramène chez toi, annonça-t-il, le cœur lourd.

Kylie leva un regard perplexe sur lui. Il n'y avait plus de peur dans ses yeux, sinon de la confusion.

— Quoi ? souffla-t-elle.

Jensen fit une grimace en entendant sa voix faible, presque inaudible.

— Je te ramène chez toi, répéta-t-il fermement, fuyant toujours son regard.

Il ne pouvait pas... Il ne pouvait pas la regarder, il était malade à l'idée de la perdre, mais il n'avait pas le choix, pas après ce qu'il venait de faire.

— Je... je ne comprends pas... Pourquoi ?

Du coin de l'œil, il vit des larmes lui embuer les yeux.

— On ne peut pas être ensemble, Kylie.

Son ton était ferme, trop ferme même, mais il ne pouvait pas contrôler la peine qu'il ressentait, tout comme il ne pouvait pas effacer ce qu'il avait fait.

— Tu renonces à nous ? s'enquit-elle d'une voix teintée de reproche. Je t'aime, Jensen. Tu ne peux pas renoncer, juste comme ça.

— Putain, Kylie, regarde ce que je t'ai fait ! s'écria-t-il. Comment peux-tu vouloir rester avec moi après ce qui vient de se passer ? J'ai essayé de te tuer, putain ! J'ai failli te tuer !

— Mais, tu ne l'as pas fait exprès. Tu étais en train de faire un cauchemar. Ce n'est pas ta faute.

À ces mots, Jensen sentit la bile lui remonter dans sa gorge. Elle était en train de lui chercher des excuses. Il repensa alors à la femme du parking qui, elle aussi, avait tenté de justifier le comportement violent de son compagnon. C'était inadmissible.

—Est-ce que tu t'entends parler, Kylie? Tu cherches des justifications à mon geste impardonnable et ça, ce n'est pas normal. Allez, habille-toi pendant que je rassemble tes affaires. Je te ramène chez toi.

—Tu as dit que tu m'aimais, Jensen, bredouilla-t-elle, des larmes roulant sur ses joues. Tu m'as promis que…

—Oui, justement, parlons-en de ce que je t'ai promis, l'interrompit-il brusquement. Je t'ai promis de ne jamais te faire le moindre mal.

Kylie demeura immobile pendant quelques instants avant de lui tourner le dos et de glisser hors du lit. Jensen la regarda s'habiller en sanglotant puis s'affaira à rassembler toutes ses affaires. Il s'habilla puis alla déposer la valise de Kylie dans le coffre de sa voiture et retourna la chercher dans la maison. Il la retrouva, pâle, les yeux rougis par les larmes, assise sur le canapé dans le salon. Les traces de ses doigts sur son cou commençaient à être visibles. Il avait vraiment failli la tuer.

—Allez, on y va, dit-il d'un ton résolu.

La tête baissée, Kylie se leva péniblement. Il était rassuré en constatant qu'elle évitait son regard, c'était bien mieux ainsi. Ils quittèrent la maison puis s'installèrent dans la voiture. Le trajet se fit dans un silence pénible et Jensen avait l'impression de mourir à petit feu.

Ils arrivèrent devant la maison de Kylie et il se gara dans l'allée. Il descendit de la voiture et sortit les affaires du coffre. Il s'était tellement habitué à la présence de Kylie chez lui… Sa gorge se noua et il déglutit péniblement. Il porta les valises jusqu'à la porte d'entrée et, revenant sur ses pas, il faillit percuter Kylie qui était descendue de la voiture entre-temps. Machinalement, il la saisit par les épaules, mais elle se dégagea aussitôt de son emprise.

Il poussa un soupir puis la contourna sans dire un mot.

—Jamais je n'aurais fait ce que tu es en train de faire, l'entendit-il dire.

Il s'arrêta net, ses mots lui faisant l'effet d'un coup de poing dans le ventre.

—Ne fais pas ça, Kylie, ne rends pas les choses encore plus difficiles.

—Mais je t'aime!

Il ferma les yeux en essayant de vaincre la nausée qui menaçait de le submerger de nouveau.

—Moi aussi je t'aime, Kylie, et c'est justement parce que je t'aime que je fais ça.

N'attendant pas sa réponse, il accéléra le pas jusqu'à sa voiture, mit le contact et s'en alla. Durant tout le trajet de retour, il était assailli par les images horribles de son cauchemar et l'expression désabusée de Kylie si bien qu'il voyait à peine la route devant lui. Jamais il n'aimerait une autre femme. Elle était et resterait l'amour de sa vie.

Bouleversé, il se gara dans son allée, descendit de la voiture et vomit dans la pelouse devant sa maison.

Chapitre 27

Enroulée dans une couverture, Kylie regardait le soleil se lever depuis une chaise dans son jardin. Il ne faisait pas froid, mais elle ne parvenait pas à se réchauffer. Elle avait l'impression d'être un corps vide et sans âme. Elle avait laissé sa joie de vivre et ses bonnes résolutions chez Jensen.

Jensen, l'homme qu'elle aimait, celui qui avait insufflé la vie en elle par la force de son amour. Elle avait essayé de le détester, de le haïr et le maudire pour ce qu'il avait fait, mais sans succès. Elle ne pouvait même pas lui en vouloir, elle connaissait les raisons qui l'avaient poussé à agir ainsi, elle avait vu la honte et l'horreur dans son regard, l'humiliation et le dégoût aussi.

Elle porta la main à son cou et le massa légèrement. Des ecchymoses violacées marquaient sa peau.

« J'ai essayé de te tuer… J'ai failli te tuer… »

Les paroles de Jensen résonnaient encore dans sa tête. Comment avait-il pu se convaincre d'une telle chose? Il n'avait pas été lui-même, c'était son subconscient qui avait pris le dessus. Elle n'avait pas essayé de lui chercher des excuses, c'était la vérité! Elle savait très bien qu'il était incapable de lui faire quoi que ce soit, pourquoi refusait-il obstinément de se l'admettre?

Il lui avait dit à plusieurs reprises qu'elle devait avoir plus confiance en elle. Il devrait peut-être suivre son propre conseil, du moins lorsqu'il était question de leur relation.

Elle poussa un long soupir et porta les yeux sur la feuille –sa lettre de démission–, posée sur la table près d'elle. À côté de la lettre, l'écran de son ordinateur portable était ouvert sur une page d'annonces immobilières en ligne. Elle s'était également renseignée sur les différents taux de crédits immobiliers avant de décider qu'elle n'avait pas besoin de faire une demande de crédit. Elle avait assez d'apports pour acheter une maison, et puis, quelle banque lui accorderait un crédit alors qu'elle serait bientôt sans emploi?

Kylie regarda l'heure. Il était très tôt et il n'y avait encore certainement personne au bureau. Puis elle fronça les sourcils et réfléchit quelques instants. Elle devrait aller déposer sa lettre sur le bureau de Dash tout de suite. Comme ça, elle était sûre de ne croiser personne. Oui, c'était bien plus simple ainsi.

Le week-end s'était révélé un enfer. Elle était restée au lit, sous les couvertures, à pleurer toutes les larmes de son corps.

Elle n'avait rien mangé et n'avait pratiquement pas dormi non plus. Les seules fois où elle avait rassemblé ses forces et son courage pour se lever, c'était pour aller aux toilettes.

Ce ne fut qu'une fois qu'elle crut avoir touché le fond, qu'elle décida de se ressaisir. Elle ne pouvait pas rester éternellement enfermée chez elle. Les ruptures, aussi douloureuses soient-elles, faisaient partie de la vie. Il fallait l'accepter et aller de l'avant. Kylie avait alors compris que de grands choix s'imposaient à elle. Elle ne pouvait plus vivre sa vie cloîtrée dans sa maison et coupée du monde. Il était grand temps qu'elle se bouge.

La première chose qui lui était venue à l'esprit, c'était qu'elle ne pouvait plus continuer à travailler pour Dash et Jensen. Elle avait donc rédigé sa lettre de démission et, de fil en aiguille, avait également pris la décision de déménager. D'ailleurs, elle avait déjà les coordonnées d'un agent immobilier. Il était trop tard pour faire marche arrière à présent. Elle devait s'ouvrir à la vie et au futur, pas leur tourner le dos.

Elle se leva à grand-peine. Donner sa démission à Dash était sans doute une des choses les plus difficiles qu'elle ait jamais eu à faire. Elle prit la lettre et rentra dans la maison. Elle s'habilla hâtivement et sortit.

Les routes étaient encore désertes à cette heure-ci et elle ne mit pas longtemps à arriver au travail. Elle rassembla quelques documents à son poste, puis se rendit dans le bureau de Dash. Elle déposa la pile de dossiers en cours sur sa table.

Une vague de culpabilité l'envahit quand elle posa sa lettre de démission sur les dossiers. Elle s'en voulait terriblement de mettre Dash devant le fait accompli. C'était un patron formidable. Il s'était toujours montré patient et bienveillant envers elle. Il ne méritait pas ça. Mais, d'un autre côté, elle ne pouvait pas continuer de travailler avec Jensen, pas après tout ce qu'il s'était passé.

Le cœur lourd, elle retourna dans son bureau et rassembla ses affaires. Elle traversa le couloir silencieux et ouvrit la porte d'entrée. Elle se retourna sur le seuil et jeta un dernier regard sur les bureaux, sur la société que son frère avait fondée, l'endroit où elle avait travaillé depuis qu'elle avait obtenu son diplôme à la fac. Et elle aurait pu accomplir encore tant de choses en ces lieux, elle aurait pu devenir associée, mais, tant pis, tout ne se passait pas toujours comme on le souhaitait. Et puis, il était temps de tourner la page. Carson n'était plus là, elle devait apprendre à voler de ses propres ailes.

Poussant un soupir, elle referma la porte derrière elle et prit l'ascenseur. Elle traversa le lobby de l'immeuble et fit un petit signe de la main au gardien de nuit qui lui adressa un regard interrogateur. Elle retourna à sa voiture et démarra. À présent que c'était fait, elle n'avait qu'une envie : se coucher et passer le restant de ses jours sous la couette.

Elle se gara devant chez elle et rentra dans la maison, laissant le carton contenant ses affaires dans la voiture. Elle s'en fichait pas mal, elle voulait juste se réfugier sous les couvertures et tout oublier. Une fois que Dash découvrirait la lettre, Chessy et Joss ne tarderaient sans doute pas à lui demander des explications sur ce qui s'était passé. Elle devrait peut-être les appeler et leur expliquer vite fait ? Oui, elle devrait, mais elle n'en avait aucune envie. De toute manière, ses amies ne pourraient rien faire pour elle. Personne ne pouvait rien pour elle. Elle n'était pas experte en amour, mais elle était sûre qu'il n'y aurait plus jamais de place dans son cœur pour aucun autre homme que Jensen.

Tant pis.

Abattue, elle traversa le salon en passant à côté des valises qu'elle n'avait toujours pas défaites. Elle entra dans la cuisine et vit une bouteille de vin sur le bar.

Oh, et puis, pourquoi pas, après tout…, pensa-t-elle.

Elle se servit un grand verre de vin puis commença à se diriger vers sa chambre avant de faire demi-tour pour prendre la bouteille de vin avec elle. Ça lui éviterait de se relever parce que, une fois qu'elle serait dans son lit, il était fort probable que plus rien ne pourrait l'en faire sortir.

Chapitre 28

— Tu veux bien m'expliquer ce que ça veut dire, ça ? s'exclama Dash d'une voix furieuse.

Jensen leva la tête vers son associé et vit qu'il brandissait une lettre. De quoi parlait-il ? En fait, il s'en foutait complètement. Il n'était pas d'humeur à jouer aux devinettes. Il avait passé plusieurs nuits blanches et n'avait pas encore complètement dessoûlé de sa cuite de la veille. D'ailleurs, jamais il n'avait autant bu de sa vie. C'était une preuve de plus qu'il était comme son père. Après tout, ne disait-on pas « tel père, tel fils » ?

— Putain, tu as une gueule de déterré, fit remarquer Dash avec une moue de dégoût.

— Oh, lâche-moi, tu veux…

— Elle a démissionné, dit Dash en haussant la voix et se penchant sur son bureau.

Il posa la lettre devant lui et son regard fut machinalement attiré par la feuille. C'était une lettre de démission rédigée par… Kylie. Elle avait bel et bien démissionné. Une boule se forma aussitôt dans sa gorge à cette idée.

—Ne la laisse pas faire ça, implora Jensen. Dash, il ne faut pas que tu la laisses partir. Je vais partir, moi, s'il le faut, je vais me trouver un autre bureau. Comme ça, vous pourrez rester ici, tous les deux.

—Joss était morte d'inquiétude quand je lui ai dit que Kylie avait démissionné. Elle est immédiatement allée chez elle, mais elle n'était pas là et personne ne sait où elle est. En plus, elle a mis sa maison en vente apparemment.

Jensen se redressa péniblement sur sa chaise et se frotta les yeux.

—Qu'est-ce que tu lui as fait, putain ? s'enquit Dash, visiblement énervé.

Jensen ferma les paupières pour lutter contre les larmes qui lui montaient aux yeux.

—Je l'ai blessée alors que je lui avais juré qu'elle était en sécurité et qu'elle ne risquait rien avec moi.

Dash fronça les sourcils.

—Comment ça, tu l'as blessée ?

—On s'en fout des détails, je l'ai blessée, point. Dans l'immédiat, le plus important, c'est de la convaincre de rester. Je démissionnerai ; aujourd'hui s'il le faut. Elle peut même s'installer dans mon bureau si elle veut.

—Merde à la fin, vos histoires vont nous faire mettre la clé sous la porte !

—J'en ai rien à foutre! hurla Jensen. Je me fiche pas mal de la boîte en ce moment. La seule chose qui m'importe, c'est Kylie.

—Pourtant, ça ne t'a pas empêché de la blesser apparemment, commenta Dash en secouant la tête.

—Ça n'a rien à voir! Je l'aime. Je l'aime! Jamais je n'aimerai une autre femme qu'elle.

—Eh bien, dans ce cas, qu'est-ce que tu attends pour aller la voir et lui demander pardon? s'écria Dash, manifestement à bout de patience.

Piqué au vif, Jensen bondit de sa chaise et se pencha sur son bureau.

—Parce que ce que j'ai fait est impardonnable, tonna-t-il, le visage à quelques centimètres de celui de Dash. Kylie me pardonnerait immédiatement, je le sais, mais je ne pourrai plus jamais me regarder dans une glace après ce qui s'est passé. Tu le comprends, ça?

Dash poussa un profond soupir en se redressant.

—Oui, je comprends. Maintenant, laisse-moi te dire une chose: tu dis que tu l'as blessée, OK. Tu ne crois pas que tu lui fais encore plus de mal en te comportant ainsi?

Jensen se laissa retomber sur sa chaise et passa une main dans ses cheveux. Il était tellement fatigué, il avait du mal à garder les yeux ouverts. Les images de cette horrible nuit où tout avait basculé ne cessaient de défiler dans sa tête.

Il avait juste besoin d'un peu de tranquillité, mais c'était impossible. Sans Kylie, plus rien n'avait de sens dans sa vie.

—Ne la laisse pas démissionner, Dash. Persuade-la de rester, dit-il enfin, préférant ne pas relever le commentaire de son associé. Je viderai mon bureau avant la fin de la journée.

Chapitre 29

Installée dans un petit café du quartier où elle avait passé la matinée à visiter des maisons, Kylie écoutait les messages sur son portable. Tous étaient de Chessy, Joss ou Dash et il y en avait une bonne dizaine.

Elle avait passé toute la semaine à s'apitoyer sur son sort et noyer son chagrin dans l'alcool, si bien qu'elle avait fini par vider toutes les bouteilles de la maison. Et, lorsqu'elle avait vu tous les cadavres de bouteilles de vin qui trônaient sur le bar de sa cuisine, ça lui avait fait l'effet d'une claque en pleine figure. Sa gueule de bois s'était rapidement dissipée et elle avait décidé de se reprendre en main.

Buvant une gorgée de son café extrafort, elle consulta la messagerie vocale de son portable. Ce message était de Dash. Apparemment, Jensen avait changé de bureau et Kylie fit une grimace en entendant cela. Dash lui demandait également

« de ramener ses fesses au bureau le plus vite possible » et d'appeler Joss pour la rassurer.

La culpabilité lui serra aussitôt la poitrine. Elle n'avait donné aucun signe de vie à ses amis depuis plus d'une semaine. Chessy et Joss étaient venues chez elle plusieurs fois, mais elle n'avait pas eu le courage de leur ouvrir. D'ailleurs, à un moment, Kylie avait cru que Chessy, têtue comme elle était, finirait par casser la porte, tellement elle avait frappé fort. Cependant, Kylie ne voulait voir personne. En plus, elle était tellement ivre qu'elle n'aurait sans doute même pas pu se lever du lit, encore moins tenir une conversation. Heureusement, Chessy et Joss avaient fini par abandonner et elle avait pu se consacrer de nouveau à son unique occupation : regarder dans le vide sans penser à rien.

Elle avait mis sa maison en vente le jour où elle avait donné sa démission à Dash. Plusieurs visites avaient déjà été programmées au cours des prochains jours, ce qui avait été une des raisons qui avaient poussé Kylie à se bouger.

Le dernier message qu'elle écouta était de Joss. Avec des larmes dans sa voix, son amie lui demandait de la rappeler. Dash allait sans doute la tuer pour avoir mis sa femme dans cet état. Et il aurait tout à fait raison de le faire. Elle devrait les appeler tôt ou tard, elle ne pourrait pas les fuir éternellement. D'un autre côté, elle craignait de croiser Jensen, même si elle savait au fond d'elle que sa peur était infondée. Jensen faisait peut-être partie du même cercle d'amis, cela dit, il était peu probable qu'elle le croise chez Dash et Joss, surtout si elle les prévenait de sa visite avant. Elle avait perdu Jensen, mais ce n'était pas une raison pour renoncer à tous ses amis.

Elle avala une rasade de café. Son mal de crâne lui martelait les tempes. La prochaine fois, elle y réfléchirait à deux fois avant de boire comme un trou. Même si l'envie la démangeait d'aller racheter quelques bouteilles de vin puis de retourner se terrer chez elle pour boire jusqu'à plus soif. Cependant, la raison l'emporta. Elle devait envoyer un message à Joss et Chessy. Plus tôt cette épreuve serait derrière elle, mieux ce serait.

Poussant un soupir, elle rédigea un message à ses deux amies.

J'ai besoin de vous parler… avec un verre de vin à la main, si possible.

Elle appuya sur «envoyer» et posa son téléphone sur la table. Un des clients du café, assis à quelques tables de la sienne, lui adressa un regard curieux. Pas étonnant, elle devait ressembler à un épouvantail. Depuis qu'elle s'était fait plaquer par l'amour de sa vie, elle noyait son chagrin dans l'alcool. Soudain, son portable émit un petit «bip». Elle le prit et consulta l'écran.

Viens immédiatement à la maison, il y a du vin. Alors, tu viens?

Kylie commença à répondre à Joss quand elle reçut un autre message, de Chessy, cette fois-ci.

Moi aussi, j'arrive d'ici 15 minutes! Joss, tu as assez de vin ou j'en ramène?

Rassurée par leur réaction, Kylie ne put s'empêcher de sourire. La réponse de Joss s'afficha sur son écran l'instant d'après.

J'ai tout ce qu'il faut! Allez, dépêchez-vous, je vous attends!

Kylie répondit rapidement qu'elle pensait arriver dans une vingtaine de minutes, vida sa tasse de café, prit ses clés et s'élança vers sa voiture. Ses mains se crispèrent sur le volant quand elle démarra. Elle était terrifiée à l'idée de devoir confier son chagrin à ses amies. Mais elle s'était juré de se montrer plus ouverte avec elles et ne voulait pas revenir sur sa parole. Et puis, il s'agissait de ses meilleures amies en qui elle avait entièrement confiance. Elle mit de la musique pour se détendre un peu et faillit envoyer un coup de poing dans l'autoradio qui se mit à diffuser une chanson triste. Elle coupa aussitôt la musique, préférant faire le reste du trajet en silence.

Comme elle l'avait prédit, il lui fallut vingt-deux minutes exactement pour arriver chez Joss. Elle se gara dans l'allée, coupa le contact et prit une profonde inspiration. Elle voulut descendre de la voiture, mais son corps refusa de lui obéir. Elle était comme paralysée.

Au bout de quelques minutes, elle prit son courage à deux mains. Elle était à quelques mètres de la porte d'entrée lorsque celle-ci s'ouvrit brusquement. Dash apparut sur le seuil. Kylie déglutit péniblement en le voyant. Faire face à Chessy et Joss était une chose, mais affronter son patron en était une autre. Pourquoi n'avait-elle pas pensé à dire à Joss qu'elle préférait passer un moment entre filles ?

Dash l'observait, les sourcils froncés. Soudain, son expression changea du tout au tout.

— Quand il m'a dit qu'il t'a blessée, je pensais qu'il voulait dire émotionnellement, pas physiquement, grommela-t-il, les dents serrées. Putain, Kylie, qu'est-ce qu'il t'a fait ? Je vais le buter, ma parole, je vais le buter.

Kylie couvrit machinalement son cou avec une main, mais c'était trop tard, Dash avait déjà vu les bleus qui s'étaient formés sur sa peau. À cet instant, Joss apparut derrière lui et se jeta sur elle en la prenant dans ses bras. Elle l'étreignit comme si sa vie en dépendait. Kylie noua les bras autour de son amie puis regarda Dash, qui avait l'air furieux, par-dessus son épaule.

— Ce n'est pas ce que tu crois, dit-elle.

— Ah bon ? Et c'est quoi alors ? s'enquit-il en fulminant.

— Fiche-lui la paix, Dash, gronda Joss en la libérant de son étreinte. Elle nous dira ce qui s'est passé, à Chessy et à moi, et si on estime que Jensen mérite une bonne raclée, tu t'en chargeras.

Kylie fut reconnaissante à Joss pour son intervention. Pourquoi avait-elle tant tenu à les éviter toute la semaine ? Au lieu de picoler toute seule chez elle en s'apitoyant sur son sort, elle aurait dû appeler ses amies, leur ouvrir la porte quand elles étaient passées chez elle. Elles l'auraient soutenue et l'auraient aidée à traverser ce moment difficile.

Joss la prit par la main et l'attira à l'intérieur de la maison. Dash ne semblait guère content, mais ne dit rien et Kylie en remercia le ciel.

— Bon, chéri, soirée entre filles oblige, l'accès au salon est désormais interdit aux hommes donc, à toi, plus précisément, lança Joss par-dessus son épaule.

Kylie se retourna et vit Dash lever les yeux au ciel.

— Très bien, je vais monter regarder la télé dans la chambre. Mais j'attends un rapport détaillé après, parce que je ne vais pas lâcher l'affaire. Si ce fils de pute lui a fait du mal, je vais lui casser la gueule.

— J'aime quand il s'énerve comme ça, lui chuchota Joss à l'oreille. J'ai presque envie de lui sauter dessus, là, maintenant, tout de suite.

Kylie poussa un grognement.

— Oui, ben dis-toi que tu pourras le faire ce soir. Moi, je n'ai plus personne sur qui sauter, ni là, tout de suite, maintenant, ni plus jamais, d'ailleurs.

Une expression de sympathie se peignit sur le visage de Joss.

— Vous avez rompu ?

— Moi aussi je veux savoir, dit Chessy quand elles entrèrent dans le salon.

Elle se leva du canapé et, à son tour, serra Kylie dans ses bras.

— Ne nous refais plus jamais un coup pareil, tu m'entends, plus jamais ! la gronda-t-elle en desserrant son étreinte. On était folles d'inquiétude ! Qu'est-ce qui s'est passé, ma chérie ? Tu as une mine affreuse.

Chessy se dégagea d'elle et l'étudia un instant. Lorsque son regard se posa sur son cou, elle blêmit aussitôt. Elle jeta un coup d'œil à Joss puis, toutes les deux la dévisagèrent, les yeux écarquillés.

— C'est lui qui t'a fait ça ? s'exclama Chessy.

— C'est vraiment une longue histoire, répondit Kylie en poussant un soupir. Est-ce qu'on peut déjà s'asseoir et ouvrir une bouteille de vin ?

— Je vais chercher les bouteilles, dit Joss avant de disparaître dans la cuisine.

— J'ai vraiment besoin d'un verre… et peut-être même deux ou trois, marmonna Kylie en s'asseyant par terre.

— Bois, bois, ma chérie ; ça déliera ta langue et je compte bien te soutirer tous les détails, lança Chessy.

Joss revint à ce moment-là, une bouteille dans chaque main. Elle en déboucha une et remplit les trois verres qui étaient posés sur la table basse. Elle en tendit un à Kylie qui le vida aussitôt d'un trait et Joss la considéra d'un air sceptique.

— Je pense qu'en fait, j'aurais besoin de quelque chose d'un peu plus corsé, dit-elle tandis que Joss remplissait de nouveau son verre.

— Ah, si tu veux vraiment te bourrer la gueule, je vote pour faire une razzia sur le bar de Dash, proposa Chessy.

Tandis que Kylie vidait son deuxième verre de vin, Joss prit une expression sérieuse.

—Si vous voulez vraiment qu'on se bourre la gueule, il faut faire les choses bien. Donc, vous restez dormir ici cette nuit et pour en être sûre, je donnerai vos clés de voiture à Dash.

Kylie et Chessy émirent un soupir, mais donnèrent quand même leurs clés à Joss qui alla aussitôt les apporter à Dash.

—Bon, alors, je vous écoute, on commence par quoi? demanda-t-elle lorsqu'elle revint dans le salon en se dirigeant vers le bar.

—On dit que le mélange d'alcools provoque l'ivresse plus rapidement, déclara Chessy. Donc, je dirais… tout!

Kylie fronça les sourcils. Les deux verres de vin qu'elle avait bus lui montaient déjà à la tête.

—Est-ce que ça veut dire que je vomirai à un moment ou un autre? demanda-t-elle.

—Ma chérie, on va toutes finir par vomir nos tripes, crois-moi, dit Chessy avant de se tourner vers Joss. Prends la première bouteille qui te tombe sous la main.

Joss haussa les épaules et sortit deux bouteilles du bar. Elle les posa sur la table basse, puis alla chercher des verres à liqueur.

—Ramène plusieurs verres, lui proposa Chessy. Je pense qu'il est plus prudent, pour ta table et ton tapis, surtout, de les remplir tous, tout de suite.

—Oui, tu as raison, déclara Kylie. Vas-y, Joss, c'est toi qui sers.

Joss aligna une dizaine de verres sur la table et les remplit un par un. Chessy prit deux verres et en tendit un à Kylie et l'autre à Joss avant d'en prendre un pour elle.

— Trinquons aux hommes, à cette bande de connards ! déclara-t-elle en levant son verre.

— Tous des connards ! s'exclama Kylie en tintant son verre contre ceux de ses amies.

— Enfin, tous, sauf Dash, bien évidemment, rectifia Joss.

— Je te rappelle quand même que ton cher petit Dash s'est montré très con par le passé. Et je parie qu'il recommencera tôt ou tard, fit remarquer Chessy.

Sur ces mots, elle leva de nouveau son verre et ajouta :

— Donc, comme je disais, je trinque aux hommes, à cette bande de connards, sans exception.

Joss éclata de rire et elles trinquèrent de nouveau avant de vider leur verre cul sec.

Le liquide brûla la gorge de Kylie et ses yeux s'emplirent aussitôt de larmes.

— Arghh ! C'est dégueulasse ! souffla-t-elle entre deux quintes de toux.

— On s'en fiche, répliqua Chessy, ça fait du bien par où ça passe, c'est le plus important. Donne-lui un autre verre, Joss, ça va la faire parler plus vite.

Joss s'exécuta et lui tendit un autre verre. Kylie inspira profondément puis l'avala d'un trait. Heureusement, celui-ci passa nettement mieux que le premier. Elle se laissa aller contre le canapé, sentant la chaleur du liquide se répandre dans son corps.

— J'ai passé ma semaine à picoler, admit-elle.

— Oh, ma chérie, c'est pas bien de boire toute seule, dit Chessy. Si seulement tu m'avais ouvert la porte, j'aurais pu t'accompagner.

— Non, j'avais besoin d'être seule, de réfléchir à certaines choses.

— Comme quitter ton boulot et mettre ta maison en vente ? s'enquit Joss, visiblement offusquée.

Kylie fit une grimace.

— Oui, entre autres…

— Qu'est-ce qui t'a pris de faire ça ? demanda Chessy. Et puis, ces bleus sur ton cou, d'où viennent-ils ?

Kylie ferma les yeux, sentant les larmes lui monter aux yeux. Elle était encore capable de pleurer, après toutes les larmes qu'elle avait versées ? Il fallait croire que oui. Chessy et Joss vinrent s'asseoir à côté d'elle. Chessy passa un bras autour de ses épaules, tandis que Joss dégageait une mèche de cheveux de son visage.

— Allez, Kylie, raconte-nous ce qui s'est passé, l'encouragea Joss d'une voix douce. Tu nous as fait une peur bleue, tu sais ?

— Il n'a pas voulu me faire du mal, murmura Kylie. Jamais il ne serait capable de me faire du mal délibérément, jamais. Moi je le sais, mais lui, non. Du moins, pas encore.

— J'ai du mal à te suivre, dit Chessy. Reprends depuis le début, ma chérie, doucement.

Kylie prit une profonde inspiration et leur fit le récit des événements, sans omettre aucun détail, depuis le soir où elle avait confié des choses sur son passé à Jensen jusqu'à la nuit où il l'avait étranglée.

— Ben, dis donc, commenta Joss. Ça n'a pas dû être facile pour toi. Et Jensen, je n'ose même pas imaginer ce qu'il a dû ressentir quand il s'est rendu compte qu'il était en train de t'étouffer. Je ne sais pas comment Dash aurait réagi à sa place.

— Mais, il ne l'a pas fait exprès, vraiment. Il était prisonnier de son cauchemar, il ne savait pas ce qu'il faisait. Et, une fois qu'il a compris ce qui s'était passé, il a fait mes valises et m'a ramenée chez moi à la vitesse de la lumière. Il n'a même pas voulu qu'on en discute !

Un silence se fit soudain. Toutes les trois échangèrent des regards entendus, puis Chessy se saisit d'une bouteille et remplit les verres à liqueur qui étaient tous vides. Kylie en prit un et le vida d'une traite. Elle espérait que tout l'alcool qu'elle avait ingurgité depuis le début de la soirée agirait comme un baume bienfaisant sur ses blessures émotionnelles et effacerait sa peine, même si ce n'était que pour quelques instants. Elle qui était depuis toujours contre l'idée de chercher du réconfort dans l'alcool, était en train de faire, ni plus ni moins, exactement cela.

Elle tendit son verre à Chessy en lui faisant signe de la resservir. Jamais deux sans trois, alors pourquoi pas jamais trois sans quatre ? Elle vida son verre d'une traite. Enfin, elle commençait à vraiment sentir les effets de l'alcool. Une étrange torpeur l'envahissait et, pourtant, elle pleurait comme une madeleine sans parvenir à s'arrêter. Elle renversa la tête en arrière sur l'assise du canapé et regarda le plafond qui semblait tourner légèrement au-dessus d'elle.

— J'aurais dû le savoir, marmonna-t-elle, en proie au désespoir. Je n'ai jamais été une optimiste. La vie ne m'a pas fait de cadeau et j'ai très vite appris à m'attendre au pire. Tout ce que j'ai vécu en est une preuve flagrante. Et puis Jensen est arrivé et a complètement chamboulé ma perception des choses. J'étais persuadée que c'était l'homme de ma vie, celui que j'attendais depuis longtemps. Tout allait tellement bien… J'étais tellement heureuse à l'idée d'être capable de m'investir pleinement dans une relation amoureuse, qu'à aucun moment je ne me suis dit que ça pourrait mal tourner. Je nous croyais capables de traverser, ensemble, n'importe quelle épreuve de la vie. J'ai été stupide. Je me suis peut-être emportée ainsi parce que c'était la première fois de ma vie que je tombais amoureuse d'un homme. En tout cas, ce n'est pas évident, les ruptures ; j'ai bien fait de rester célibataire aussi longtemps.

— Tu l'as dit, bredouilla Chessy.

Kylie releva la tête et regarda son amie. Tiens, c'est marrant, elle voyait deux Chessy à présent.

— Comment ça va entre Tate et toi ? demanda-t-elle.

— Comme ci, comme ça. Je n'en sais rien, en fait, répliqua-t-elle avec une moue sur les lèvres.

— Quand je vous vois, je me sens coupable d'être aussi heureuse en ménage, déclara Joss tristement.

— Ne dis pas ça, voyons, la réprimanda Kylie en lui prenant la main et la serrant dans la sienne. Tu mérites d'être heureuse et puis, toi aussi, tu as eu ton lot de malheurs.

Elles burent encore un verre, puis un autre et encore un autre. Une minute, Kylie était assise sur le canapé et l'instant d'après, elle s'installa par terre avec ses amies, devant la cheminée.

—Pourquoi le plafond tourne comme ça? s'enquit Chessy.

—Ce n'est pas le plafond qui tourne, c'est ta tête, lui fit remarquer Kylie.

—Bon, qu'est-ce qu'on va faire avec Jensen? demanda Joss, ramenant ainsi la conversation sur Kylie.

À cette question, une soudaine colère monta en Kylie. Au cours des derniers jours, elle était passée par un nombre incalculable d'émotions : le chagrin, l'incompréhension, l'apitoiement sur elle-même, mais pas la colère. Et là, elle était vraiment, mais alors vraiment en rogne. Comment avait-il osé renoncer à elle, à eux, juste comme ça? Il était prêt à l'aider à surmonter ses problèmes quitte à vivre avec s'il le fallait. Pensait-il qu'elle n'était pas capable d'en faire autant pour lui? Qu'elle ne pouvait pas l'aider à vaincre ses démons?

—J'ai la rage, déclara-t-elle, sa voix sonnant bizarrement à ses propres oreilles.

—Et tu devrais, bafouilla Chessy.

—Oui, tu devrais, répéta Joss.

—Attends…, marmonna Chessy, l'air perdue et les sourcils froncés. Pourquoi tu devrais avoir la rage, déjà?

—Jensen, souffla Kylie.

—Ah, oui! C'est vrai, acquiesça Chessy.

—Qu'est-ce qui lui donne le droit de renoncer à nous, comme ça, sans se battre?

—Exactement! s'exclama Joss.

—Ce mec s'est quand même attaché au lit pour moi. Il m'a dit qu'il le ferait le temps qu'il faudra, jusqu'à la fin de ses jours, si nécessaire. Par contre, quand il s'agit de ses problèmes, il préfère m'exclure de sa vie plutôt que de les régler avec mon aide! C'est abusé!

Dans un élan de colère, Kylie se redressa et regretta aussitôt son geste. Tout se mit à tanguer violemment autour d'elle et elle ferma les yeux pour combattre sa nausée. Puis, une idée lui vint soudain à l'esprit.

—Mais, oui! Bien sûr! s'écria-t-elle. Comment n'y ai-je pas pensé plus tôt?

—De quoi? s'enquirent Chessy et Joss à l'unisson.

—Bien sûr…, répéta-t-elle en se frappant le front avec la paume de sa main.

Une douleur sourde surgit aussitôt dans ses tempes et elle gémit.

—Doucement, l'avertit Chessy. Tu vas finir par tomber dans les pommes.

—Allez, dis-nous à quoi tu viens de penser, l'incita Joss.

—Je vais l'attacher au lit, annonça Kylie d'un air triomphant. Non… Attends… Avant de l'attacher au lit, on va faire l'amour. Et après, pour dormir, je l'attacherai au lit. Oui, voilà.

—J'avoue que je ne comprends pas trop, bredouilla Chessy. Mais bon, c'est peut-être aussi parce que je suis pompette. Tu peux être plus claire, s'il te plaît, ma chérie? Apparemment, je fonctionne au ralenti quand je bois.

Kylie et Joss éclatèrent de rire.

—Chaque fois qu'on a fait l'amour, Jensen a insisté pour que je l'attache au lit afin que je me sente en sécurité et que je sois certaine qu'il ne me fera pas mal. Et, il a utilisé son «agression» comme prétexte pour me larguer. Donc, si je suis son raisonnement, il suffit que je l'attache au lit pendant qu'on dort. Ainsi, je me sentirais en sécurité et je serais certaine qu'il ne me fera pas mal dans son sommeil.

—Tu es un génie, ma Kylie! annonça Chessy avec admiration.

—Buvons à ton idée brillante! s'exclama Joss.

—Euh… je pense que j'ai eu ma dose pour ce soir, marmonna Chessy.

—Oui, surenchérit Kylie, moi aussi. Et puis, je dois cuver ma cuite sans tarder.

—Ah bon? s'étonna Joss.

Voyant qu'elle était à moitié allongée sur Chessy, Kylie se redressa sur ses coudes.

—Oui, déclara-t-elle. Parce que, dès que j'aurai dessoûlé, j'irai chez Jensen pour lui montrer de quel bois je me chauffe. S'il croit qu'il peut se débarrasser de moi, prétendument dans mon intérêt, alors qu'en fait, pas du tout, eh bien, il se trompe!

— Euh… Les filles, intervint Dash, pardonnez mon intrusion, mais, vous avez vu l'heure? Vous picolez depuis la fin de l'après-midi et… Et vous êtes toutes allongées par terre.

Toutes les trois se retournèrent vers lui au même moment.

— Oh, mon chéri, articula Joss. Tu es venu pour m'emmener au lit? Tu me portes?

Dash éclata de rire.

— Je crois que, étant donné votre état d'ébriété avancée, je vais devoir toutes vous porter jusqu'au lit, dit-il, amusé.

— Non, non, dit Kylie en secouant la tête. Je ne peux pas aller me coucher maintenant. Je dois mettre en place un plan de séduction. Ah, tiens, d'ailleurs Dash, t'es un mec, toi?

— Jusqu'à preuve du contraire, oui.

— Donc, s'exclama-t-elle en pointant un doigt sur lui, si une femme se jette sur toi, toute nue, tu serais incapable de la repousser, n'est-ce pas?

— Tout dépend de la femme, répliqua Dash en riant.

— Si une femme se jette sur toi toute nue, Dash, je te jure que je lui fais la peau! déclara Joss, visiblement contrariée.

— Calme-toi, mon amour, aucune femme ne va se jeter sur moi. Bon, vous êtes prêtes à aller dormir, les filles? Kylie, je pense que tu devrais laisser la nuit te porter conseil et mettre en place ton plan de séduction une fois sobre. Peut-être que tu auras changé d'avis d'ici là, qui sait?

—Tu n'es qu'un rabat-joie, Dash, repartit Kylie en lui faisant une grimace.

—Désolé.

Joss poussa un soupir.

—Bon, on va se coucher les filles ? demanda-t-elle. Vous pouvez dormir ensemble dans la chambre d'amis. Le lit est très grand, vous ne risquez pas d'être à l'étroit.

—Ça me changera des nuits que je passe seule derniè-rement, commenta Chessy.

Dash se pencha vers Kylie puis glissa un bras autour de son dos et l'autre sous ses genoux et la souleva. Ce mouvement brusque retourna l'estomac de Kylie et elle combattit la nausée qui la travaillait depuis un moment.

Mon Dieu, faites que je ne vomisse pas sur Dash, pria-t-elle en silence, *mon humiliation est déjà assez grande comme ça.*

—J'emmène Kylie en premier, je pense que c'est la plus soûle de vous trois, annonça Dash à Joss. Je reviens m'occuper de vous après.

Joss lui sourit en lui faisant signe de la main d'y aller. Quel beau couple ils formaient, tous les deux ! Elle avait vraiment de la chance d'avoir un mari aussi attentionné et qui l'aimait à la folie. D'ailleurs, si Joss n'avait pas été sa meilleure amie, Kylie aurait sans doute été jalouse.

Dash ouvrit la porte de la chambre d'amis et déposa délicatement Kylie sur le lit. Puis il disparut dans la salle de bains et réapparut l'instant d'après, une bassine en plastique à la main.

—Tiens, dit-il en la posant par terre à côté d'elle, si tu as besoin de vomir, tu te penches au-dessus du lit et tu fais ce que tu as à faire. Je doute que tu puisses atteindre les toilettes à temps.

—T'es le meilleur, Dash, bafouilla Kylie, Joss est une sacrée veinarde de t'avoir.

Le rire de Dash fut la dernière chose qu'elle entendit avant de sombrer dans un sommeil proche du coma.

Chapitre 30

KYLIE AVAIT L'IMPRESSION QUE SA TÊTE ALLAIT EXPLOSER. Sa bouche était sèche et l'arrière-goût de l'alcool, qu'elle n'arrivait pas à chasser, lui donnait envie de vomir.

Noyer sa peine lui avait semblé une bonne idée la veille, mais avec le recul, elle ne trouvait plus cette idée si brillante. Elle y réfléchirait à deux fois avant de recommencer. Dash les avait laissées toutes les trois dormir et leur avait même préparé un petit déjeuner ainsi qu'un prétendu remède miracle contre la gueule de bois qui peinait à faire effet. Néanmoins, elle avait été rassurée de constater que Joss et Chessy aussi avaient des têtes de déterrées au réveil.

Elle se gara dans l'allée de Jensen et coupa le moteur. Sa voiture était là, ce qui voulait dire que Jensen était là, lui aussi. Un samedi, à une heure aussi matinale, Jensen devait probablement dormir encore. Heureusement qu'elle avait gardé les clés de sa maison, comme ça, même s'il refusait de lui ouvrir, elle pourrait entrer chez lui, que ça lui plaise ou non. D'ailleurs, elle espérait le trouver dans son lit, ça lui faciliterait les choses et elle comptait bien aller au bout de son plan. Elle le repassa encore une fois dans sa tête. Si on lui avait dit qu'elle ferait un truc pareil un jour, elle ne l'aurait pas cru.

Elle descendit de la voiture et se dirigea vers la maison. Devait-elle quand même sonner ou plutôt entrer directement ? Elle préférait jouer sur l'effet de surprise et glissa donc la clé dans la serrure puis la tourna doucement. Elle entra dans la maison sur la pointe des pieds et referma la porte derrière elle, sans faire de bruit.

Première étape… C'est fait.

Elle traversa le couloir qui menait au salon, mais le spectacle qui l'accueillit dans la pièce la fit s'arrêter net sur le pas de la porte.

Affalé sur le canapé, les yeux clos et la tête rejetée en arrière, Jensen était soit en train de dormir, soit en train de frôler le coma éthylique. Et, à en juger par les bouteilles vides qui traînaient sur la table basse et jonchaient le sol, la deuxième hypothèse lui semblait plus probable. Si elle n'avait pas été dans le même état que lui quelques heures auparavant, elle aurait probablement été indignée de le trouver ainsi.

Elle secoua légèrement la tête. Ils étaient tous les deux dans un état lamentable. Tout comme elle, lui aussi vivait très mal leur séparation. Heureusement que sa cuite lui avait mis du plomb dans la tête. Elle allait mettre un terme à cette situation absurde tout de suite !

—Jensen…

Rien.

—Jensen ! s'exclama-t-elle. Allez, réveille-toi !

Toujours rien.

Elle s'avança vers le canapé et se pencha au-dessus de son visage.

—Réveille-toi, Jensen !

Il ouvrit les yeux et la regarda un instant. Puis, il parut comprendre ce qui se passait et ferma de nouveau les yeux.

—C'est qu'un rêve, marmonna-t-il. Putain… J'ai trop bu.

—Non, ce n'est pas un rêve, un cauchemar, à la limite, mais bon, bref… On y reviendra plus tard.

Il battit des paupières, l'air hébété, puis se frotta les yeux.

—Putain, Kylie… Qu'est-ce que tu fais là, bordel ? demanda-t-il en fronçant les sourcils.

—Bonjour. Moi aussi, je suis contente de te revoir. Et sinon, quoi de neuf ? Ah, attends, laisse-moi deviner, ou mieux encore, laisse-moi compter les bouteilles que tu t'es enfilées.

Sur ces mots, elle approcha encore son visage du sien et le gratifia d'un regard désapprobateur.

—Je te jure que je vais t'étrangler si tu n'arrives pas à te lever, déclara-t-elle entre ses dents.

Il ouvrit la bouche et son haleine lui balaya le visage. Bon, elle s'attendait à pire. Il avait sans doute dû passer la nuit à cuver tout ce qu'il avait ingurgité.

— Mais de quoi tu parles, bon sang ? Kylie, qu'est-ce que tu fous ici ? Toi et moi, c'est terminé.

— Oui, oui, bien sûr, cherche donc à t'en convaincre, souffla-t-elle. Ce n'est pas vrai, je le sais et toi aussi, tu le sais très bien, alors arrête.

— Qu'est-ce que tu veux à la fin ?

Elle lui caressa la joue et prit une mine sérieuse en plongeant son regard dans le sien.

— Jensen, est-ce que tu me fais confiance ?

— Bien sûr, quelle question ! C'est en moi que je n'ai pas confiance. Putain, Kylie, pourquoi est-ce que tu rends les choses encore plus difficiles qu'elles ne le sont déjà ? Regarde-moi, regarde bien l'état dans lequel je suis. Ce que tu vois, c'est le nouveau Jensen, le Jensen d'après Kylie.

Le cœur de la jeune femme se serra dans sa poitrine. Il était vraiment mal en point.

— Prouve-le-moi, le défia-t-elle.

— Mais te prouver quoi ? s'enquit-il sèchement.

Elle devait agir vite avant qu'il ne la rejette.

— Que tu me fais confiance, répondit-elle doucement.

— Je n'ai pas à le prouver. Je te fais entièrement confiance, Kylie, et tu le sais.

— Très bien, dans ce cas, viens dans la chambre avec moi.

— Non, ne me demande pas ça, dit-il en fermant les yeux. Je ne peux pas…

— Jensen, si tu as vraiment confiance en moi, alors prouve-le. S'il te plaît, viens, l'implora-t-elle.

—Bon, on va dans la chambre, mais, après ça, je veux que tu me foutes la paix, OK?

—Tu tiens vraiment à te débarrasser de moi aussi vite? C'est ça, pour toi, l'amour? Oublier le plus vite possible la personne que tu aimes ou que tu prétends aimer?

À peine eut-elle fini sa phrase qu'il bondit du canapé en lui lançant un regard menaçant. Il y avait encore quelques semaines, une telle réaction l'aurait fait fuir en courant. Mais, la nouvelle Kylie était heureuse et rassurée de retrouver l'ancien Jensen. C'était de cet homme-là qu'elle était tombée amoureuse, pas de la loque humaine qu'elle avait trouvée dans le coltard, sur le canapé. Si seulement elle s'était réveillée plus tôt! Si seulement l'illumination qui l'avait frappée hier avait pu la frapper plus vite! Ça leur aurait évité bien des larmes et des souffrances.

—Ne remets jamais, jamais, mon amour pour toi en question, tu m'entends! tonna-t-il. C'est parce que je t'aime trop que j'ai préféré mettre un terme à notre histoire.

Kylie choisit de ne pas prêter attention à sa crise de colère et profita du fait qu'il s'était levé tout seul pour lui saisir la main et passer à la suite du plan. Essayant de garder son calme, elle le guida vers la chambre.

—Souviens-toi de ce que tu as dit… Tu me fais confiance, chuchota-t-elle en se retournant vers lui et en posant ses paumes sur son torse, une fois qu'ils furent dans la chambre.

—Oui, répliqua-t-il sèchement.

Elle hocha la tête puis lui tourna le dos et se dirigea vers le lit. Elle commença à se déshabiller, priant silencieusement pour que son plan fonctionne.

— Qu'est-ce que tu fais!? Ça va…

À cet instant, elle se retourna vers lui, totalement nue, et la phrase de Jensen resta en suspens. Bouche bée, il la détailla du regard avant de fermer les yeux.

— Pourquoi est-ce que tu me fais ça, Kylie? demanda-t-il, manifestement exaspéré.

Elle s'avança vers lui et fit descendre son index le long de son torse et son ventre puis s'arrêta au niveau de sa braguette. Elle se haussa ensuite sur la pointe des pieds et l'embrassa tendrement sur la bouche. Comme Jensen ne réagissait pas, elle déposa encore quelques baisers sur ses lèvres. Enfin, il les entrouvrit et elle glissa la langue dans sa bouche. Elle sentit alors les bras de Jensen se refermer autour d'elle. Ils s'embrassèrent avec ardeur et, au bout d'un moment, elle rompit le baiser pour reprendre son souffle.

— Fais-moi l'amour, Jensen, lui murmura-t-elle à l'oreille. Fais-moi vraiment l'amour, juste toi et moi, pas de corde, pas de menottes, rien que tous les deux.

Il gémit et elle sentit ses doigts se crisper dans son dos.

— Tu m'as dit que tu me faisais entièrement confiance, poursuivit-elle du bout des lèvres. Alors prouve-le-moi et fais ce que je te dis… S'il te plaît, Jensen, fais-moi l'amour.

Il ne dit rien et commença à se déshabiller en hâte, tout en la faisant reculer vers le lit. Elle ne s'était pas trompée, il avait envie d'elle, la preuve de son désir pour elle était évidente, elle pouvait la sentir contre son ventre.

Les jambes de Kylie butèrent contre le lit et elle se laissa tomber sur le matelas.

— Kylie... Est-ce que tu es sûre de vouloir ça ? lui demanda-t-il, la respiration rauque, en s'allongeant sur elle. Si tu changes d'avis, dis-moi d'arrêter et je le ferai aussitôt. Ça sera dur, mais je le ferai.

— Ne t'arrête pas, Jensen, j'ai envie de toi.

Il gémit puis captura ses lèvres en un baiser passionné, étourdissant, presque. Elle aimait sentir le poids de son corps sur le sien, sa peau contre la sienne. Elle sentait son sexe entre ses cuisses, son gland caressant son clitoris. Ne pouvant plus attendre davantage, elle se cambra contre lui. Elle avait envie de le sentir en elle, elle avait besoin de le sentir en elle, elle avait besoin de lui pour se sentir entière.

— Jensen... Fais-moi l'amour, s'il te plaît... Je ne peux pas attendre plus longtemps.

Cependant, sa supplication n'eut pas l'effet escompté. Il traça une ligne de baisers sur son cou et effleura la pointe de son sein, puis de l'autre sein, de sa langue. Tour à tour, il les lécha, les suça et les mordilla en prenant son temps si bien qu'elle crut défaillir de plaisir. Il laissa ensuite lentement glisser ses lèvres sur son ventre puis plongea la langue dans son nombril et s'y attarda quelques délicieuses secondes.

Kylie posa les mains sur ses épaules et enfonça les doigts dans sa peau, espérant qu'il saisirait le message qu'elle voulait lui faire passer. Il se mit à rire et Kylie fut parcourue d'un délicieux frisson en sentant son souffle sur la peau de son ventre. Machinalement, elle ouvrit les cuisses et il embrassa son intimité. Il la caressa du bout des doigts puis écarta les lèvres de son sexe avec une lenteur qui ne fit qu'attiser son désir.

Kylie sentit son souffle se bloquer dans sa gorge et son corps trépignait d'impatience à l'idée de ce qui allait suivre. Quand la langue de Jensen effleura son clitoris, elle décolla les hanches du matelas, laissant échapper un gémissement de plaisir. Puis, les lèvres de Jensen s'emparèrent du petit bouton de son clitoris et il continua à le lécher et le sucer.

Elle poussa un soupir de plaisir mêlé à du soulagement et un sanglot, qu'elle n'essaya même pas de réprimer, monta à sa gorge. Jensen lui avait tellement manqué… Elle avait désespérément besoin de lui. Jamais elle n'avait éprouvé un tel lien avec une autre personne. Elle serait perdue sans lui. Elle avait besoin de lui comme de l'air pour respirer.

Soudain, il introduisit sa langue en elle et lui imprima un va-et-vient qui faillit la faire pleurer d'émotion.

—Jensen… Oh, Jensen… Jensen…

Fais-moi l'amour…

Comme s'il avait entendu ses pensées, il se redressa et se positionna entre ses jambes écartées. Leurs regards se rencontrèrent et demeurèrent rivés l'un à l'autre pendant un long moment. Elle chercha dans ses yeux une réponse à toutes ces questions qui se bousculaient dans sa tête. Que pouvait-il bien ressentir ? Était-il aussi désespéré qu'elle ? Lui avait-elle manqué autant qu'il lui avait manqué, à elle ? Ce qu'elle lut dans son regard était bien au-delà de ses espérances. Il y avait tellement d'amour dans ses yeux, que son cœur s'emballa. Oui, il l'aimait. Il l'aimait et elle l'aimait et, ensemble, ils pouvaient traverser n'importe quelle épreuve. Ensemble, ils étaient plus forts que tout. Ils étaient faits l'un pour l'autre.

— Ça va ? s'enquit Jensen et elle sentit son corps se raidir contre le sien.

— Oui, j'ai tellement envie de toi… Ma vie a été tellement vide sans toi… Je me suis sentie tellement seule…

— Oh, moi aussi, mon amour. Si seulement tu savais à quel point je me suis senti misérable sans toi.

— Oublions tout ça, souffla-t-elle. Tout ce que je veux, c'est te sentir en moi, j'en ai besoin…

Il passa ses bras autour d'elle et, doucement, commença à entrer en elle. Elle gémit de plaisir en le sentant l'emplir petit à petit et souleva les reins vers lui. Elle caressa son dos ; ses muscles étaient tendus sous ses doigts. Elle s'agrippa à ses épaules et leva la tête de l'oreiller.

— Tu ne me feras pas de mal, je le sais, lui murmura-t-elle à l'oreille. J'ai confiance en toi. Ne te retiens pas… Je ne veux pas que tu te retiennes avec moi, je veux que tu sois toi-même, je veux que tu sois l'homme dont je suis tombée follement amoureuse. Je t'aime, Jensen.

À ces mots, il s'enfonça en elle en une poussée, l'emplissant tout entière. Pressée contre lui, Kylie souleva aussitôt les hanches à sa rencontre, ondulant au même rythme que les siennes. Elle noua les jambes autour de sa taille ; leurs corps en parfait accord, ne faisant plus qu'un.

Il allait et venait en elle et elle s'accrocha à lui, éprouvant un besoin irrépressible de se fondre en lui. Le frottement de leurs sexes humides la rendait fébrile. Enfin, il comblait le vide qu'il avait laissé en elle.

Les mouvements de hanches de Jensen se firent de plus en plus pressants. Ils étaient tous les deux consumés par une passion dévorante. Ils étaient restés l'un sans l'autre bien trop longtemps, leurs corps parlaient pour eux et c'était si bon ! Elle l'avait retrouvé et elle ne comptait pas le laisser filer, ils étaient faits pour être ensemble.

Sentant les prémices de son orgasme naître au creux de son ventre, elle l'embrassa avec ardeur. Leurs langues s'entremêlèrent avidement. Seuls le bruit de leurs corps claquant l'un contre l'autre et leurs respirations erratiques ponctuaient le silence qui régnait dans la chambre. Ils étaient en parfait accord, le rythme effréné de leurs hanches s'harmonisant avec une facilité déconcertante. Ils s'étaient comme fondus l'un dans l'autre.

— Tu vas jouir ? demanda-t-il d'une voix rauque. Je veux qu'on vienne ensemble, mon amour.

— Oh, oui, Jensen, oui ! murmura-t-elle entre deux soupirs, je ne vais plus pouvoir tenir longtemps…

Il glissa une main entre eux et caressa son clitoris du pouce tout en accélérant ses assauts. Kylie sentit un spasme soulever son corps tandis qu'une myriade d'étoiles de toutes les couleurs apparaissaient devant ses yeux. Elle ancra alors son regard dans celui de Jensen et ils atteignirent l'orgasme ensemble, les yeux dans les yeux, peau contre peau. Jensen l'aimait, elle le voyait clairement dans son regard. Il l'aimait et il avait envie d'elle. Et plus jamais il ne la quitterait, parce que ni l'un ni l'autre ne pourraient revivre une telle épreuve.

Leurs corps furent secoués par un dernier spasme et ils crièrent leur plaisir à l'unisson. Lentement, elle reprit ses esprits, lovée dans les bras de Jensen, qui, toujours allongé sur elle, la tenait fermement contre lui. Il enfouit la tête au creux de son cou et elle écouta sa respiration se calmer peu à peu.

Elle caressa son dos de haut en bas, savourant la sensation de le sentir toujours en elle. Elle était redevenue elle-même, elle se sentait de nouveau entière et vivante. Cependant, il lui restait une dernière chose à faire.

Posant les mains sur son torse, elle remua sous lui, cherchant à se libérer de son poids. Lorsqu'il parut comprendre ce qu'elle voulait, il roula sur le côté en l'entraînant avec lui.

—Je t'ai fait mal, mon cœur? s'enquit-il d'un air sérieux. Je…

Elle le fit taire en posant l'index contre ses lèvres.

—Ne bouge pas, je reviens tout de suite, répondit-elle.

Puis, faisant mine de ne pas remarquer son regard interrogateur, elle se glissa hors du lit, les jambes encore flageolantes. Son pouls s'accéléra, c'était là que tout allait se jouer pour elle, pour leur couple. Il fallait que ça marche, elle devait à tout prix le convaincre qu'ils avaient un avenir ensemble et que ce qui s'était passé ne remettait pas en question la confiance qu'elle avait en lui.

Elle sortit la corde du tiroir puis grimpa sur le lit, auprès de lui. Sans perdre de temps, et sous le regard perplexe de Jensen, elle lui prit la main gauche, fit un nœud autour de son poignet puis attacha l'autre extrémité de la corde à la tête du lit. Elle tira dessus et s'allongea de nouveau en se blottissant contre lui, sereine et ravie à la fois.

La réaction de Jensen ne se fit pas attendre.

—Tu m'expliques, Kylie?

Elle inspira profondément et se redressa sur un coude pour croiser son regard.

—Tu sais que j'ai entièrement confiance en toi, déclara-t-elle. La preuve, je n'ai plus besoin de t'attacher au lit pour te faire l'amour. Cela dit, il faut que, toi, tu aies confiance en toi, surtout quand on dort ensemble. C'est pourquoi je te propose de t'attacher au lit pendant la nuit, comme ça, s'il t'arrive encore de faire des cauchemars, tu ne pourras plus me faire mal. Une fois que tu te sentiras prêt, on enlèvera la corde.

Des larmes embuèrent les yeux de Jensen et Kylie devina un immense soulagement dans son regard.

—Viens par ici, dit-il, la voix chargée d'émotion.

Un léger sourire aux lèvres, elle se lova contre lui. Il passa son autre bras autour d'elle et resserra son étreinte, enfouissant son visage dans ses cheveux. Elle le sentait trembler contre elle et elle noua les bras autour de son cou et s'y accrocha, se plaquant contre lui. Des larmes se mirent à couler sur ses joues, des larmes de joie. Ils allaient s'en sortir, oui, ils allaient s'en sortir…

—Je t'aime, je t'aime tellement, Kylie, si tu savais… Jamais je n'aimerai une autre femme que toi.

—Moi aussi, je t'aime, chuchota-t-elle.

Il se dégagea doucement d'elle de manière que leurs regards se croisent. Elle porta une main à son beau visage puis essuya les larmes qui roulaient le long de ses joues et il en fit de même pour elle.

—Tu crois vraiment que ça va marcher? s'enquit-il, et elle perçut un brin d'hésitation dans sa voix. Kylie… Cette nuit-là… Mon Dieu, cette nuit-là était la plus belle, mais également la pire de toute ma vie. La plus belle parce que tu t'es confiée à moi, tu m'as accordé ta confiance, et la pire parce que…

Il déglutit.

—Tu ne peux pas imaginer ce que j'ai ressenti quand je me suis réveillé et que j'ai compris ce que j'étais en train de faire, quand j'ai vu mes mains autour de ton cou. Ça m'a achevé… Je me suis dit qu'il fallait que tu t'éloignes de moi, qu'on arrête tout parce que, comme ça, je ne pourrais plus te faire de mal. Ce que je t'ai fait a failli me tuer.

—Ça marchera, Jensen, répondit-elle en lui caressant la joue. On y arrivera, on fera ce qu'il faut pour y arriver.

Elle inspira puis expira lentement.

—Tu m'as dit une fois que je devrais aller voir un psy et je pense que tu avais raison. Mais, je pense…

Elle poussa un nouveau soupir pour se donner du courage.

—Je pense qu'on devrait y aller tous les deux. On verra bien ce que ça donne, on n'a rien à perdre. En tout cas, il est hors de question qu'on se sépare à cause de ce qui s'est passé. Ta peur est infondée, Jensen, je me sens en sécurité uniquement quand je suis avec toi et je sais que jamais tu ne me ferais de mal intentionnellement. Il faut que tu me croies, il le faut !

Il lui saisit la main, la porta à ses lèvres et lui embrassa la paume. Il lui fallut plusieurs secondes avant de répondre et Kylie comprit qu'il ne devait pas s'attendre à une telle déclaration de sa part.

—Jamais personne ne m'a fait autant confiance que toi, Kylie, dit-il du bout des lèvres.

—Et jamais quelqu'un n'a cru en moi autant que toi, répliqua-t-elle. Tu comprends maintenant pourquoi on est faits l'un pour l'autre ? On est un peu dérangés tous les deux, et nos failles se complètent. C'est aussi simple que ça.

—Vu comme ça, tu as raison, déclara-t-il en riant, mieux vaut être dérangés ensemble que chacun dans son coin.

—Alors… On est toujours ensemble ou pas ? demanda-t-elle, une vague d'appréhension la submergeant soudain.

Il l'embrassa avec fougue en la serrant encore plus fort contre lui.

—Et comment! J'avais juste besoin d'un bon sermon de ta part pour pouvoir voir les choses en face. Et tu as raison, ça serait bien qu'on aille consulter un psy ensemble. Je vais faire tout ce qu'il faut pour éviter que ce qui s'est passé l'autre nuit ne se reproduise.

Ils étaient sur la bonne voie, Kylie en était certaine à présent.

—Ma vie n'a pas de sens sans toi, Jensen, murmura-t-elle, c'est toi qui m'as donné l'envie d'aller de l'avant et c'est toi aussi qui m'as redonné confiance en moi. Grâce à toi, j'ai compris que, moi aussi, j'avais le droit d'être heureuse et que je pouvais aussi goûter au véritable amour. Je commence à sérieusement réfléchir au futur et je ne le conçois pas sans toi.

—J'ai tellement de chance de t'avoir trouvée, Kylie, tu es la femme parfaite pour moi.

—Tu as sacrifié une partie de toi-même pour moi et ça, je t'en serai toujours reconnaissante. Ce que tu as fait est incroyable, tu m'as sauvé la vie. Et, rien que pour ça, il était hors de question que je renonce à nous sans me battre avant.

—Je n'ai rien sacrifié, dit-il en lui caressant la joue. Si je n'ai jamais renoncé au contrôle avant, c'est tout simplement parce que je n'ai pas trouvé la bonne personne, celle qui en valait vraiment la peine. M'en remettre à toi au lit ne me pose aucun problème, au contraire. Tu m'as accordé ta confiance, et tu as la mienne depuis longtemps déjà. Tu es la personne la plus précieuse au monde pour moi et ton bien-être passe avant tout le reste.

—Je t'aime, balbutia-t-elle, sentant son cœur se gonfler de joie.

—Moi aussi, je t'aime. Et heureusement que tu as eu la présence d'esprit de ne pas renoncer à nous, d'avoir été assez forte pour nous deux sur ce coup-là. Ces derniers jours ont été un véritable enfer et je ne veux plus jamais revivre une chose pareille.

Elle fit une petite grimace et Jensen haussa un sourcil interrogateur.

—Je dois t'avouer quelque chose. Je pense que, si l'on compte les bouteilles vides qu'il y a chez moi, il y en aura beaucoup plus que chez toi… En plus, hier, avec Joss et Chessy, on a dévalisé le bar de Dash. Je crois même que ma gueule de bois est plus violente que la tienne.

La tristesse se lut dans le regard de Jensen.

—Oh, je suis désolé, ma puce. En cherchant à te préserver, je n'ai fait qu'empirer les choses, en fait. Pardonne-moi, Kylie, s'il te plaît. Laisse-moi une chance de me racheter, de te prouver que plus jamais je ne te blesserai comme je l'ai fait.

—C'est du passé tout ça, maintenant. Ce qui m'intéresse dorénavant, c'est le futur, *notre* futur. M'abandonner à toi a été de loin la meilleure décision que j'aie jamais prise.

—Je suis ravi de te l'entendre dire, déclara-t-il.

Puis, une expression sérieuse se peignit soudain sur son visage.

—Tu penses pouvoir supporter mon côté dominateur ? s'enquit-il. Je ne suis pas certain de pouvoir toujours le contrôler. Je suis comme ça, surtout lorsqu'il est question de toi et de ta sécurité. Par contre, sache qu'au lit, tu auras le contrôle absolu, je serai à ta merci le temps qu'il faudra.

— Oh, ne t'en fais pas, dit-elle, le sourire aux lèvres. Tu sais, j'ai fini par m'habituer et même par apprécier ton côté viril et autoritaire. Ça fait partie de ton charme. Et…

Allez Kylie, tu peux le faire…

— Et, un jour, reprit-elle, j'espère pouvoir te laisser prendre le contrôle au lit, aussi.

À ces mots, une lueur intense brilla dans les yeux de Jensen.

— Si ça arrive, je te promets que je chérirai ce cadeau jusqu'à la fin de mes jours.

Ils s'embrassèrent passionnément, puis Jensen roula sur le dos, la faisant basculer sur lui.

— Qu'est-ce que tu fais ? demanda-t-elle, surprise.

Un sourire malicieux se dessina sur ses lèvres et il l'embrassa de plus belle.

— Je suis attaché au lit, sans défense, et je pense que tu devrais en profiter, si tu vois ce que je veux dire…

Elle éclata de rire, une joie sans limites emplissant son cœur. Elle avait retrouvé Jensen et plus jamais ils ne se quitteraient à présent. Certes, ils auraient encore sûrement des moments difficiles à traverser, mais ils le feraient ensemble, main dans la main parce que rien n'était plus fort que leur amour. À ses côtés, elle pouvait être la femme qu'elle avait toujours rêvé d'être au fond d'elle. Elle avait enfin tout ce qu'elle désirait.

Elle l'embrassa à pleine bouche et lui fit l'amour avec une ardeur qui ne tarda pas à les mener, tous les deux, au comble de l'extase.

Achevé d'imprimer en décembre 2014
N° d'impression 1411.0177
Dépôt légal, janvier 2015
Imprimé en France
81121356-1